滋补养生 汤·粥 1001例

《快乐生活 1001》编委会　编

上海科学普及出版社

图书在版编目（CIP）数据

滋补养生汤·粥1001例／《快乐生活1001》编委会编．上海：上海科学普及出版社，2006.6（2007.3重印）

(快乐生活1001)

ISBN 978-7-5427-3475-4

Ⅰ.滋… Ⅱ.快… Ⅲ.①保健－汤菜－菜谱②保健－粥－食谱 Ⅳ.TS972.12

中国版本图书馆CIP数据核字（2006）第038675号

1001例

ZIBUYANGSHENG TANGZHOU

滋补养生汤·粥1001例

出　　版：上海科学普及出版社

（上海市中山北路832号 200070）http://www.pspsh.com

印　　刷：北京外文印刷厂

发　　行：上海科学普及出版社

开　　本：16开（787 × 1092）

印　　张：16印张

字　　数：273千字

标准书号：ISBN 978-7-5427-3475-4/TS · 211

版　　次：2006年6月第1版 2007年3月第3次印刷

定　　价：29.90元

◎如发现印装质量问题，影响阅读，请与印刷厂联系调换。

汤粥亦有百味

●美食最大的诱惑，就在于无论它发展得如何多样，我们始终能够再创新出更多诱人的花样来。当然这可不是菜肴或是甜品的特权。是否想过，品尝1000种不同风味的汤与粥？这其实也并非难事，阅读烹调高手们的精心设计，自己动手，带来意想不到的美好味觉体验。

美味"喝"出健康来

●要美味，更要健康，已经不是新鲜话题。美味与健康兼得，才是我们要追求的目标。无论鲜美浓汤还是清粥小菜，只要把握得当，美食也可以是最好的良药。相比其他菜品，汤粥的滋补功效更是不可忽视。体贴详尽的营养师建议，每种食材的特点与功用一一点明，让你"喝"出美味，"喝"出健康。

贴心提示，轻松上手

●只要有心，做菜就是一门学问。如果不愿意忍受煎炒烹炸的辛苦和呛人的油烟，不妨就从煲汤煮粥上练出几手温馨绝活。做个烹调高手用不着勤学苦练，一点技巧，一个小窍门，就可能让你的"作品"焕然一新。本书的每个贴心小提示，助你轻松煮出自己的特色美味。

滋补药膳全知道

●煲老鸭汤时放一点虫草，熬粥时放一点山药或枸杞，举手之劳，则能大大提升档次，作用也大为不同，这就是药膳的奇妙功效。煲汤煮粥最讲究的也是膳食平衡，本书为你附上大量取材容易、易学易做的药膳食谱，只要你愿意，随时能体验自制美味保健品的乐趣和成就感。

目录

滋补养生汤·粥1001例

Contents

清新素汤

Qingxin sutang

美味荤汤

Meiwei huntang

鲜香水产汤
Xianxiang shuichantang

养生甜汤

Yangsheng tiantang

鲜美咸味粥

Xianmei xianweizhou

滋补甜味粥

Zibu tianweizhou

家常平味粥

附录

QINGXIN SUTANG

清新素汤

粉丝萝卜汤

〔材料〕白萝卜150克、粉丝50克。

〔调料〕盐、胡椒粉、味精。

做法

1. 将白萝卜去皮，洗净，切成3厘米见方的块；粉丝用温水发好，洗净，备用。

2. 锅置火上，放入适量清水烧开，放入白萝卜煮熟，放入粉丝、盐，中火煮5分钟，撒入胡椒粉、味精，搅匀即可。

韭黄带丝汤

〔材料〕韭黄50克、海带150克、鸡蛋1个。

〔调料〕醋、盐、料酒、葱丝、姜丝、胡椒粉、水淀粉、香油、味精。

做 法

1.将韭黄择去根，老叶，洗净，切成5厘米长的段；海带用水发好，切成6厘米长的丝，放入沸水中焯一下，捞出。

2.锅置火上，放油，烧至五成热，放入葱丝、姜丝煸炒出香味，放入海带丝略炒，依次放入适量水、料酒、胡椒粉，烧开后撒上韭黄，淋上香油搅匀即可。

洋葱汤

〔材料〕清汤300克、洋葱200克、干红辣椒1个、香菜叶适量。

〔调料〕盐、胡椒粉、植物油。

做 法

1.洋葱去皮洗净，切成细丝；干辣椒洗净，去蒂备用。

2.炒锅置于中火上，放油烧至五成热，将洋葱丝与干辣椒、盐、胡椒粉一起倒入锅中翻炒，炒至洋葱丝呈深棕色并出香味。

3.将清汤倒入炒锅中，加热至沸腾，出锅前加入香菜调味即可。

南瓜蔬菜浓汤

〔材料〕南瓜350克、卷心菜300克、豌豆100克。

〔调料〕盐、味精、胡椒粉。

做 法

1.南瓜去子，削皮，清洗干净，切成块；卷心菜择洗干净备用。

2.将适量清水倒入锅中，把南瓜和卷心菜放入锅中，用大火烧开，再转小火煮30分钟。

3.煮至汤汁浓稠，再将豌豆加入煮15分钟，最后加入盐、味精、胡椒粉调味即可。

芹菜叶汤

〔材料〕嫩芹菜叶200克。

〔调料〕盐、味精、香油、植物油、葱花、姜末。

做 法

1.芹菜叶洗净备用。

2.锅中倒入植物油烧热，下葱花炝锅后，加入芹菜叶、姜末，稍加翻炒，倒入清水（或高汤），煮开后放盐、香油、味精即可。

营养师建议

★★★ 1 芹菜具有降低血压之功效。2 此汤操作简单，经济实惠，清淡适口。

二冬汤

〔材料〕冬笋150克、冬菇100克。

〔调料〕味精、盐、料酒、白糖、酱油、水淀粉、香油、植物油、姜丝。

做 法

1.冬菇泡好，洗净切成两半；冬笋去除笋衣，切成两半，放在开水中焯透，切成片。

2.锅中倒入植物油，烧至五成热，放入姜丝炒出香味，加入适量清水，再放入盐、味精、料酒、酱油、白糖炖5分钟。

3.将冬笋及冬菇一起加入锅中用小火炖10分钟后，用水淀粉勾芡，出锅前淋上香油即可。

营养师建议

★★★此汤健脾胃，对肠道溃疡有一定的疗效。

香菇冬瓜汤

〔材料〕冬瓜400克、水发香菇100克、高汤50克。

〔调料〕盐、味精、葱花、植物油。

做 法

1.冬瓜去皮及瓤，清洗干净，切块；香菇洗净去蒂，切块待用。

2.汤锅置大火上，放植物油烧热，加入葱末炝出香味后，放入高汤、香菇烧开，加入冬瓜块。

3.冬瓜熟烂后加盐、味精调味即可。

营养师建议

★★★①此汤有清热补虚、减肥健身的功效，尤适用于春季肥胖又内有积热者食用。②冬瓜烧的时间不要太长。

清汤苦瓜

〔材料〕嫩苦瓜300克、豆腐干50克、清汤500克。

〔调料〕胡椒粉、盐、味精、葱姜丝、香油。

做 法

1.将苦瓜洗净后切去蒂尖，顺长剖为两半，挖去瓜瓤后切成片，入沸水中略烫捞出，盛入碗内，加入少量冷清汤、盐腌30分钟，捞出控汤备用；豆腐干切成菱形片。

2.炒锅置旺火上，加入清汤、盐、味精、葱姜丝，烧沸后放入苦瓜、胡椒粉，煮沸后撇去汤面浮沫，起锅盛入汤碗内，淋上香油，撒上豆腐干片即可。

营养师建议

★★★苦瓜清爽利口，具有降火解毒的功效，为夏令消暑佳品。

丝瓜面筋汤

〔材料〕丝瓜2根、油面筋5个、粉丝50克。

〔调料〕葱花、盐、味精、胡椒粉、香油、植物油、清汤。

做 法

1.将丝瓜洗净刮皮，切滚刀块；油面筋逐一切四瓣；粉丝洗净剪段。

2.锅内倒油烧至六成热，放入葱花煸香，放丝瓜翻炒片刻，倒清汤，大火烧开后放入油面筋、粉丝中火煮5分钟，放盐、味精、胡椒粉，淋香油即可。

营养师建议

★★★①丝瓜性平味甘，有通经络、行血脉、凉血解毒之功效。经常食用可以使月经不调的妇女改善状况。②丝瓜不宜选用太老的，老丝瓜筋络成熟，不宜食用。

红豆冬瓜汤

〔材料〕冬瓜400克、红豆200克。

〔调料〕盐。

做 法

1.冬瓜清洗干净后去皮，切块；红豆淘洗干净，浸泡6小时后备用。

2.锅中放适量水烧开，倒入红豆煮熟。

3.将冬瓜块放入锅中，开盖中火煮至冬瓜变透明，加盐调味即可。

茄汁茭白汤

〔材料〕茭白300克、番茄1个。

〔调料〕番茄酱、料酒、盐、味精、白糖、高汤、植物油。

做　法

1.茭白去壳去皮洗净，在菜板上拍松，切成长条备用；番茄洗净，切瓣。

2.将植物油倒入锅中，旺火烧至七成热，下茭白炸至淡黄色，捞出沥干待用。

3.锅中留少许油，将油烧热，放入番茄酱煸炒，加入高汤、料酒、盐、白糖，煮开后放入番茄瓣和炸过的茭白，加盖用小火焖烧至汤汁浓稠，用味精调味即可。

沙锅豆腐汤

〔材料〕豆腐300克、水发香菇40克、油菜心2棵、海米10克。

〔调料〕盐、味精、香油、料酒。

做　法

1.将豆腐洗净，切成方块；油菜心洗净，切成条；海米洗净，放温水中泡好。

2.在沙锅内加入足量清水，倒入豆腐、海米、香菇和料酒，置大火上煮开后，改小火继续煮20分钟。

3.加入盐和油菜心，再煮几分钟后关火，加入香油及味精即可。

营养师建议

★★★①此汤操作简单，营养丰富。②油菜心一定要后放，以保证营养不会流失。

荠菜豆腐汤

〔材料〕荠菜100克、豆腐200克。

〔调料〕食用油、葱花、高汤、盐、鸡精、水淀粉、香油。

做　法

1.将荠菜择去老根，洗净沥干切成小段；豆腐切小丁，炒水过凉备用。

2.锅内倒油烧至六成热，放入葱花，煸炒片刻，倒入高汤，大火烧开，放入豆腐、荠菜，大火烧开滚片刻，加入适量的盐和鸡精，用水淀粉勾薄芡，淋上香油即可。

营养师建议

★★★①味道甘鲜，营养丰富。荠菜含有多种氨基酸、葡萄糖、蔗糖，豆腐蛋白质含量高，有助于提高人体免疫力。②早春时节的荠菜最好，如果自己去野外采集，要选离公路远的大田去采，这样的荠菜没有铅污染。

冬菜豆腐汤

〔材料〕嫩豆腐300克、冬菜20克、海米10克、鸡蛋1个。

〔调料〕高汤、水淀粉、葱花、味精、盐、料酒、酱油、香油、植物油。

做　法

1.豆腐洗净，切小丁，焯烫后捞起；冬菜洗净，挤干水分，切末；海米用温水泡好，切成米粒大小；鸡蛋打散待用。

2.炒锅放入植物油烧热，下入海米粒、冬菜末，略炒几下，加入料酒、高汤、酱油、盐、味精、豆腐丁，烧开后用水淀粉勾薄芡，再将鸡蛋液徐徐倒入，轻轻推动搅和。

3.起锅时，撒入葱花，装入汤碗内，淋上香油即可。

荠菜鸡蛋汤

〔材料〕新鲜荠菜400克、鸡蛋2个。

〔调料〕盐、味精。

做　法

1.将荠菜择洗干净。

2.将荠菜放入沙锅内，加适量清水用大火煮开。

3.在沙锅内打入鸡蛋，加盐、味精稍煮，盛入碗中即可。

营养师建议

★★★①此汤具有丰富的营养，有清热解毒、止血降压、补血安神等功效。②荠菜对高血压有治疗作用，能预防高血压和中风。用荠菜汤加米面做成的“百岁羹”，是老年人防中风、益寿延年的“寿食”。

青菜豆腐茄片汤

〔材料〕小白菜300克、番茄200克、豆腐300克。

〔调料〕盐、味精、香油。

做　法

1.小白菜切除根部后洗净，切段；豆腐清洗干净后切成小块；番茄在表面划几刀，入沸水中烫至外皮翻起，捞出后去皮，切片。

2.锅中加入适量清水煮沸，放入番茄、豆腐，待汤再次沸腾时将小白菜放入锅内，煮5分钟加入盐、味精，淋入香油即可。

芥菜魔芋汤

〔材料〕芥菜300克、魔芋100克。

〔调料〕姜丝、盐。

做　法

1.芥菜去叶择洗干净，切成大片；魔芋洗净，切片。

2.锅中加适量清水，加入芥菜、魔芋及姜丝用大火煮沸，转中火煮至芥菜熟软，加盐调味后即可。

营养师建议

★★★ 1 芥菜能改善寒性体质，防御风湿，但有痔疮、便血、面疱、痘疹者不宜食用。2 魔芋属于低热量、低糖、多纤维食物，能整肠通便，防止摄取过多热量。

荠菜冬笋羹

〔材料〕冬笋300克、荠菜100克、胡萝卜30克、高汤适量。

〔调料〕植物油、盐、味精、香油、水淀粉。

做　法

1.将冬笋洗净切成丝；荠菜择洗干净；将胡萝卜洗净后切成末放入开水中烫一下。

2.锅中放入植物油烧至五成热，将冬笋丝放入炒2分钟左右，加入高汤煮开，将荠菜加入略煮。

3.用水淀粉勾芡，加盐、味精调味后盛入碗中，淋上香油，放入胡萝卜末装饰即可。

鲜蘑丝瓜汤

〔材料〕丝瓜500克、鲜蘑菇200克。

〔调料〕盐、料酒、植物油、水淀粉、高汤、味精。

做　法

1.先将丝瓜削去皮，再一剖两半，切条；鲜蘑菇去根，用冷水洗净，捞出沥干。

2.在锅内放入植物油，烧至三成热，放入丝瓜，炒至变色收缩，盛出沥油。

3.另取汤锅倒入高汤，放入丝瓜、鲜蘑菇、料酒、盐，用大火烧开，改小火焖至鲜蘑菇熟软再转大火，用水淀粉勾薄芡，加味精调味即可。

TIPS 贴心小提示<<<

1 此汤色泽诱人，口感鲜嫩、润滑。2 此汤有祛暑清心，凉血解毒，通络行血，利肠下乳，补脾开胃等作用。

莴笋叶豆腐

〔材料〕嫩豆腐200克、胡萝卜25克、水发冬菇25克、莴笋叶少许。

〔调料〕盐、味精、香油、植物油、姜末、水淀粉、鸡汤。

做法

1.豆腐洗净切小块；胡萝卜洗净，放入开水内烫熟，取出切成小丁；水发冬菇洗净，切小丁；莴笋叶洗净后切碎。

2.锅中倒入植物油烧至七成热，加入冬菇丁、胡萝卜丁翻炒，然后加入鸡汤、豆腐块烧开，放入莴笋叶、姜末、盐、味精，用水淀粉勾芡，出锅前淋入香油即可。

白菜粉丝汤

〔材料〕白菜100克、粉丝50克。

〔调料〕植物油、酱油、葱花、姜末、盐、味精、香油。

做法

1.将白菜洗净，切成丝；粉丝用温水泡软，剪成段备用。

2.将植物油倒入锅内烧热，用葱末炝锅，加入白菜丝、姜末和酱油，稍加翻炒，放入足量清水（或高汤），加入粉丝、盐煮开，最后放香油和味精即可。

营养师建议

★★★白菜味甘、平寒，有清热利水、养胃、解毒的功效；如用高汤更能提鲜。

芦笋莲子羹

〔材料〕罐头芦笋250克、罐头玉米150克、鲜莲子100克、鸡汤适量。

〔调料〕盐、水淀粉、味精。

做法

1.芦笋洗净，切成4厘米长的段，下锅加鸡汤、味精、盐，煨3分钟左右取出，沥干水分，分三行排在汤盆内。

2.鲜莲子洗去黄衣，挤出莲心，和玉米同时下锅，加入鸡汤、盐、味精，待烧透后用水淀粉勾芡，淋在芦笋上面即可。

营养师建议

★★★芦笋有抑制高血压、防止血管硬化的作用。莲子与芦笋同食，对高血脂、心脏病、高血压、动脉硬化等症有一定的食疗效果。

菠菜羹

〔材料〕嫩菠菜300克、火腿丁50克、玉米粒50克、蛋清50克、高汤适量。

〔调料〕盐、味精、胡椒粉、香油、水淀粉。

做法

1.菠菜择洗干净，将菠菜放入开水中焯烫，捞出放入冷水中浸凉，取出后切末。

2.将高汤烧开，放入玉米粒、火腿丁煮5分钟，加入盐、菠菜末、味精，用水淀粉勾芡。

3.再淋上蛋清搅匀，撒上胡椒粉和香油即可。

营养师建议

★★★1 菠菜中的β胡萝卜素可以预防癌症与多种疾病。2 玉米粒可以使用罐头玉米。

莴笋凤尾菇汤

〔材料〕莴笋200克、凤尾菇100克。

〔调料〕盐、胡椒粉、葱花、香菜、香油。

做法

1.将莴笋去皮，洗净，切成丝；凤尾菇洗净，用手撕成小块；香菜择洗干净，切末。

2.锅中放适量水煮开，加入莴笋丝，煮沸后加入凤尾菇再煮15分钟。

3.加入盐、胡椒粉、香油调味，将葱花、香菜末均匀地撒在汤上即可。

营养师建议

★★★1 凤尾菇富含蛋白质和氨基酸，是理想的开胃菜。2 此汤口味鲜香，可以降低血脂，增强体质。

白菜豆腐汤

〔材料〕豆腐1块、白菜叶200克、清汤适量。

〔调料〕植物油、味精、料酒、盐。

做　法

1.将豆腐洗净、切成片，放入沸水中焯一下，用漏勺捞出；将白菜叶洗净，切成条状。

2.汤锅置大火上，放入少许植物油，添足量清汤，投入白菜叶和豆腐。

3.炖至白菜烂后，放入盐、味精、料酒调味，盛入碗内即可。

TIPS 贴心小提示<<<

①此汤含有丰富的蛋白质和维生素。

②白菜最好选用开锅即软、口感好的青口大白菜。

番茄菠菜汤

〔材料〕番茄200克、菠菜200克、黄芪50克。

〔调料〕盐。

做　法

1.将番茄洗净，放入沸水中焯烫至外皮裂开，剥去外皮后切瓣；菠菜择洗干净后去根，切成小段。

2.将黄芪放入锅中加适量水煮沸，放入番茄瓣，待水再一次沸腾后，再放入菠菜煮开，加盐调味即可。

营养师建议

★★★①此汤富含丰富的类胡萝卜素，具有降低血脂、预防便秘、保护呼吸道的功效。②注意煮的时间不宜过长，以免营养流失。

芦笋浓汤

〔材料〕芦笋600克、鲜奶油100克、蛋黄2个、土豆1个、清汤适量。

〔调料〕盐、胡椒粉。

做　法

1.将芦笋去硬皮，洗净；土豆去皮，洗净，切块。

2.锅内放适量清水，放入芦笋煮熟，捞出；将煮软的芦笋上部嫩尖切下备用，剩下的部分切段，再放入锅内，加土豆块、清汤和煮芦笋的水，用小火煮25分钟。

3.捞出汤里的菜，用搅拌机绞成菜泥；蛋黄加鲜奶油，打成蛋液后和菜泥混合搅拌，倒入汤中。

4.放盐和胡椒粉，调好口味，再烧开，加入备用的芦笋嫩尖即可。

青片竹笋汤

〔材料〕竹笋50克、黄瓜200克。

〔调料〕清汤、盐、鸡精、葱花、食用油。

做　法

1.竹笋用温水泡发，洗净后斜刀切成片；黄瓜洗净，切成片待用。

2.油烧热，爆香葱花，加入清汤，放入竹笋同煮，汤开后撇去浮沫。

3.加入黄瓜，大火再次煮开后，加入盐、鸡精调味即可。

TIPS 贴心小提示<<<

①竹笋用温水泡比用凉水泡更容易泡发。

②汤大开后加入黄瓜，迅速加入调料出锅，以免黄瓜失去鲜味和色泽。

毛豆丝瓜汤

〔材料〕毛豆300克、丝瓜300克。

〔调料〕姜、盐、料酒、香油、味精。

做 法

1.毛豆清洗干净；丝瓜去皮，清洗干净，切成滚刀块，放碗内，撒上盐。

2.将毛豆放锅内，加适量水，用大火烧开后，改用小火煮10分钟，再改用大火。

3.锅内汤料大开时，加入料酒和姜，开锅后撇去浮沫，放入盐和丝瓜，开锅后捞出姜块不要，其他盛入汤碗内，加入味精和香油即可。

营养师建议

★★★豆纤维素含量较少，热量较低；丝瓜有特殊清香味，能去腥解腻，是夏令时节的好汤菜。

酸菜豌豆汤

〔材料〕酸芥菜200克、鲜豌豆250克、酸菜卤150克、鸡汤适量。

〔调料〕干辣椒3个、味精、胡椒粉、葱花。

做 法

1.将酸芥菜洗净切成约3厘米长的细丝；豌豆洗净。

2.将锅置大火上，将鸡汤倒入锅中煮沸，加入豌豆、干辣椒烧滚4～5分钟后，投入酸芥菜丝、酸菜卤，略烫一下，加入味精、胡椒粉，捞出干辣椒不要，加入葱花，起锅装入汤碗内即可。

营养师建议

★★★1豌豆性味甘平，有和中下气、利小便、解疮毒的功效。2此汤具有酸、辣、香、鲜的味道。

藕片汤

〔材料〕藕500克、冬菇4朵。

〔调料〕植物油、盐、白糖、料酒、味精、葱末、姜丝。

做 法

1.冬菇用温水浸泡10分钟，待冬菇泡开后，用清水反复清洗以去除泥沙；藕去皮洗净后切成片。

2.将切好的藕片与姜丝、葱末、盐、料酒一起搅拌腌大约5分钟。

3.锅中放入植物油，烧至五成热，将藕片加入，翻炒2分钟，加入适量清水和冬菇、料酒、白糖炖20分钟，放入盐、味精调味即可。

营养师建议

★★★此汤清热生津，适用于春季内有积热、常感口燥咽干者食用。

消暑神仙汤

〔材料〕白萝卜50克、胡萝卜50克、嫩白菜50克、老豆腐50克。

〔调料〕食用油、香辣酱、高汤、盐、鸡精、香菜。

做 法

1.白萝卜、胡萝卜、嫩白菜和豆腐分别洗净，切成条状，焯水待用。

2.油烧热，爆香香辣酱，加入高汤、两种萝卜、豆腐，用大火烧开。

3.放入白菜继续用大火烧3分钟，加入盐、鸡精调味，最后撒上香菜即可。

TIPS 贴心小提示<<<

白菜焯水要迅速，否则煮时易烂；萝卜和豆腐则可以多煮片刻，做汤时就可以节省时间。

双色蛋花菠菜汤

〔材料〕松花蛋1个、咸蛋黄1个、菠菜100克。

〔调料〕高汤、盐、鸡精、姜末、红椒丝、食用油。

做　法

1. 松花蛋去壳，与咸蛋黄切成大小相仿的月牙花瓣；菠菜洗净留嫩叶，焯水待用。

2. 油烧热，爆香姜末、红椒丝，加入高汤，大火烧开。

3. 放入松花蛋、咸蛋黄与菠菜，略煮1分钟，加盐、鸡精调味即可。

丝瓜魔芋美白汤

〔材料〕丝瓜300克、魔芋100克、绿豆芽150克、枸杞10克。

〔调料〕高汤、盐。

做　法

1. 将丝瓜洗净去皮、切块备用。

2. 绿豆芽洗净，魔芋、枸杞用热水泡洗。

3. 锅内倒入高汤煮开，放入丝瓜、魔芋，大约焖煮10分钟左右。

4. 加入绿豆芽稍煮一下，放入枸杞，加盐调味即可。

营养师建议

★★★丝瓜的膳食纤维含量极为丰富，搭配强效排毒的魔芋，是绝佳的防癌美肤组合，丰富的维生素A可以有效地修补皮肤组织，有痘痘痕迹皮肤的人可以尝试一下。

木耳丝瓜汤

〔材料〕嫩丝瓜400克、水发木耳50克、清汤适量、水发海米适量。

〔调料〕盐、植物油、葱丝、姜丝、胡椒粉、味精、香油。

做　法

1. 丝瓜洗净，切去蒂尖，刮去外皮，剖为两半，斜切成厚片，放入沸水中略烫，捞出过凉；木耳洗净，撕成小朵。

2. 炒锅置大火上，加入植物油烧至五成热，放入葱丝、姜丝炝锅，随即放入丝瓜略炒。

3. 加入清汤、木耳、水发海米、盐、味精、胡椒粉用大火烧沸，撇去浮沫，改用小火炖约10分钟，淋入香油搅匀即可。

TIPS 贴心小提示<<<

此汤色彩美观，汤汁清澈，清鲜味美。

疙瘩汤

〔材料〕面粉100克、鸡蛋1个、菠菜20克、番茄半个。

〔调料〕味精、盐、香油、香菜。

做　法

1. 鸡蛋打散和水一起跟面粉混合，和成较硬的面团，擀成薄片后切成黄豆大小的丁，撒上少许的面粉搓成面疙瘩；番茄洗净后切成小丁；菠菜择洗干净后，用开水烫一下切成末。

2. 锅中加入适量清水，放入番茄丁，煮开后放入面疙瘩煮15分钟。

3. 将菠菜叶末撒在汤上，加入盐、味精，淋上香油调味，撒上香菜即可。

TIPS 贴心小提示<<<

注意：和面团时水不要放太多。

蛋花空心菜汤

〔材料〕空心菜200克、鸡蛋2个、清汤适量。

〔调料〕植物油、盐、味精、胡椒粉、香油、葱丝、姜丝。

做 法

1.空心菜择洗干净，切成约2厘米长的段；鸡蛋打在碗中搅散备用。

2.炒锅放到大火上，加入植物油烧至五成热，用葱丝、姜丝炝锅，放入空心菜略炒，随即加入清汤、盐、味精、胡椒粉，至汤煮沸后，撇去浮沫，用勺将鸡蛋液拨入汤内，搅拌均匀，使蛋花漂在汤面上，淋上香油即可。

法式洋葱汤

〔材料〕洋葱350克、白葡萄酒50克。

〔调料〕橄榄油、奶油、高汤、月桂叶、盐、胡椒粉、两面焦黄的面包片。

做 法

1.洋葱洗净，切成细丝；炒锅加橄榄油烧热，溶化奶油后倒入洋葱丝翻炒，至洋葱熟透后倒入白葡萄酒，继续翻炒至酒精挥发。

2.倒入高汤，加入月桂叶、盐和胡椒粉，煮开后换成中火，继续煮至洋葱软烂。

3.盛入碗中，放上面包片，即可。

鸡蛋香菇韭菜汤

〔材料〕香菇40克、韭菜40克、鸡蛋3个、清汤适量。

〔调料〕植物油、盐、味精。

做 法

1.香菇用温水泡好后，去蒂洗净，切成细丝，再用开水焯熟；韭菜择洗干净后切段，放在沸水中焯熟，捞出放在汤碗内。

2.锅放到大火上，加入植物油烧至五成热，下入鸡蛋用小火煎熟，与香菇丝、韭菜段放入同一汤碗内。

3.汤锅置火上，加入清汤，放入适量盐，待汤煮开时，放入味精调味，将汤倒入已放入香菇等材料的汤碗中即可。

韭菜银芽汤

〔材料〕韭菜50克、绿豆芽100克、粉丝20克。

〔调料〕食用油、姜丝、盐、鸡精、香油。

做 法

1.将韭菜摘去老根洗净切段；绿豆芽摘去根须洗净焯水过凉沥干；粉丝剪断泡软备用。

2.锅内倒油烧至六成热，放入姜丝煸香。

3.倒入适量清汤，大火烧开，放入粉丝。

4.再开锅后放入绿豆芽，煮开后撒入韭菜段，待开锅后，加入适量的盐和鸡精，淋入香油即可。

胡萝卜荸荠汤

〔材料〕胡萝卜200克、荸荠200克、竹叶适量、甘草适量、香菜适量。

〔调料〕盐、白糖。

做法

1.胡萝卜、荸荠去皮洗净；胡萝卜切成块，荸荠一切两半；竹叶、甘草、香菜洗净备用。

2.把胡萝卜、荸荠、竹叶、甘草放入锅中，加入适量开水，用大火煮沸，再改小火炖2小时。

3.加入盐、白糖调味后撒入香菜即可。

营养师建议

★★★荸荠味甘、性寒、无毒，有清热凉肝、生津止渴、补中益气等功效，适用于春季积热、口渴心烦者食用。

乡野风味羹

〔材料〕洋葱100克、番茄100克、胡萝卜50克、西芹50克。

〔调料〕盐、料酒、十三香、食用油、清汤、香叶、水淀粉、胡椒粉。

做法

1.洋葱、番茄、胡萝卜、西芹洗净，切丝待用。

2.油加热，爆香洋葱，倒入各色蔬菜丝翻炒，至蔬菜变色后加入清汤和香叶。

3.煮开后小火慢炖至蔬菜熟烂。用水淀粉勾芡，挑出香叶，调入适量的盐和胡椒粉即可。

TIPS 贴心小提示<<<

1 用黑胡椒最后撒在羹的表面，不用搅拌直接上桌，可增加菜式的美色。

2 土豆、南瓜都可切丝同煮。

鸡蛋豆腐羹

〔材料〕豆腐300克、空心菜50克、鸡蛋3个。

〔调料〕葱姜汁、盐、味精、香油。

做法

1.将豆腐洗净后压成泥，放入碗中，打入鸡蛋搅散；空心菜洗净切碎末。

2.在打散的鸡蛋豆腐上加入适量水、菜末、葱姜汁、盐、味精搅匀。

3.将盛豆腐蛋液的碗放入蒸锅，用中小火蒸熟取出，淋入香油即可。

TIPS 贴心小提示<<<

1 此羹蛋白质含量较高。

2 注意，各种材料要搅匀，用中小火蒸。

意大利蔬菜汤

〔材料〕洋葱50克、胡萝卜50克、四季豆50克、白萝卜50克、番茄50克、熟通心粉50克。

〔调料〕橄榄油、大蒜、高汤、月桂叶、番茄酱、盐、胡椒粉。

做法

1.洋葱、胡萝卜、白萝卜和番茄洗净，去皮切成丁；四季豆洗净，去茎后切成小段；大蒜去皮，洗净切片。

2.炒锅加橄榄油烧热，倒入洋葱和大蒜炒出香味，加入各种蔬菜翻炒，至八成熟。

3.倒入高汤、月桂叶和番茄酱煮开，加熟通心粉续煮片刻，用盐和胡椒粉调味即可。

韭菜鸡蛋汤

〔材料〕韭菜50克、鸡蛋1个、榨菜丝50克、粉丝适量。

〔调料〕盐、味精、植物油。

做法

1.将鸡蛋打入碗中，搅散；粉丝放在开水中泡软；将韭菜择洗干净，切段。

2.锅里倒入适量开水，将榨菜丝、粉丝放入，用大火煮沸，加入盐、味精、植物油各适量，淋入鸡蛋液搅匀，立即将韭菜段倒入汤内，搅匀即可。

营养师建议

★★★1 韭菜内含有较多的营养物质，尤其是纤维素、胡萝卜素、维生素C等含量都较高。2 韭菜不可煮太长时间。

苦瓜油豆腐汤

〔材料〕苦瓜1根、油豆腐100克、粉丝30克。

〔调料〕葱丝、醋、盐、鸡精、清汤。

做 法

1.将苦瓜洗净，从中刨开去子，切成半圆片焯水过凉；油豆腐一切两半；粉丝用温水泡软备用。

2.锅内倒入清汤，大火烧开后放入油豆腐、粉丝，开锅后煮片刻，放入苦瓜片用大火滚开，撒入葱丝、盐、鸡精，淋入香醋即可。

营养师建议

★★★①夏季各种细菌多，毒素在人体内容易聚集，是胃肠道疾病的高发期，醋是各种细菌的天然杀手。醋的酸味还能刺激味蕾，有助于增进食欲。②苦瓜汤中放点醋可以降低苦瓜的苦味。

番茄鸡蛋木须汤

〔材料〕番茄2个、水发黄花20克、水发木耳20克、鸡蛋1个。

〔调料〕食用油、盐、鸡精、香油、清汤。

做 法

1.将番茄洗净，用开水烫一下去皮，切成薄片；黄花、木耳摘去老根洗净沥干切丝；鸡蛋打入碗中搅匀备用。

2.锅内倒油烧至六成热，放入黄花、木耳煸炒片刻，倒入清汤，放入番茄大火烧开，淋入蛋液用勺推散成蛋花，加入适量的盐和鸡精，淋入香油即可。

冻豆腐金针汤

〔材料〕冻豆腐200克、金针菇50克、干黄花20克、榨菜20克。

〔调料〕高汤、盐、胡椒粉、小油菜叶、水淀粉。

做 法

1.冻豆腐解冻，洗净后切成3厘米见方的块，焯水；金针菇洗净，去蒂，分成两三朵一束；干黄花用温水泡发；榨菜洗净，切成薄片；小油菜叶焯水。

2.汤锅加高汤，倒入冻豆腐、金针菇、黄花、榨菜、盐和胡椒粉同煮10分钟。

3.开锅后放入小油菜叶，用水淀粉勾芡，即可。

白果腐竹汤

〔材料〕白果100克、腐竹200克、黄豆100克、百合20克。

〔调料〕姜片、盐。

做 法

1.白果用温水泡数小时，去皮，煮熟过水；腐竹用温水泡软，切成6厘米长的段；黄豆用铁锅炒香；百合洗净备用。

2.沙锅内倒入适量清水，放入白果、腐竹、黄豆、百合、姜片，大火烧开后转小火慢煲2小时，加盐即可。

TIPS 贴心小提示<<<

①此汤有理肺益气、补养肠胃、强身健体之功效。
②白果有毒，不能生食，熟食每次亦不可多吃。

三色豆腐羹

〔材料〕豆腐200克、芹菜梗50克、胡萝卜50克、香菜1根。

〔调料〕高汤、水淀粉、葱花、盐、鸡精、食用油、香油。

做 法

1.将豆腐洗净切成小丁，放入盐水中焯水过凉；芹菜洗净切成小丁焯水过凉；胡萝卜去皮洗净切成小丁；香菜洗净切成末备用。

2.锅内倒油烧至六成热，放入葱花爆香后放入胡萝卜煸炒片刻，倒入高汤大火烧开后，放入芹菜、豆腐，开锅后转小火煮5分钟，用水淀粉勾薄芡，加入适量的盐和鸡精，淋上香油，撒上香菜末即可。

营养师建议

★★★ 1 色鲜味美，营养齐全，可补充人体所需的蛋白质和维生素。2 焯豆腐时水里放一勺盐，可以保持豆腐完整不容易碎。

丝瓜油条汤

〔材料〕丝瓜1根、油条2根、粉丝10克。

〔调料〕葱花、盐、鸡精、胡椒粉、香油、食用油、清汤。

做 法

1.将丝瓜洗净刮皮去瓤，切成滚刀块；油条切成块；粉丝洗净剪成段，用温水泡软备用。

2.锅内倒油烧至六成热，放入葱花煸香，再放入丝瓜翻炒片刻，倒入清汤，大火烧开后放入油条、粉丝，以中火煮5分钟，放盐、鸡精、胡椒粉，淋上香油即可。

营养师建议

★★★ 1 丝瓜性平味甘，含有大量的维生素、矿物质、植物黏液、木糖胶，有通经络、行血脉、凉血解毒、清热通便之功效。2 可选用吃剩的老油条，入汤后不散，筋道有劲。

油豆腐豆苗汤

〔材料〕豆腐1块、豆苗100克、鲜虾仁8颗。

〔调料〕葱花、盐、鸡精、食用油、清汤。

做 法

1.将豆腐洗净，切成长条大片；豆苗洗净，择去老梗；虾仁洗净，挑去沙线待用。

2.锅内倒油烧至六成热，放入豆腐煎至两面金黄，放入葱花煸香，加入适量清汤，大火烧开后转小火煮20分钟，放入虾仁、盐，煮3分钟，放入豆苗滚开后加入鸡精即可。

香芹豆腐羹

〔材料〕内脂豆腐1盒、芹菜100克、鲜红辣椒50克。

〔调料〕盐、水淀粉、胡椒粉、香油、高汤。

做 法

1.完整取出盒装豆腐，切成1厘米见方的小块，焯水；芹菜洗净，留取嫩叶；鲜红辣椒洗净去蒂，切成小圆圈。

2.汤锅加高汤煮开，倒入豆腐丁、芹菜叶和辣椒圈，用勺轻轻搅动。

3.中火烧至汤微滚，调入适量的盐和胡椒粉，用水淀粉勾芡，最后再淋上香油，撒几片嫩芹叶，即可。

三色清暑汤

〔材料〕番茄2个、鲜鸡蛋2个、黄瓜1根。

〔调料〕食用油、葱花、盐、鸡精、香油、清汤。

做　法

1.番茄洗净，用开水烫一下，过凉后剥皮去子切成片；鸡蛋打入碗中搅拌均匀；黄瓜洗净切成斜片备用。

2.锅内倒油烧至六成热，放入葱花煸香后倒入清汤，大火烧开，放入黄瓜片、番茄片滚开，再倒入蛋液，顺时针推匀成大片蛋花，放入适量的盐和鸡精，淋入香油即可。

TIPS 贴心小提示<<<

黄瓜味道清香，水分含量大，有清热解暑、消肿利水之功效。下锅时间不宜过长，以免水分流失，影响口感。

花生腐竹汤

〔材料〕花生50克、腐竹200克、黄豆50克、干百合20克。

〔调料〕姜片、盐、鸡精。

做　法

1.花生用温水泡4小时；腐竹用温水泡软，切成7厘米段；黄豆用铁锅炒香；干百合洗净用温水泡软备用。

2.沙锅内倒入适量清水，放入花生、腐竹、黄豆、百合、姜片，大火烧开后转小火慢煲1小时，加盐即可。

营养师建议

★★★①此汤有养血补肝、健脾暖胃之功效。②炒黄豆时宜用小火，不可炒糊。

什锦鲜菇汤

〔材料〕冬菇100克、芦笋100克、金针菇100克、粉丝50克、熟瑶柱丝20克。

〔调料〕食用油、姜末、蒜茸、盐、鸡精。

做　法

1.将冬菇、芦笋洗净，摘去老根，从中十字切成四瓣焯水过凉；金针菇去根洗净焯水过凉；粉丝剪短，用温水泡软备用。

2.锅内倒油烧至六成热，放入姜末、蒜茸煸香，倒入适量清汤大火烧开，放入粉丝。

3.大火烧开后放芦笋、冬菇、金针菇，开锅后放入瑶柱丝略煮片刻，加入适量的盐和鸡精即可。

干丝韭菜汤

〔材料〕豆腐干丝100克、韭菜50克、海米5克。

〔调料〕食用油、姜丝、高汤、盐、鸡精、小苏打。

做法

1.将豆腐干丝冲洗一下，锅中放入清水和一小勺小苏打，加入豆腐干丝煮软后捞出泡入温水中；韭菜摘去老根洗净切成3厘米段；海米洗净用温水泡软备用。

2.锅内倒油烧至六成热，放入姜丝煸香后，放入海米煸炒片刻，加高汤煮开后放入豆腐干丝，大火烧开后转小火煮10分钟，放入韭菜段，大火煮开锅后加入适量的盐和鸡精即可。

毛豆羹

〔材料〕毛豆200克、木耳20克、银耳10克。

〔调料〕白糖、香油、盐、水淀粉、植物油。

做法

1.木耳、银耳分别用清水浸泡30分钟，银耳泡软后切成小丁；毛豆去皮，用水泡30分钟。

2.在锅中加入植物油烧至五成热，将木耳、银耳、毛豆倒入锅中翻炒5分钟。

3.加入适量清水、白糖、盐，再用水淀粉勾芡，将汤倒入碗中淋入香油即可。

营养师建议

★★★①此汤营养丰富，含有多种维生素、氨基酸。②木耳及银耳必须用凉水泡，否则会外软里硬。

菜花黄豆汤

〔材料〕菜花300克、水发黄豆100克。

〔调料〕葱丝、香菜末、花椒、酱油、盐、鸡精、香油。

做法

1.将菜花洗净，切成大块；黄豆洗净备用。

2.锅内倒入适量清汤，放入黄豆、花椒大火煮熟，拣出花椒，放入菜花，大火烧开后改小火煮至菜花变软，放入酱油、盐再煮片刻，加鸡精，撒上香菜末、葱丝，淋上香油即可。

营养师建议

★★★①菜花中含有大量维生素E，能帮助人体提高免疫力。②黄豆是高蛋白食品，一定要充分浸泡，使其完全发开，这样才有助于肠道吸收。

苋菜粉丝蛋皮汤

〔材料〕绿色苋菜100克、粉丝20克、鸡蛋1个。

〔调料〕食用油、葱花、姜丝、盐、鸡精、胡椒粉、清汤。

做法

1.将苋菜摘去根须洗净，逐棵撕开；粉丝剪成段用温水泡发；鸡蛋打入碗中搅匀备用。

2.铁锅烧热，放少量的油转动热锅，使锅底均匀沾油，倒入蛋液转动，摊成一个薄蛋饼出锅，晾凉后切成丝备用。

3.锅内倒油烧至六成热，放入葱花、姜丝煸香后放苋菜煸炒片刻，倒入清汤，放入粉丝大火煮开后撒入蛋丝，加入适量的盐、鸡精和胡椒粉即可。

南瓜毛豆汤

〔材料〕南瓜300克、毛豆100克、枸杞5克。

〔调料〕食用油、葱花、盐、鸡精、清汤。

做法

1.将南瓜洗净挖出瓤切小块；毛豆剥出豆粒洗净；枸杞洗净用温水泡软备用。

2.锅内倒油烧至六成热，放入葱花煸香，放毛豆炒片刻后放南瓜，倒入适量清汤，大火烧开后改小火煮30分钟，加入盐和鸡精即可。

TIPS 贴心小提示<<<

①南瓜性温味甘，有补中益气、消炎止痛、解毒杀虫之功效。南瓜中含有大量的维生素C、维生素E和胡萝卜素，能增强人体免疫力，补血养颜，改善秋燥症状。②嫩南瓜和老南瓜的营养成分侧重不同，嫩南瓜里维生素C和葡萄糖含量较高，而老南瓜里钙、铁、胡萝卜素含量较高，因此做汤宜用老南瓜。

银耳鸽蛋汤

〔材料〕银耳200克、鸽蛋8个。

〔调料〕冰糖。

做 法

1.将银耳用温水泡开，摘去老根，除去杂质，反复揉洗后沥干；鸽蛋洗净煮熟剥壳逐个切成两半备用。

2.锅内倒入适量清水，放入银耳小火慢煲3小时，加冰糖继续煨煮20分钟，放入鸽蛋再煮3分钟即可。

TIPS 贴心小提示<<<

①银耳性平无毒，既是名贵的营养滋补佳品，又是扶正强壮的补药，有补脾开胃、益气清肠、滋阴养肺的功能，还能增强人体抵抗力。

②选购银耳要选颜色自然、白里透黄的。特白的银耳经过硫磺熏蒸，有害于人体健康。

四红汤

〔材料〕红豆80克、花生仁60克、红枣10个。

〔调料〕红糖。

做 法

1.红枣洗净用温开水浸泡片刻；红豆、花生仁均清洗干净，红豆用水浸泡1小时。

2.将红豆、花生仁放入锅内，加足量清水用小火慢煮约1个小时。放入红枣、红糖，继续煮约30分钟即可。

营养师建议

★★★①此汤补血养肝、清热健脾，对于春季内有积热、肝脾两虚者有益。②花生仁要带外面的红衣。

萝卜山楂汤

〔材料〕白萝卜250克、胡萝卜100克、山楂适量。

〔调料〕盐。

做 法

1.白萝卜洗净，切块；胡萝卜、山楂洗净，均切片。

2.锅中倒入适量清水，放入白萝卜块、胡萝卜片、山楂片，大火煮开后，转成中小火慢慢炖至胡萝卜软烂，出锅前加盐调味即可。

营养师建议

★★★①此汤可以促进胃肠的蠕动，对改善排泄、降压有一定的帮助。②盐要少放，更有益健康。

芥菜鸡蛋汤

〔材料〕新鲜芥菜400克、鸡蛋2个。

〔调料〕盐、鸡精。

做 法

1.将芥菜择洗干净。

2.将芥菜放入汤锅内，加适量清水用大火煮开。

3.在锅内打入鸡蛋，加入适量的盐和鸡精稍煮，盛入碗中即可。

营养师建议

★★★①此汤营养丰富，有清热解毒、止血降压的功效。②芥菜对高血压有治疗作用，能预防高血压和中风，对老年人尤其有益。

芙蓉翡翠汤

〔材料〕鸡蛋4个、香椿100克、玉兰片50克。

〔调料〕葱花、盐、鸡精、食用油、清汤。

做法

1.将鸡蛋打入碗中，除去蛋黄，搅拌均匀；香椿洗净去硬蒂，切成段焯水过凉；玉兰片洗净切成片，焯水过凉备用。

2.锅内倒油烧至六成热，放入葱花煸香，倒入适量清汤，大火烧开后放入香椿、玉兰片大火煮开泼入蛋白液，轻轻搅动使其成片状后，加盐和鸡精即可。

营养师建议

★★★①香椿是春季时令蔬菜，含有多种维生素和芳香油，还有钙、磷、铁等多种微量元素。②香椿里含有大量的致癌物质亚硝酸盐，用滚水焯过之后可以基本消除。

番茄豆腐汤

〔材料〕番茄2个、豆腐1块、芹菜1根、香菇4朵。

〔调料〕食用油、姜片、盐、鸡精、清汤。

做法

1.将豆腐切成大块，焯水、过凉；番茄洗净去皮，各切成四瓣；芹菜洗净去根、摘叶，切段焯水；香菇洗净去根蒂，用斜刀从中劈成两片备用。

2.锅内倒油烧至六成热，放入姜片煸香，再放香菇煸炒片刻，倒入清汤，大火烧开，放入豆腐、番茄、芹菜、盐，滚开3分钟后加鸡精即可。

TIPS 贴心小提示<<<

①豆腐焯水可去掉豆腥味，水中放点盐可以保持豆腐完整。
②番茄不好去皮，可先放入滚水中烫一下，再放入凉水过片刻，剥皮就非常容易了。

苋菜笋丝汤

〔材料〕苋菜100克、冬笋50克、胡萝卜1/2根、香菇2朵。

〔调料〕食用油、姜末、料酒、盐、鸡精、香油。

做法

1.将苋菜摘除老根洗净，焯水过凉捞出沥干；冬笋去壳，切丝焯水煮熟；香菇洗净去根蒂，切丝焯水备用。

2.锅内倒油烧至六成热，煸香姜末，放入胡萝卜丝煸熟，烹入料酒备用。

3.锅内放适量清汤，大火烧开后放入笋丝、香菇丝、苋菜煮沸，再放入胡萝卜丝略煮3分钟后，加入盐和鸡精调味，淋入香油即可。

营养师建议

★★★此汤含有丰富的维生素A，色鲜味美，有健脾、化滞、明目之功效。常食可保护黏膜，抵御呼吸道疾病。

针菇青韭粉丝汤

〔材料〕粉丝50克、韭菜50克、金针菇100克。

〔调料〕食用油、葱丝、姜丝、盐、鸡精、香油。

做法

1.将金针菇洗净焯水；粉丝洗净用温水泡软；韭菜摘去老根洗净切段备用。

2.锅内倒油烧至六成热，放入葱丝、姜丝煸香，倒入适量清汤，大火烧开，放入粉丝煮开后，放入金针菇。

3.大火煮开后，均匀撒入韭菜段，大火滚开后加入适量的盐和鸡精，淋入香油即可。

黄瓜竹荪汤

〔材料〕黄瓜1根、竹荪适量。

〔调料〕盐、味精。

做法

1.将竹荪用水浸泡4小时后洗净，切段。

2.黄瓜洗净，用刀切成薄薄的长片待用。

3.锅内放清水、盐、味精，拌匀后加入黄瓜、竹荪，大火烧开后即可。

TIPS 贴心小提示<<<

此菜主要吃竹荪与黄瓜的清香味，调料尽量简单。黄瓜最好不去皮，切成薄片后绿边宛如丝带在汤中荡漾，非常好看。

鸡蓉玉米羹

〔材料〕玉米罐头半听、鸡蛋2个。

〔调料〕水淀粉、白糖。

做　法

1.将玉米罐头打开，捞出玉米粒；鸡蛋打入碗中，搅拌均匀。

2.锅内倒适量水，烧开倒入玉米粒，加入白糖烧开后用水淀粉勾芡，随即放入打散的鸡蛋液即可。

营养师建议

★★★①现在营养学家都在提倡人们多吃粗粮，不是因为粗粮比细粮好多少，而是不要单一地只吃一种。玉米含有多种维生素、膳食纤维和矿物质，具有综合的保健作用，在滋补的时候千万不要忽视了营养的均衡。②打入鸡蛋液时要用勺子搅拌均匀，不要倒成一团，而且要在倒入水淀粉之后再浇入鸡蛋液，否则不会出现如絮的鸡蛋。

香菇茭白汤

〔材料〕香菇8朵、茭白200克。

〔调料〕高汤、葱段、姜片、料酒、盐、味精、食用油。

做　法

1.将香菇用温水泡发洗净，去除根蒂，斜刀切成大片；茭白去皮洗净，切成斜圆片，焯水备用。

2.锅内倒油烧至六成热，放入姜片煸香，再放香菇片煸片刻，烹入料酒，倒入高汤大火烧开，下入茭白片、葱段、盐，开锅后加味精即可。

营养师建议

★★★①茭白性寒味甘，既能利尿祛水，又能清暑止渴，还能解除酒毒，治酒醉不醒。②选用肥厚的茭白做汤较好，焯水时注意火候，不要焯老。

瓜皮面筋汤

〔材料〕西瓜皮300克、油面筋6个、粉丝50克。

〔调料〕盐、鸡精、香油、清汤。

做　法

1.将西瓜皮削去外皮，切片；油面筋切成四瓣；粉丝剪短，放入温水中泡软备用。

2.锅内倒入清汤，大火烧开后放入油面筋、粉丝煮开，放入瓜皮片，滚开后加入适量的盐和鸡精，淋入香油即可。

营养师建议

★★★①西瓜皮具有清热解暑，利尿消肿之作用。②用于食用的瓜皮最好选用皮厚的瓜，削皮时只去除硬皮即可，留点绿色内皮，可使色泽鲜嫩，食之有味。

茭白粉丝汤

〔材料〕茭白200克、粉丝50克。

〔调料〕食用油、姜片、料酒、高汤、葱段、盐、鸡精。

做　法

1.将茭白去皮洗净，切成斜圆片，焯水过凉；粉丝剪断用温水泡软备用。

2.锅内倒油烧至六成热，放入姜片煸香，再放茭白煸炒片刻，烹入料酒，倒入高汤大火烧开，下入粉丝、葱段、盐，开锅后加鸡精即可。

营养师建议

★★★①茭白性寒味甘，有清湿解毒的作用。初秋时节人体内积存的湿气过重，可适量食用茭白帮助祛湿。②选用肥厚的茭白做汤较好，焯水时注意火候，不可过火。

番茄鸡蛋汤

〔材料〕番茄2个、鸡蛋2个、香菜1根。

〔调料〕食用油、葱丝、水淀粉、姜丝、高汤、盐、鸡精、香油。

做 法

1.番茄洗净剥皮,鸡蛋磕入碗中,搅拌均匀;香菜摘根洗净切成末备用。

2.锅内倒油烧至六成热，放入葱丝、姜丝煸后，倒入高汤，放入番茄，大火烧开后泼入蛋液，顺时针推匀，再加入适量的盐和鸡精，勾薄芡，撒香菜末，淋入香油即可。

营养师建议

★★★1 番茄味甘酸，含有多种维生素，有健胃生津之功效。2 鸡蛋含有丰富的蛋白质和钙，能补充人体所需的营养物质。

茭白草菇汤

〔材料〕茭白200克、草菇100克。

〔调料〕食用油、姜片、料酒、高汤、葱段、盐、鸡精。

做 法

1.茭白去皮洗净，切成斜圆片，焯水过凉；草菇洗净切片备用。

2.锅内倒油烧至六成热，放入姜片煸香，再放草菇片煸炒片刻，烹入料酒，倒入高汤大火烧开，下入茭白片、葱段、盐，开锅后加鸡精即可。

营养师建议

★★★1 茭白性寒味甘，既能利尿祛水，又能清暑止渴，还能缓解酒毒，保护肝脏。2 草菇含有大量氨基酸，能有效提高人体免疫力，有预防癌症的作用，如果用罐头草菇时要用清水多浸泡一下，以清除残留的防腐剂。

金针银芽汤

〔材料〕鲜金针100克、绿豆芽100克、粉丝20克。

〔调料〕食用油、姜丝、盐、鸡精、香油、葱丝、清汤。

做 法

1.将鲜金针洗净焯水；绿豆芽摘去根须洗净焯水；粉丝剪断泡软备用。

2.锅内倒油烧至六成热，放入姜丝煸香，倒入适量清汤，大火烧开，放入粉丝，再开锅后放入金针、绿豆芽煮开，加入适量的盐和鸡精，淋入香油，撒上葱丝即可。

营养师建议

★★★金针是营养丰富的滋补品，含有多种糖类、氨基酸、纤维素，是夏季的时鲜菜。但是鲜金针里含的秋水仙碱会引起人体中毒，食用时应将其焯熟。

山药薏仁汤

〔材料〕山药300克、薏仁50克、发菜少许、鸡蛋1个。

〔调料〕高汤、水淀粉、盐、鸡精、葱花。

做 法

1.将山药洗净去皮，切成小丁；薏仁用温水泡软煮熟；发菜洗净剪成小片用温水泡软；鸡蛋磕在碗里打散搅匀。

2.锅内倒高汤，放山药、薏仁，大火烧开改小火炖1小时，用水淀粉勾薄芡，放入发菜，大火煮沸，加入适量的盐和鸡精，均匀泼入蛋液，撒上葱花即可。

营养师建议

★★★此汤有健脾益胃、补肺清热之功效。经常食用可以保持人体皮肤光滑，化湿利尿，使身体轻捷。初秋时节，胃肠功能弱，容易消化不良，经常食用能改善症状。

紫菜蛋花汤

〔材料〕紫菜10克、鸡蛋1个。

〔调料〕香油、味精、盐。

做 法

1.鸡蛋打入碗中，搅拌均匀备用。

2.锅内倒水烧开，放入紫菜稍煮片刻。

3.最后倒入蛋液，待蛋花漂起，加盐、味精，淋上香油即可。

TIPS 贴心小提示<<<

紫菜易熟，煮一下即可，蛋液在倒的时候可先倒在漏勺中，这样做出的蛋花比较漂亮。

芦笋玉米番茄汤

〔材料〕芦笋5根、玉米1根、番茄1个。

〔调料〕姜片、盐。

做法

1.将芦笋洗净，切段；玉米剥去外皮，洗净，剁成小段；番茄洗净，切块。

2.锅中放适量清水煮开，放入芦笋、玉米段、番茄、姜片，煮开后再用小火慢煮1小时左右，出锅前放盐调味即可。

营养师建议

★★★1 很多食物具有减肥降脂功能，比如玉米。2 这个汤有清肠道、降血压的作用。

瓜尖杂菜汤

〔材料〕南瓜叶尖100克、番茄1个、青笋半根、鸡蛋1个。

〔调料〕高汤、盐、味精、香油。

做法

1.将南瓜叶尖洗净沥干；番茄去皮洗净切片；青笋去皮洗净切片；鸡蛋磕入碗内打散搅匀备用。

2.锅内倒高汤，大火烧开，放南瓜叶尖、番茄片、青笋片翻滚一下，泼入蛋液，加盐、味精，淋香油即可。

TIPS 贴心小提示<<<

此汤清淡可口，解暑去燥，适于夏季佐食服用。

南瓜青豆汤

〔材料〕南瓜300克、青豆30克、枸杞5克。

〔调料〕葱花、盐、味精、植物油、清汤。

做法

1.南瓜洗净切小块；青豆洗净用温水泡发煮熟；枸杞洗净用温水泡软备用。

2.锅内倒油烧至六成热，放入葱花，煸香，放青豆炒片刻后放南瓜，倒入适量清汤，大火烧开改小火煮10分钟，加入盐、味精即可。

营养师建议

★★★南瓜性温味甘，有补中益气、消炎止痛、解毒杀虫之功效。对气虚乏力、肋间神经痛有缓解作用。

豆芽青笋汤

〔材料〕黄豆芽150克、青笋100克、冬笋50克、水发木耳50克、榨菜50克。

〔调料〕葱花、姜丝、盐、鸡精、香油、植物油。

做法

1.黄豆芽洗净择去根须焯水；青笋去皮洗净切丝，焯水过凉；冬笋、水发木耳洗净切丝；榨菜切丝用温水泡除盐分备用。

2.锅内倒油烧至六成热，放入葱花、姜丝煸香，倒入适量清水，大火烧开后放入黄豆芽、冬笋、木耳、榨菜，开锅后加入青笋丝、盐、味精、香油即可。

营养师建议

★★★黄豆芽具有保持头发乌黑发亮、润肤减肥之功效。

番茄木须汤

〔材料〕番茄2个、黄花10克、木耳5克。

〔调料〕盐、鸡精、香油、植物油、清汤。

做 法

1.将番茄洗净，用开水烫一下去皮，切成薄片；黄花、木耳用温水泡发，择去老根，洗净备用。

2.锅内倒油烧至六成热，放入黄花、木耳煸炒片刻，倒入清汤，放入番茄大火烧开，加盐、鸡精，淋入香油即可。

TIPS 贴心小提示<<<

番茄要选用红色成熟，果肉厚硬的，青色未成熟的番茄不能食用，青番茄含有番茄碱有害人体健康。

酸辣干丝汤

〔材料〕豆腐皮200克、菠菜50克、水发木耳50克。

〔调料〕葱丝、姜丝、酱油、醋、水淀粉、胡椒粉、香油、清汤。

做 法

1.将豆腐皮洗净切成细丝，焯水过凉；菠菜摘根洗净切段；木耳切成丝备用。

2.锅内倒入清汤，放入豆腐丝、木耳丝、菠菜段，大火烧开后放入葱丝、姜丝、酱油、醋，用水淀粉勾薄芡，加胡椒粉，淋入香油即可。

TIPS 贴心小提示<<<

1汤色鲜浓，酸辣可口，醒胃暖身。2豆腐丝焯水时可加一点小苏打，能使豆腐丝松软可口，用过小苏打的豆腐丝要过水冲洗干净。

韭黄土豆丝汤

〔材料〕土豆1个、韭黄30克。

〔调料〕葱花、盐、味精、香油、植物油、胡椒粉。

做 法

1.土豆洗净去皮，用刨丝板擦成细丝，放入盆中用清水浸泡捞出，水沉淀后盆中的淀粉留用；韭黄洗净切1厘米长段备用。

2.锅内倒油烧至六成热，放入葱花煸香，倒适量清水，大火烧开后放土豆丝，开锅后放水淀粉、盐、味精、胡椒粉、香油，撒上韭黄即可。

营养师建议

★★★1土豆含有大量黏体蛋白质，有预防心血管疾病的效果。2发芽的土豆能产生一种叫龙葵素的毒素，食用后能使人中毒。

雪菜豆腐汤

〔材料〕豆腐150克、腌雪里蕻（雪菜）100克。

〔调料〕植物油、葱花、盐、味精。

做 法

1.将豆腐用盐水泡一会儿，捞出洗净，切1厘米见方的小丁；雪里蕻清洗干净，切小段。

2.锅中放入少量油烧热，爆香葱花后放入适量清水烧煮。

3.待煮开后，放入豆腐丁，开锅后放入雪里蕻段，改小火煮至熟，加盐、味精调味即可。

营养师建议

★★★豆腐富含维生素、微量元素和优质蛋白，而脂肪含量却较低，是具有减肥降脂功能的食物之一。如果用腌过的雪里蕻，要事先泡洗干净，出锅时要酌量加盐。

奶油南瓜羹

〔材料〕南瓜100克、土豆100克、洋葱50克。

〔调料〕高汤、盐、鸡精、鲜奶油、胡椒粉、干面包屑。

做　法

1.南瓜和土豆洗净，去皮切块，蒸熟，用果汁机打成细泥状，待用。

2.奶油放入锅中，中火融化，爆香洋葱丁，加入高汤煮开。

3.缓慢加入南瓜和土豆泥，搅拌均匀并煮开，调入适量的盐和鸡精，撒上胡椒粉，倒入鲜奶油搅匀，出锅后撒上适量干面包屑即可。

冬笋榨菜汤

〔材料〕冬笋200克、榨菜50克、香菇2朵。

〔调料〕葱丝、酱油、盐、鸡精、香油、食用油、清汤。

做　法

1.将冬笋剥壳洗净，切成丝焯水过凉；榨菜洗净切丝备用；香菇洗净，除去根蒂切片备用。

2.锅内倒油烧至六成热，放香菇煸香，再放冬笋、榨菜丝煸片刻，倒入适量清汤大火烧开，加酱油、盐、鸡精，淋入香油，撒上葱丝即可。

TIPS 贴心小提示<<<

鲜冬笋焯水时可多煮片刻，捞出来后过凉洗一下，这样可以避免食用时口感发麻。

莲藕萝卜汤

〔材料〕鲜藕400克、胡萝卜半根、花生米20粒、冬菇3朵。

〔调料〕高汤、盐、味精、食用油。

做　法

1.将鲜藕洗净切块，用刀拍松；胡萝卜去皮洗净，切成滚刀块；花生米用温水泡开、去皮；冬菇用温水发好、洗净，去根蒂后切块待用。

2.锅内倒油烧至六成热，放入冬菇煸香，再放入胡萝卜煸炒片刻。

3.沙锅内倒高汤，大火烧开后放入莲藕、花生米、冬菇、胡萝卜，小火煲1小时后放入盐、味精即可。

营养师建议

★★★胡萝卜中含有的胡萝卜素溶解于油，因此，做胡萝卜时先用油煸炒一下，使之与油混合，促进胡萝卜素的分解。

鲜荷莲藕汤

〔材料〕莲藕200克、红豆80克、新鲜荷叶1张。

〔调料〕食用油、葱姜丝、高汤、盐、鸡精。

做　法

1.莲藕洗净，去皮切成滚刀块；红豆洗净，清水浸泡；荷叶洗净，撕成四块。

2.炒锅加油烧热，爆炒葱姜丝后加高汤煮开，捞出葱姜丝，倒入莲藕和红豆煮熟，再放入荷叶同煮5分钟，调入适量的盐和鸡精，停火。

3.汤碗铺好荷叶，倒入成品汤，即可。

营养师建议

★★★①此汤清热解暑，适合夏日饮用。②也可用新鲜粽叶替代荷叶。

清汤竹荪

〔材料〕竹荪150克、蘑菇50克、玉兰片50克、豆苗50克。

〔调料〕高汤、姜、盐、鸡精。

做 法

1. 竹荪用水泡发，漂洗干净后去根；蘑菇和玉兰片洗净，切片后焯水；豆苗洗净，择取嫩尖；姜洗净拍碎。

2. 汤锅添加高汤，倒入姜块后煮开，滤去姜和浮沫，放入蘑菇和玉兰片，煮开后放入竹荪，再开即停火。

3. 调入适量的盐和鸡精，盛入汤碗后撒上豆苗尖，即可。

TIPS 贴心小提示<<<

洁白优雅的外形是竹荪的一大特色，所以备料烧汤时一定注意保持竹荪的外形。

笋丝豆苗汤

〔材料〕豌豆苗200克、冬笋50克、胡萝卜1/2根、香菇2朵。

〔调料〕姜末、料酒、盐、味精、香油、植物油、清汤。

做 法

1. 将豌豆苗洗净，择去老梗，焯水后捞出；冬笋去壳，切丝焯水煮熟；香菇洗净去根蒂，切丝焯水待用。

2. 锅内倒油，烧至六成热，煸香姜末，放入胡萝卜丝煸熟，烹入料酒待用。

3. 锅内放适量清汤，大火烧开后放入笋丝、香菇丝、豌豆苗煮沸，放入胡萝卜丝略煮3分钟后，加入盐、味精调味，最后淋入香油即可。

营养师建议

★★★此汤色鲜味美，能健脾、化滞、明目。适用于久坐电脑前工作的人食用。

鲜菇豆腐汤

〔材料〕鲜鸡腿菇200克、豆腐300克。

〔调料〕高汤、葱花、盐、鸡精、植物油。

做 法

1. 将鸡腿菇洗净去老根，沥干切片；豆腐切成八大片，焯水过凉备用。

2. 锅内倒油烧至六成热，放入鸡腿菇片，煸炒片刻，倒入高汤大火烧开，放入豆腐小火煮10分钟，加入盐、鸡精，撒上葱花即可。

营养师建议

★★★①肥胖者经常食用，有减肥之功效。②如果没有鲜鸡腿菇，可用其他菌菇代替。如草菇、香菇、平菇等，平菇用时要焯水。

冬笋木耳汤

〔材料〕冬笋200克、木耳50克。

〔调料〕香油、盐、味精。

做 法

1. 将冬笋清洗干净，切成片；木耳用温水发好，洗净，用手撕成小片，备用。

2. 锅置火上，放入适量清水，加盐烧开。

3. 放入冬笋、木耳，烧开后煮10分钟，淋上香油，搅匀，撒上味精即可。

蘑菇锅巴汤

〔材料〕蘑菇200克、锅巴100克、玉兰片50克、青豆20克。

〔调料〕葱丝、料酒、盐、鸡精、香油、植物油、清汤。

做 法

1. 将蘑菇用温水泡软，去掉硬根、洗净泥沙，沥干切片；选用薄片锅巴，切成菱形块；玉兰片洗净切片；青豆用温水泡软，煮熟备用。

2. 锅内倒入适量清汤，放入蘑菇片、玉兰片、青豆、料酒、盐，大火烧开，改中火煮5分钟后，加鸡精，淋入香油关火。

3. 锅内倒油烧至七成热，放入锅巴，炸脆后捞出装入汤碗，将烧好的汤料浇上，撒上葱丝即可。

香菇韭黄鸡蛋汤

〔材料〕鲜香菇100克、韭黄50克、鸡蛋2个。

〔调料〕高汤、水淀粉、盐、鸡精、香油。

做法

1.将香菇摘根洗净切片焯水；韭黄摘根洗净，切1.5厘米段；鸡蛋磕入碗中搅拌均匀备用。

2.锅内倒入高汤，大火烧开，放入香菇，开锅后泼入蛋液，放水淀粉勾薄芡，撒上韭黄，滚开后加入适量的盐和鸡精，淋入香油即可。

营养师建议

★★★香菇含有大量的维生素及多种氨基酸，经常食用可以增强人体抵抗力。

番茄蛋花汤

〔材料〕番茄2个、鸡蛋2个。

〔调料〕植物油、盐、胡椒粉、鸡精、白糖。

做法

1.将番茄洗净切成块；鸡蛋打入碗中搅拌均匀。

2.锅中倒入开水，放入鸡精，做成清鸡汤备用。

3.锅中放入油爆炒番茄块，放入清鸡汤、盐、白糖、胡椒粉煮开。

4.最后倒入鸡蛋液拌匀，即可。

TIPS 贴心小提示<<<

这道汤的做法和我们平时习惯的做法不太一样，此汤是粤菜做法，换一种做法口味也会不同。

草菇鸡毛菜汤

〔材料〕草菇100克、鸡毛菜100克、金针菇50克。

〔调料〕高汤、水淀粉、盐、味精、香油。

做法

1.将草菇洗净，从中切成两瓣，金针菇洗净，分别焯水；鸡毛菜择根洗净备用。

2.锅内倒入高汤，大火烧开后放入草菇、金针菇、鸡毛菜，开锅后放入盐，下水淀粉勾薄芡，放味精，淋入香油即可。

菌子韭黄汤

〔材料〕蘑菇50克、香菇50克、草菇50克、金针菇50克、韭黄50克。

〔调料〕高汤、水淀粉、盐、味精、胡椒粉、香油。

做法

1.将蘑菇、香菇、草菇洗净切片焯水；金针菇洗净切段焯水；韭黄洗净，切1.5厘米段备用。

2.锅内倒入高汤，大火烧开，放蘑菇、香菇、草菇、金针菇，开锅后放水淀粉勾薄芡，撒上韭黄，加盐、味精、胡椒粉，淋入香油即可。

营养师建议

★★★菌类含有大量的维生素及多种氨基酸，有抑制癌细胞生长的作用。用蘑菇烧汤，鲜香味美，营养丰富。

翡翠汤

〔材料〕菠菜150克、鸡蛋1个。

〔调料〕盐、味精。

做法

1.将菠菜择洗干净，切成3厘米长的段，备用。

2.将菠菜放入碗中，将鸡蛋打破，取出鸡蛋清放入碗中，与菠菜搅拌搅匀。

3.锅置火上，放入适量清水，加盐烧开，放入菠菜，再次烧开，放入味精搅匀即可。

草菇丝瓜汤

〔材料〕丝瓜200克、草菇100克。

〔调料〕姜片、盐、胡椒粉、味精。

做法

1.将丝瓜去皮，去瓤，洗净，切成块；草菇洗净，放入沸水中焯一下，捞出备用。

2.锅置火上，放入适量清水，加盐烧开。

3.放入草菇、丝瓜、姜片，烧开后转中火煮15分钟，撒入盐、胡椒粉、味精，搅匀即可。

番茄豆芽汤

〔材料〕猪里脊肉100克、绿豆芽60克、番茄1个。

〔调料〕高汤、鸡精、盐、胡椒粉、香油。

做法

1.番茄洗净，切成块；绿豆芽洗净；里脊肉洗净并切成片备用。

2.把切好的肉片放入开水中烫至五分熟，捞出。

3.锅中倒入高汤煮开，放入番茄、肉片用小火煮5分钟。

4.加入绿豆芽和鸡精、盐、胡椒粉煮熟，再加入香油调匀即可。

营养师建议

★★★肉片如果不用热水烫，可以粘上淀粉；番茄的外皮会影响口感，可以在表面用刀划几下，用开水煮后撕去外皮。

粉丝香菇蛋汤

〔材料〕粉丝20克、香菇4朵、鸡蛋1个、油菜2棵。

〔调料〕蒜片、盐、鸡精。

做法

1.香菇泡软去蒂切成块；粉丝泡软；鸡蛋打散搅匀备用。

2.将香菇倒入鸡蛋液碗中，加少许的盐混在一起搅匀。

3.锅内倒油烧热，将混合的蛋液倒入锅中煮一会儿。

4.加入约半锅的水及蒜片、盐、鸡精，待开后放入粉丝，稍煮一会儿将油菜放入即可。

TIPS 贴心小提示<<<

油菜可根据自己的喜好换为其他的青菜，做法还是一样的。

番茄银杏羹

〔材料〕番茄30克、银杏（罐头）20克。

〔调料〕花生油、高汤、葱花、盐、味精、水淀粉。

做法

1.番茄洗净去皮切成丁备用。

2.锅内倒入花生油烧热，加入葱花炒香。

3.放入番茄、银杏和适量的高汤用中火煮3分钟。

4.最后用水淀粉勾芡，然后放入盐、味精调味即可。

营养师建议

★★★番茄用来做汤能使它的味道完全地释放出来，酸中带甜。早餐食用会给味觉器官带来刺激，从而增加食欲。

三鲜冬瓜汤

〔材料〕冬瓜100克、冬笋50克、冬菇50克。

〔调料〕盐、胡椒粉、味精。

做　法

1.将冬瓜去皮，洗净，切成3厘米见方的块；冬笋洗净，切片；冬菇用温水发好，去蒂，洗净，切成片，备用。

2.锅置火上，放入适量清水，加盐烧开，放入冬菇、冬瓜、冬笋，烧开后转中火煮15分钟，撒入胡椒粉、味精，搅匀即可。

菌子什锦汤

〔材料〕草菇50克、冬菇50克、金针菇50克、白菜心50克、青菜50克、粉丝50克、鲜草菇50克、熟瑶柱丝20克。

〔调料〕姜末、蒜蓉、盐、鸡精、植物油、清汤。

做　法

1.将草菇、冬菇洗净，去老根，从中切成两瓣；金针菇洗净一起焯水过凉；白菜心、青菜洗净，切成两段焯水；粉丝剪断用温水泡软备用。

2.锅内倒油烧至六成热，放入姜末、蒜蓉煸香，倒入适量清汤大火烧开，放入各种菌菇、蔬菜和粉丝，煮熟后放入瑶柱丝略煮片刻，加盐、鸡精即可。

营养师建议

★★★瑶柱即干贝。食用菌中富含大量的各种维生素和钙、磷、铁等微量元素。

酸辣香菜汤

〔材料〕竹笋50克、水发海米20克、香菜3棵、香菇3朵。

〔调料〕葱丝、胡椒粉、姜丝、盐、醋、味精、香油、水淀粉。

做　法

1.香菜择洗干净，切3厘米段；香菇去蒂，洗净，切丝；竹笋去壳，洗净，切丝，同香菇丝一同在沸水中焯一下，捞出。

2.锅中加入适量水烧开，放入焯过的香菇丝、笋丝、海米、盐、醋煮开，撇去浮沫，加入水淀粉勾芡，放入葱丝、姜丝及香菜段，出锅前撒上胡椒粉、味精，淋上香油即可。

营养师建议

★★★香菜含有蛋白质、微量元素（钙、磷、铁）及大量的维生素A、维生素B_1、维生素B_2、维生素C等，可消食，适宜腹胀之人食用。

香菇白菜羹

〔材料〕大白菜300克、香菇5朵、胡萝卜1/2根、香菜1棵。

〔调料〕植物油、盐、酱油、醋、香油、水淀粉。

做　法

1.将大白菜洗净，切丝；香菇泡发，去蒂，切丝；胡萝卜洗净，去皮，切丝；香菜择洗干净，切段。

2.锅中倒入油烧热，炒香香菇丝后，放入胡萝卜丝和白菜丝一同炒软，加水烧开，加盐、酱油调味，待白菜软熟后用水淀粉勾芡，淋入香油，关火，再倒入醋，撒上香菜即可。

TIPS 贴心小提示<<<

香菇洗净后，泡发的水不要倒掉，这可是非常有营养的水，可直接放入锅中。关火后再加入醋，羹会比较香。

蘑菇银耳汤

〔材料〕鲜蘑菇100克、银耳20克。

〔调料〕盐、味精、酱油、香油。

做 法

1.把蘑菇洗净，削去根部黑污。

2.银耳用清水泡一下，泡发后去根，撕成小朵放在盘中备用。

3.锅中放入蘑菇、银耳加适量的水，中火烧开后，再改用小火炖20分钟，至蘑菇熟烂。

4.最后加入适量的盐、味精、酱油调匀，在上面淋上香油即可。

营养师建议

★★★早餐也需要喝一点味道清香，而又具有营养的汤。何况银耳是盛名的滋补品呢！

香菇笋片汤

〔材料〕竹笋200克、香菇5朵、青菜心50克。

〔调料〕盐、香油。

做 法

1.将香菇去蒂，洗净后一切4瓣；竹笋去壳切片；青菜心洗净切段。

2.将香菇、笋片放入锅中，加适量清水置火上烧开，出锅前加入盐、青菜心、香油即可。

营养师建议

★★★①香菇有“蘑菇皇后”、“干菜之王”的美称，是高蛋白低脂肪食品，可以降低血清胆固醇。②干香菇泡发时最好用80℃的水，如果用冷水或开水浸泡，都会令香菇的鲜香味道大减。当菇体完全泡发变软，便可终止浸泡。

莲子豆腐汤

〔材料〕盒装鸡蛋豆腐1盒、莲子20克、银耳10克、枸杞10克。

〔调料〕冰糖。

做 法

1.将鸡蛋豆腐从盒中取出，切块；莲子泡好，洗净；银耳洗去杂质，撕成小朵；枸杞洗净。

2.锅中加入适量清水，放入莲子煮开，待莲子将熟时，放入豆腐、银耳、枸杞、冰糖煮开即可。

营养师建议

★★★①此汤适合因大便长期不畅而虚胖的人食用。②如果换用杏仁豆腐，晾凉后食用味道会更好。

山药清汤

〔材料〕山药半根、胡萝卜半根、香菇5朵、油菜1棵。

〔调料〕盐、高汤、香油、植物油。

做 法

1.将山药洗净去皮，用水冲洗一下黏液，切片；胡萝卜洗净去皮，切片；香菇泡好，去蒂，一切两半。

2.油菜洗净，用沸水焯一下，捞出用凉水过凉，捞出备用。

3.锅中倒油烧热，放入胡萝卜片翻炒后加入适量高汤，放入香菇煮至熟软。

4.放入山药，煮开后，放入油菜，用盐调味，淋入香油即可。

姜葱豆腐汤

〔材料〕豆腐200克、葱20克、姜10克。

〔调料〕豆豉、盐、植物油。

做 法

1.姜洗净、去皮，切片；葱去皮，切去葱须，洗净，切段；豆腐切大块。

2.锅置火上，放油烧热，放入豆腐块炸至微黄，移入汤锅，加豆豉、姜片及适量清水，用中火焖10分钟，放入葱段、盐，再焖2分钟即可。

萝卜白菜汤

〔材料〕大白菜200克、白萝卜200克、嫩豆腐150克、黄瓜片10克、番茄片适量。

〔调料〕植物油、盐、味精、香油、豆瓣酱、葱花。

做法

1.大白菜洗净，去根切块备用；白萝卜去皮洗净，切片备用；豆腐冲一下，切块备用。

2.锅内放油烧热，放入豆瓣酱炒香，放入味精、葱花，装入小碟中，做成蘸汁备用。

3.另起锅，加油烧热，放入白萝卜片炒几下，再加入大白菜同炒，加水、黄瓜片、番茄片，用大火煮至白萝卜、白菜酥烂，放入豆腐，加少许盐，稍煮。

4.加入味精、淋入香油调味即可。

红薯姜汤

〔材料〕红薯300克、姜100克。

〔调料〕白糖、盐。

做法

1.将红薯去皮，洗净，切大块；姜去皮，洗净，切块，备用。

2.锅置火上，放入适量清水，烧开放入红薯、姜块，大火煮开后，转小火煮30分钟。

3.最后加入盐、白糖，搅匀，待白糖融化即可。

营养师建议

★★★若配以红薯姜汤中，姜可驱寒保暖。羊肉与姜同食，暖上加暖，同时还可驱外邪、治疗寒腹痛。

双冬豆腐汤

〔材料〕冬菇25克、冬笋25克、豆腐100克。

〔调料〕香油、盐、胡椒粉、味精。

做法

1.将冬菇用温水发好，去蒂，洗净，切片；冬笋洗净，切片；豆腐洗净，切成小块，备用。

2.锅置火上，放入适量清水，加盐烧开，放入冬菇、豆腐，大火烧开，煮10分钟，放入冬笋、盐继续煮5分钟，淋上香油，撒入胡椒粉、味精，搅匀即可。

营养师建议

★★★双冬豆腐中，豆腐含有丰富的植物蛋白，有生津润燥、清热解毒的功效。

猪血豆腐汤

〔材料〕豆腐250克、猪血150克、菠菜1根、水发木耳2朵。

〔调料〕植物油、盐、味精。

做法

1.将豆腐、猪血洗净，切片；菠菜择洗干净，切段；水发木耳洗净，撕成小朵。

2.将豆腐、猪血一起放入沸水锅中焯一下捞出。

3.锅中放油烧热，加水烧开，放入豆腐、猪血、木耳烧开，出锅前放菠菜、盐、味精，搅匀即可。

营养师建议

★★★①豆腐只含蛋白质，不含胆固醇，猪血有清肺作用。②出锅前淋入鸡蛋液、水淀粉，即是猪血豆腐羹。

三丝紫菜汤

〔材料〕紫菜25克、豆腐丝50克、冬笋50克、西芹50克。

〔调料〕香油、盐、胡椒粉、味精。

做 法

1.将豆腐丝洗净，切成长6厘米的段；冬笋洗净，切成丝；西芹择去叶子，洗净，切成丝，备用。

2.锅置火上，放入适量清水，加盐烧开，放入豆腐丝、冬笋丝烧开，转中火煮熟，放入西芹丝、紫菜，淋上香油，撒上胡椒粉、味精，搅匀即可。

紫菜豆腐汤

〔材料〕紫菜50克、豆腐300克、冬瓜50克。

〔调料〕姜片、葱花、盐。

做 法

1.将紫菜用温水泡透，捞出挤干水分，切块；冬瓜去皮，洗净，切片；豆腐切块，备用。

2.锅置火上，放入适量清水，大火烧开，放入姜片、紫菜、豆腐、冬瓜。

3.烧开后转中火煮20分钟，关火前撒入盐，搅匀，撒上葱花即可。

营养师建议

★★★紫菜富含钙、铁、碘等微量元素，以及丰富的维生素A、维生素B等，其中维生素A的含量高于鸡蛋、猪肉中的含量，是牛奶的7倍。其蛋白质含量也在藻类中属于首位。对防止记忆衰退有良好作用。

葱枣汤

〔材料〕干红枣10个、葱100克。

做 法

1.将干红枣用凉水泡发后，去核；葱去皮，洗净，切3厘米长的段。

2.锅置火上，放500克清水，加入干红枣煮20分钟，再加入葱段煮10分钟即可。

营养师建议

★★★红枣内含蛋白质、脂肪、抗坏血酸以及钙、铁等微量元素，不但有很高的营养价值，而且有很高的药用价值，可以合肝健胃、养血安神。

荸荠豆腐汤

〔材料〕荸荠10个、豆腐300克、紫菜15克。

〔调料〕葱花、姜片、盐。

做 法

1.将荸荠洗净，去皮，切块；豆腐洗净，切丁；紫菜用水冲洗一下，撕成小块。

2.锅中倒入适量清水煮开，放入姜片、荸荠、豆腐，煮约20分钟，加盐、紫菜、葱花搅匀即可。

香菇蛋花汤

〔材料〕鸡蛋1个、鲜香菇2朵、芹菜少许。

〔调料〕水淀粉、料酒、淡色酱油、盐、鸡精。

做　法

1.将鲜香菇洗净，切去蒂头，切成薄片；芹菜洗净切成小段。

2.锅中加水煮沸，加入料酒、淡色酱油、盐，放入香菇，煮至变软。

3.将水淀粉从锅的中央以画圆的动作倒入锅中，勾芡。

4.将鸡蛋打散成蛋液倒入锅中，待蛋液成形后加入鸡精即可。

苦瓜脆玉煲

〔材料〕苦瓜2根、黄花菜50克。

〔调料〕盐、味精、香油。

做　法

1.黄花菜用温水浸泡涨开后，去头备用。

2.苦瓜洗净，对半切开，去籽，切小段，用滚水烫过后，用冷水过凉。

3.将黄花菜、苦瓜一同放进大碗里，加入盐、味精，隔水蒸30分钟后，淋入香油即可。

营养师建议

★★★苦瓜有去火的作用，蒸的方法更能保留住苦瓜的营养。若觉得口味太苦，可以将苦瓜切段后，用少许盐腌一下，洗净后再蒸，苦味就会减淡了。

粉丝油菜汤

〔材料〕油菜300克、粉丝25克。

〔调料〕油、盐、味精、清汤、胡椒粉、植物油。

做　法

1.油菜洗净，对剖备用；粉丝用温水泡发后，剪成小段备用。

2.锅内放油，烧热，然后放入粉丝、油菜、盐、味精、胡椒粉一起放入锅内煸炒。

3.待油菜六成熟后，加入清汤，煮沸即可。

TIPS 贴心小提示<<<

此菜做法简单，味道鲜美。将油菜先用油略炒，可保持油菜的色泽。此菜维生素含量很高，粉丝不易让人发胖且容易产生饱腹感，是减肥一族的理想选择。

哈密瓜清素汤

〔材料〕素虾仁100克、圆形哈密瓜1个、胡萝卜50克、毛豆适量。

〔调料〕素高汤、色拉油、花生粉、盐。

做　法

1.将哈密瓜外皮洗净，由1/6处切取一块后挖空果肉成为瓜盅，果肉切丁备用，切下的一块当瓜盅的盖子;胡萝卜切丁，备用。

2.锅置火上，加6碗水烧开，加入素虾仁、毛豆、胡萝卜丁、哈密瓜丁以大火煮约10分钟后捞出备用。

3.将做法2的材料装入哈密瓜盅里加调味料和素高汤，盖上瓜盅的盖子，置蒸锅以大火蒸8分钟即可。

什锦蛋花汤

〔材料〕胡萝卜50克、水发木耳50克、黄瓜50克、鸡蛋1个。

〔调料〕盐、味精、水淀粉、香油、食用油。

做法

1. 将胡萝卜、黄瓜洗净后切薄片备用；木耳洗净，去根蒂，用手撕成小块备用；鸡蛋磕入碗中，用筷子打匀备用。

2. 锅内放水烧热，放入胡萝卜片、黄瓜片、木耳片、盐、味精，煮至熟透。

3. 用水淀粉勾薄芡，然后将蛋液淋入锅中。

4. 再次煮沸后，淋入香油即可。

营养师建议

★★★此汤色泽亮丽，脂肪含量极低而维生素含量丰富。淋入蛋液的时候，一定要慢，且不停搅拌。水淀粉勾薄芡可以增加汤的黏稠度。

什锦素火锅

〔材料〕白菜心300克、豆腐300克、冬菇200克、金针菇200克、冬笋150克、粉丝150克、菠菜200克、胡萝卜200克。

〔调料〕高汤、料酒、味精、盐、香油、白糖。

做法

1. 白菜心洗净，切块；豆腐切成厚片；冬菇去根、蒂后洗净，切成薄片；粉丝用温水泡软，剪成长段备用。

2. 胡萝卜、冬笋洗净，放入开水中煮透，捞出冲凉后切片；菠菜、金针菇去根洗净，放入开水中焯一下，取出冲凉。

3. 将白菜心放入锅底，白菜上面放入粉丝，粉丝离火锅边稍远些，上面依次放入冬菇、豆腐、菠菜、金针菇、胡萝卜片、冬笋，直到把火锅面码满。

4. 锅放置火上，加入高汤、盐、味精、料酒、白糖，待汤烧开后，淋入香油，略煮即可食用。

翡翠三丁汤

〔材料〕菠菜250克、素蟹肉50克、素肉50克、冬菇3朵、鸡蛋2个。

〔调料〕素高汤、水淀粉、盐、香油。

做法

1. 菠菜择洗干净，并在榨汁机中打成菠菜汁；素蟹肉、素肉、冬菇在温水中泡10分钟后洗净，切小丁；鸡蛋去蛋黄，取蛋清搅打起泡。

2. 素高汤加热，加入菠菜汁、三丁及盐煮开，水淀粉勾薄芡，再淋蛋清汁。

3. 出锅前淋上香油即可。

萝卜清汤

〔材料〕白萝卜约1000克。

〔调料〕干淀粉、胡椒粉、味精、香菜叶、素清汤、盐。

做法

1. 将白萝卜洗净去皮，切成长片，放水中漂透，沥水后拍上干淀粉抖散，上笼蒸熟后放水中漂透，再放入清水中浸泡。

2. 素清汤加盐烧开，下入泡好的萝卜片略煮，捞出入汤盆中。

3. 素清汤烧开加盐、胡椒粉、味精，撇去浮沫，浇在汤盆中，撒上香菜即可。

营养师建议

★★★①萝卜有许多药用价值，民间说“萝卜能止咳顺气消食化水”。入秋吃点萝卜，喝点好茶，可消除暑期人体中郁积的毒热之气，恢复神清气爽。②做汤时挑选萝卜以大小一致、清脆不辣、水气大为佳。

枸杞炖银耳

〔材料〕枸杞25克、银耳15克。

〔调料〕白糖、冰糖。

做法

1. 将银耳洗净入温水中涨发1个小时，除去杂质泡入清水中，泡发后撕成小朵；枸杞洗净，放入清水中浸泡。

2. 将汤锅置于大火上，加入清水，待水烧沸后，将银耳和枸杞放入锅中，炖至银耳有胶质。

3. 放入冰糖、白糖，再次烧沸后撇去浮沫，倒入大汤碗内，即可。

素罗宋汤

〔材料〕西芹1棵、番茄2个、土豆1个、卷心菜少许。

〔调料〕番茄酱、盐、胡椒粒、白糖、奶油。

做　法

1.将西芹洗净切小段；番茄洗净切片；土豆去皮，洗净切块；卷心菜洗净撕成小片，备用。

2.将西芹、番茄、土豆放入锅中，加5杯水煮30分钟。

3.加入调味料搅拌后，转小火慢熬，将卷心菜加入锅中煮15分钟即可。

TIPS 贴心小提示<<<

土豆放得越早，煮的时间越长，汤汁就越浓稠。如果你不喜欢那么浓稠的汤，土豆可以晚放一会儿，这样煮出来的汤汁就会比较清爽了。

素膳汤

〔材料〕西洋菜1把、罗汉果1粒、山药1小条、老藕1节。

〔调料〕盐、味精。

做　法

1.西洋菜只取叶心，洗净备用；罗汉果拍碎，用纱布包好，放入清水中熬约15分钟。

2.山药去皮，洗净切块；老藕去皮，洗净切片，浸稀盐水中约5分钟，捞起立刻放入汤汁中。

3.把熬过罗汉果的汤汁倒入小锅中(包括老藕在内)，放入山药，一起熬煮20分钟，然后再放入西洋菜心和调料略滚即可。

丝瓜烘蛋汤

〔材料〕丝瓜200克、粉丝50克、鸡蛋2个。

〔调料〕葱花、盐、鸡精、色拉油。

做　法

1.丝瓜洗净去皮，切成条状；粉丝用水泡开。

2.将鸡蛋打至起泡，放入葱花加入少许鸡精；平底锅倒油，油热后放入蛋，用小火将蛋烘成金黄色且蓬松。

3.将汤锅放入5碗水，烧开后，放入丝瓜、粉丝、盐略煮一会儿，最后放入烘蛋于汤锅中煮开即可。

TIPS 贴心小提示<<<

烘蛋，就是把鸡蛋煎成圆形的蛋饼，在烘蛋时，越薄越好，这样汤中的味道才更容易融入到烘蛋中。

素排芋头汤

〔材料〕小芋头250克、胡萝卜50克、素肉块100克、青豆少许。

〔调料〕素高汤、香油、盐。

做　法

1.芋头去皮洗净煮熟；胡萝卜洗净，切丁后与青豆用开水焯一下捞出；素肉洗净，以热水煮20秒后捞出备用。

2.将做法1中的材料全部置于锅中，加入素高汤及调味料，以中火煮开即可。

营养师建议

★★★素肉是由大豆制成的，蛋白质含量是谷类的8倍，肉类的2倍，并含有丰富的不饱和脂肪酸、钙、钾等矿物质及多种维生素，可以减少血管的胆固醇，增强抗病能力。

杂样蔬菜汤

〔材料〕土豆1个、豌豆50克、番茄1个、芹菜100克、洋葱1个、蘑菇50克、四季豆50克。

〔调料〕大蒜、橄榄油、盐。

做　法

1.把所有蔬菜洗净，切丁；大蒜去皮洗净，切碎备用。

2.锅置火上，倒入橄榄油，爆香洋葱丁，加入芹菜、大蒜拌炒。

3.加入其他蔬菜丁，拌炒2分钟后，加入水，煮约30分钟后，用盐调味即可。

TIPS 贴心小提示<<<

洋葱和芹菜不可炒得太烂，否则加水煮后会失去原有的清香味道。

雪菜蚕豆汤

〔材料〕 雪菜200克、鲜蚕豆150克。

〔调料〕 鸡汤、料酒、鸡精、葱、姜、植物油、香油。

做　法

1.将雪菜（腌好的）洗净，切成末；鲜蚕豆去皮洗净，加工成蚕豆瓣洗净；葱、姜洗净切成丝待用。

2.锅置火上，放入清水，水开后倒入蚕豆瓣煮熟，捞出放入盘中。

3.另起锅倒油，油温至四成热时，放入葱姜丝、雪菜煸炒，加入料酒、鸡汤、鸡精，待锅开后改用微火煮5分钟，再倒入蚕豆瓣，淋入香油，盛入汤盘中即可。

香菇菜羹

〔材料〕 卷心菜1个（中型或小型）、金茸110克、香菇丝适量、香菜末少许。

〔调料〕 色拉油、水淀粉、葱花、盐、芥末粉、味精、白糖、胡椒粉。

做　法

1.卷心菜去根及老残叶后洗净，切丝；金茸切去沙根后洗净。

2.炒锅置火上，倒油，先放入香菇丝和葱花炒香，再放入卷心菜丝和盐、芥末粉、味精、白糖、胡椒粉翻炒均匀，然后加盖焖煮到卷心菜软烂时放下金茸续炒1分钟。

3.淋入水淀粉勾芡，然后撒上香菜末即可。

素菜汤

〔材料〕 黄豆（或黄豆芽）150克、蘑菇150克。

〔调料〕 盐、胡椒粉、味精、姜。

做　法

1.将黄豆、蘑菇洗净，加入清水1000克，用汤锅煮或者装入容器上蒸锅蒸。蒸煮约40～60分钟，滤掉原料，即成清汤。

2.锅置火上，用姜煸锅，下入黄豆（黄豆芽），然后冲入清汤，加入味精、盐、胡椒粉，即为浓汤（鲜汤）。

TIPS 贴心小提示<<<

黄豆煮前先浸泡一夜，以大火快煮，口感较香。

青蒜土豆汤

〔材料〕 青蒜6根、土豆1个。

〔调料〕 高汤、奶油、盐、大蒜、胡椒粉。

做　法

1.将青蒜洗净只留蒜白的部分，切片；土豆去皮，洗净，切成片状，备用。

2.将大蒜切末，用奶油爆香，加入青蒜、土豆片一起炒至熟软。

3.倒入高汤煮滚，然后转小火，再炖煮15分钟，最后放入盐和胡椒粉调味，即可食用。

TIPS 贴心小提示<<<

此道汤中，只取青蒜蒜白的部分，因为其绿叶在烹煮后容易变色而影响汤的色泽，而且还会降低蒜白的香甜味。

卷心菜汤

〔材料〕卷心菜150克、胡萝卜100克。

〔调料〕葱花、姜末、花椒、盐、味精、香油、植物油。

做　法

1.将卷心菜洗净，沥干，切成5厘米左右长的丝（也可斜刀切成菱形片）；胡萝卜洗净，斜刀切成薄片，再切成丝（也可随卷心菜一起切成菱形片）。

2.锅中放入植物油烧热，加入花椒，炸出香味，取出花椒不用，放入葱花稍炸，再放入胡萝卜和卷心菜，翻炒几下，加适量盐和姜末。

3.再倒入足量的水煮开，淋上香油，离火后再放入味精即可。

营养师建议

★★★1 卷心菜中的维生素A，可以促进幼儿发育成长，还预防夜盲症。2 炸花椒时，油温不要太高，以免炸煳。

彩蔬松花汤

〔材料〕番茄100克、西兰花100克、松花蛋1个。

〔调料〕高汤、盐、葱花、鸡精、食用油。

做　法

1.番茄去蒂、洗净后切成瓣；西兰花掰成小朵，洗净后焯水，浸在冷水中；松花蛋去皮切成瓣。

2.油烧热，放入葱花爆香，加入高汤，放入番茄、西兰花和皮蛋，大火烧开。

3.转小火，撇去汤面上浮沫，加入盐、鸡精调味即可。

香浓玉米汤

〔材料〕玉米1罐或玉米渣适量、鲜奶1袋、鸡蛋2个、芹菜少许。

〔调料〕水淀粉、白糖、盐、鸡精。

做　法

1.将芹菜择洗干净，切末；鸡蛋打入碗中，打散。

2.锅中加水及适量鸡精，放入玉米，煮沸后加入鲜奶，将水淀粉沿锅缘淋入锅中勾芡，搅动汤汁，使汤汁煮至呈黏稠状。

3.把打散的蛋液倒入锅中，最后放入白糖、盐调味，撒上芹菜末即可。离火后再放入味精即可。

家常豆腐汤

〔材料〕豆腐100克、木耳5克、胡萝卜50克。

〔调料〕葱末、香菜末、盐、酱油、香油、味精、植物油。

做　法

1.将豆腐洗净，切成4厘米见方的块；木耳用温水泡好，洗净，撕成小片；胡萝卜洗净，切斜片，备用。

2.炒锅置火上，放油烧热，放入葱末煸炒出香味，再放入胡萝卜、木耳煸炒片刻，加酱油、盐和适量清水，用大火烧开。

3.放入豆腐块，转中火煮10分钟，撒上香油、味精搅拌均匀，最后撒上香菜末即可。

罗宋汤

〔材料〕嫩牛腩150克、土豆80克、洋葱80克、胡萝卜50克、卷心菜50克、番茄50克、芹菜30克。

〔调料〕植物油、盐、味精、白糖、胡椒粉。

做法

1.牛腩洗净，切块；土豆、洋葱、胡萝卜、卷心菜、番茄、芹菜均洗净，切小块。

2.锅中加适量水将牛腩煮沸，改小火炖至八成熟。

3.另坐锅，放植物油烧热，加入土豆、胡萝卜、卷心菜、洋葱、番茄、芹菜一起翻炒。

4.将八成熟的牛腩及汤汁倒入做法3的炒锅内，小火炖20分钟左右，加入盐、味精、白糖、胡椒粉调味即可。

肉丝豆腐羹

〔材料〕瘦猪肉150克、嫩豆腐150克、豌豆苗100克。

〔调料〕盐、味精、香油、料酒、水淀粉。

做法

1.豌豆苗择洗干净，切成小段；瘦猪肉洗净，切丝；嫩豆腐洗净切小块备用。

2.豆腐放入锅中，加适量清水，用大火烧滚，再放入肉丝，加入盐和料酒，将肉丝焯熟。

3.水再次烧开后放入豌豆苗煮至水沸腾，用适量水淀粉勾薄芡，见开即停火，盛入汤碗内，加适量香油、味精即可。

丹参猪肝汤

〔材料〕猪肝350克、丹参50克、油菜70克。

〔调料〕盐、料酒、味精、葱段。

做法

1.猪肝清洗干净后切成片，在开水中焯5分钟，去除血水；油菜择洗干净。

2.锅中加入适量清水，将丹参加入用大火炖20分钟，然后将猪肝片、葱段、料酒、盐加入炖15分钟，放入油菜再炖5分钟，加入味精调味即可。

营养师建议

★★★此汤具有补铁、养血、明目、调经的功效。

芥菜排骨汤

〔材料〕猪小排400克、芥菜150克、土豆100克、清汤适量。

〔调料〕盐、味精、料酒、酱油、大料、桂皮、香油、葱段、姜片。

做法

1.猪小排洗净，切成长段，放入沸水中焯3分钟捞出，去除血水，用温水洗净备用；土豆洗净去皮，切成滚刀块备用；芥菜择洗干净，切成长方块备用。

2.炒锅放到大火上，加入清汤、排骨、料酒、大料、桂皮、葱段、姜片，用大火煮沸后，撇去浮沫，改小火再炖1小时。

3.加入土豆，炖10分钟，然后加入芥菜、味精、盐、酱油，炖至材料烂熟，再把大料、桂皮、葱、姜等挑出不要，淋入香油搅匀即可。

藕片排骨汤

〔材料〕排骨300克、鲜藕100克。

〔调料〕盐、料酒、味精、葱段、姜片。

做法

1.排骨洗净斩切成长段；鲜藕洗净，切成滚刀块，在清水中浸泡15分钟，去除泥及藕中的土腥味。

2.锅中放入开水，将切好的排骨段放入焯一下，去除血水。

3.锅中加入适量清水，加入排骨段、鲜藕块、葱、姜、盐、料酒，烧开后用小火炖40分钟，起锅将汤倒入汤碗内，用味精调味即可。

营养师建议

★★★此汤色泽白润，有化痰润肺之功效，同时对骨质疏松的人群有一定的功效。

沙锅排骨汤

〔材料〕排骨350克。

〔调料〕盐、料酒、味精、葱段、姜片。

做法

1.排骨洗净，斩切成长段；锅中放入开水，将切好的排骨段放入焯一下，去除血水。

2.锅中加入适量清水，加入排骨段、葱段、姜片、盐、料酒烧开后，用小火煮40分钟。

3.起锅将汤倒入汤碗内，用味精调味即可。

营养师建议

★★★1 此汤对缓和骨质疏松的人群有一定的功效。2 炖排骨时，最好用开水。

肉片冬瓜汤

〔材料〕猪瘦肉100克、冬瓜200克、海米20克、木耳20克、香菜适量。

〔调料〕葱段、姜片、盐。

做法

1.猪瘦肉洗净，切片；冬瓜洗净，去皮切片；海米洗净，在温水中浸泡2小时左右；木耳温水泡发后，撕成小朵。

2.将猪肉片放入沸水中焯烫，捞出。

3.将沸腾的开水倒入锅中，放入浸泡好的海米、冬瓜、木耳及焯过的肉片。

4.炖10分钟左右，将葱段、姜片放入锅中；加适量盐，放入少许香菜调味即可。

营养师建议

★★★冬瓜有清热、消痰、补水等功效，适宜夏季天气闷热时食用。

烤南瓜汤

〔材料〕嫩南瓜半个、洋葱碎200克、烤面包片100克、鸡汤原汁2升、牛奶500毫升、奶油200毫升、白葡萄酒100毫升。

〔调料〕盐、胡椒粉、肉豆蔻粉、豆蔻果、红糖、植物油。

做法

1.将南瓜劈成楔形，去子，涂上少许红糖，用铝箔包裹后，放进烤炉用200℃高温烘烤20分钟，烤至南瓜酥软、红糖略焦时，取出南瓜肉。

2.烧热植物油，煸炒洋葱碎至透明，用白葡萄酒稀释，然后加入南瓜肉煸炒几分钟，再加入鸡汤原汁、牛奶和面包，撒上肉豆蔻粉、豆蔻果和胡椒粉，用小火慢慢煮20分钟左右。

3.将煮好的汤倒进搅拌器充分搅拌至均匀细腻，再用细筛过滤，撒上盐、奶油即可。

肉片茭白汤

〔材料〕猪肉100克、茭白1根、香菇2朵、香菜少许。

〔调料〕盐、味精。

做法

1.猪肉洗净，切片；茭白去头尾，洗净，切长条；香菇洗净泡好后，去蒂，切丝；香菜择洗干净后切段。

2.锅中放入适量水烧开，放入肉片焯至断生，捞出。

3.锅置火上，倒入适量水烧开，放入香菇煮开，再放入茭白、肉片煮至熟，加入盐、味精调味，出锅前撒上香菜段即可。

西湖牛肉羹

〔材料〕瘦牛肉150克、水发香菇100克、鸡蛋清1个。

〔调料〕盐、味精、料酒、香油、胡椒粉、水淀粉、姜末、清汤。

做 法

1.牛肉洗净，切成末，用盐、料酒、味精、水淀粉腌渍8分钟；香菇洗净，切碎。

2.锅中倒入清汤烧至沸腾，将牛肉丁倒入并焯至熟透捞出，再将香菇丁倒入沸腾的清汤中，焯熟捞出。

3.将盐、味精、料酒、胡椒粉、姜末倒入锅中，再将牛肉及香菇丁也倒入锅中烧开，然后用适量水淀粉勾薄芡。

4.将打散的鸡蛋清徐徐倒入锅中，淋入香油即可。

薏米鸡汤

〔材料〕整鸡1只、薏米250克、党参适量。

〔调料〕盐、胡椒粉、料酒、味精、姜块、葱段。

做 法

1.将鸡收拾干净后，切成块，放到开水中焯几分钟，去掉血水，再用清水清洗干净；党参、薏米洗净；姜块洗净，拍裂。

2.锅中放入足量的清水，放入鸡块、薏米、党参、葱段、姜块、盐、胡椒粉、料酒，用大火烧开，撇去浮沫，再改成小火炖2个小时，至鸡肉烂熟，把葱、姜挑出不要，放入味精、胡椒粉调味即可。

酸菜鸡丝汤

〔材料〕鸡肉300克、酸菜200克、冬菇3个、香菜适量。

〔调料〕盐、胡椒粉、香油、料酒、姜片、植物油、水淀粉。

做 法

1.将鸡肉洗净切成粗条；冬菇洗净浸泡至软，切成丝；香菜洗净，切段。

2.在锅中倒入适量植物油，放入姜片爆香，再倒入料酒，放入适量清水，煮沸。

3.放入酸菜煮沸，再放入鸡丝、冬菇丝煮熟，放入盐、胡椒粉后用水淀粉勾芡，淋入香油，最后把香菜撒在汤面上即可。

柠檬乳鸽汤

〔材料〕乳鸽1只、鲜柠檬半个。

〔调料〕植物油、料酒、酱油、白糖、鱼汤。

做 法

1.乳鸽闷死后浸泡在温热水中浸泡3分钟，然后去毛、去内脏并清洗干净；柠檬洗净去核，切片。

2.用料酒和酱油的混合汁涂抹在乳鸽的内里及表层，腌10分钟。

3.锅中倒入适量植物油烧至五成热，将腌好的乳鸽放入锅中炸3分钟捞起。

4.锅中倒适量清水，放入乳鸽、柠檬片、料酒、酱油、白糖、鱼汤，用大火烧开后改小火炖30分钟即可。

板栗炖鸡汤

〔材料〕三黄鸡1只、板栗150克。

〔调料〕盐、料酒、葱段、姜片。

做 法

1.将三黄鸡收拾干净后，用开水烫一下，从脊背劈开，割去爪尖，用刀背斩断鸡颈骨，剁去翅尖、爪，用刀背砸断鸡腿骨、翅骨及脊柱骨，切成块，在开水中焯5分钟后，去除血水备用；板栗在滚水中煮5分钟后去壳备用。

2.在锅中加入适量清水，将清理干净的鸡块及板栗、葱段、姜片、料酒一起加入，小火炖40分钟后加入盐调味即可。

营养师建议

★★★①此汤具有健肠补肾、提高免疫能力的效果。②炖板栗的时间最好长些，这样味道会更佳。

虫草全鸭汤

〔材料〕嫩冬虫夏草10克、公鸭1只。

〔调料〕料酒、胡椒粉、盐、味精、葱白段、姜片。

做 法

1.将鸭去毛去内脏洗净，放入沸水中煮片刻，捞出，用清水洗净；冬虫夏草用温水洗净泥沙。

2.将鸭头顺颈劈开，取冬虫夏草8～10个填入鸭头内，再用棉线缠紧，余下的冬虫夏草和姜片、葱白一起装入鸭腹内，然后放入汤碗中，注入适量清汤，用盐、胡椒粉、料酒调味，用湿绵纸封严口，上笼蒸2小时。

3.将盛全鸭的汤碗出笼后，揭去绵纸，捞出姜片、葱白不要，加味精调味即可。

枸杞乳鸽汤

〔材料〕乳鸽3只、枸杞25克。

〔调料〕盐、味精、料酒、胡椒粉、香油、葱段、姜片。

做 法

1.乳鸽除净毛及内脏，洗净后每只剁成4～6块；枸杞放入碗中加入温水泡30分钟，待枸杞软后沥干水分。

2.锅中放入开水，将乳鸽块放入焯一下以去除血沫，将乳鸽块、枸杞、料酒、葱段、姜片一起放入大碗内加入适量水，上笼蒸2小时，将胡椒粉、盐、味精加入汤中，淋上香油即可。

营养师建议

★★★此汤补气、明目、活血，对气血两亏者有较好的功效。

桂圆枸杞鸡汤

〔材料〕鸡肉400克、桂圆100克、枸杞25克。

〔调料〕盐。

做 法

1.鸡肉洗净，切块；桂圆去壳；枸杞洗净后浸泡片刻。

2.鸡肉块放入滚水中焯烫后捞出，冲净后放入锅中备用；将桂圆、枸杞一起放入锅中，加适量水，用大火煮沸，然后再转小火慢炖30分钟，加盐调味即可。

营养师建议

★★★①此汤具有温补体虚，促进血液循环，治疗心神不宁、失眠多梦，调养肌肤的功效，是产后滋补佳品。②盐可少放，这样汤味更加甜美。

百味牛腩汤

〔材料〕牛腩100克、卷心菜50克、番茄50克、西芹50克、胡萝卜50克、土豆50克、洋葱50克。

〔调料〕盐、葱段、姜片、食用油。

做 法

1. 牛腩切成小块，焯水待用；洋葱切丝待用；其他蔬菜洗净，切成大小类似的块待用。

2. 油加热，爆炒洋葱和番茄块，然后添加适量清水，放入葱段、姜片和牛腩块，大火煮开，换小火慢炖约1小时。

3. 把所有蔬菜块放入汤中继续用小火炖20分钟，最后调入适量的盐即可。

TIPS 贴心小提示<<<

如果想保持卷心菜的脆感，可在出锅前半小时放入。

茶香牛肉汤

〔材料〕牛肉300克、红枣30克。

〔调料〕食用油、葱段、姜片、绵白糖、料酒、红茶、酱油、茴香、桂皮、高汤。

做 法

1. 牛肉洗净，切成小块，焯水；红枣洗净去核，用清水浸泡。

2. 炒锅加油，爆炒葱段、姜片后倒入高汤，放入牛肉块和红枣、绵白糖、料酒、红茶和其他调味料，用大火煮开。

3. 换成小火慢炖半小时，撇去浮沫，出锅即可。

牛尾汤

〔材料〕牛尾350克、奶汤70克、清汤适量。

〔调料〕酱油、盐、味精、料酒、葱段、姜片、香油、花椒、大料。

做 法

1. 将牛尾清理干净，剁成3厘米长的段，放入开水中焯一下，捞出；花椒、大料包在纱布中备用。

2. 锅中放入适量清水置大火上，加入备好的清汤、奶汤、酱油、盐、味精、料酒、葱段、姜片、花椒大料包及清理干净的牛尾，用大火烧开后，撇去浮沫，改用小火炖约1小时直至牛尾烂熟，淋入香油拌匀即可。

牛肉芹菜鸡蛋汤

〔材料〕牛肉300克、芹菜100克、鸡蛋1个、番茄50克、清汤适量。

〔调料〕料酒、盐、味精、胡椒粉。

做 法

1. 牛肉洗净，剁碎；芹菜择洗干净后，切成小丁；番茄洗净，切成小丁；鸡蛋打入碗内搅散备用。

2. 锅内放入适量清汤，把碎牛肉放入汤中用大火煮沸后，撇去浮沫，改小火炖40分钟，加入芹菜丁，番茄丁、料酒继续炖30分钟。

3. 将鸡蛋液淋入汤内，加入盐、胡椒粉、味精即可。

酸辣牛肚汤

〔材料〕牛肚300克、海米30克、清汤适量。

〔调料〕醋、盐、味精、料酒、胡椒粉、花椒油、植物油、水淀粉、葱白丝、姜丝、香菜。

做　法

1.将猪肚洗净后切成丝，入沸水中烫熟后捞出；香菜择洗干净，切段。

2.炒锅置大火上，放入植物油烧至五成热，用葱白丝、姜丝炝锅，倒入醋，待出香味时加入清汤、海米、盐、味精、料酒、胡椒粉，煮5分钟。

3.用汤勺撇去浮沫，加入牛肚丝，用水淀粉勾芡，撒上香菜段，淋上花椒油即可。

咖喱牛肉汤

〔材料〕牛肉250克、卷心菜100克、洋葱50克、胡萝卜20克、芹菜20克。

〔调料〕咖喱粉、料酒、姜、盐、味精。

做　法

1.牛肉洗净，切成小块，放在热水中焯10分钟后，去除血水备用；将洋葱去皮洗净，切细丝；胡萝卜洗净，切片；卷心菜洗净切丝；芹菜择洗干净，切段。

2.锅中加入适量清水，用大火烧开，放入牛肉块，加入姜、料酒炖1小时，再将洋葱丝、卷心菜丝、胡萝卜丝、芹菜段一起放入锅中，继续炖15分钟。

3.将咖喱粉、盐加入锅中调味，再炖10分钟，起锅时加入味精调味即可。

大枣牛肝汤

〔材料〕牛肝250克、大枣50克。

〔调料〕盐、味精。

做　法

1.把牛肝洗净、切块；大枣去核洗净备用。

2.把大枣与牛肝一块儿放入沙煲内，加适量的清水，用大火煮开。

3.再改用小火褒1～2小时，然后调入盐、味精即可。

红酒牛腱汤

〔材料〕牛肉100克、白萝卜50克、洋葱50克、西兰花50克。

〔调料〕盐、红葡萄酒、葱段、姜片、香菜叶、胡椒粉。

做　法

1.牛肉洗净，切成大小适中的方块，焯水待用；白萝卜、洋葱洗净，去皮，切成滚刀块，待用；西兰花洗净，掰成小朵，待用。

2.汤锅加清水，放入牛肉块、盐、红葡萄酒、葱段、姜片同煮，大火煮开后换小火炖约1小时。

3.加入白萝卜和洋葱块、西兰花同煮，汤开后转小火，炖至蔬菜变色，调入适量的盐和胡椒粉，撒上香菜叶，出锅即可。

苦瓜牛肉汤

〔材料〕牛肉150克、苦瓜100克。

〔调料〕盐、料酒、葱段、姜片。

做法

1.牛肉切成小块，用料酒和盐煨15分钟，然后焯水，待用；苦瓜洗净去子，对剖后切成大块，待用。

2.汤锅加清水，放入牛肉块、料酒、葱段、姜片煮开，小火慢炖1小时，至牛肉熟透。

3.放入苦瓜，再煮10分钟，调入适量盐即可。

TIPS 贴心小提示<<<

1 清热解暑，最适合夏日食用。也可用猪肉替代。

2 表皮色浅、凸凹近平的苦瓜苦味稍淡。

雪耳香菇猪肘汤

〔材料〕猪肘300克、胡萝卜100克、银耳20克、香菇20克。

〔调料〕高汤、葱段、姜片、盐、鸡精。

做法

1.猪肘洗净，用刀轻刮表皮，剁成块后焯水；胡萝卜洗净，切成滚刀块；银耳和香菇泡发，去蒂，分成小朵。

2.汤锅加高汤，放入肘块、葱段和姜片同煮，大火烧开后换成小火炖1小时。

3.开锅撇去浮沫，倒入胡萝卜、银耳和香菇，再炖半小时，调入适量的盐和鸡精，出锅即可。

清炖牛肉三样

〔材料〕牛肉200克、土豆、番茄和青、红尖椒共100克。

〔调料〕高汤、料酒、姜块、花椒水、绵白糖、番茄酱、盐。

做法

1.牛肉洗净，切块后焯水；土豆和番茄洗净，去皮切成块；青、红尖椒洗净，去蒂去子，用斜刀切成块。

2.汤锅加高汤，放入牛肉块、料酒、姜块、花椒水和绵白糖煮开，撇去浮沫，换小火炖至牛肉熟透。

3.加入蔬菜块和番茄酱同煮，至蔬菜熟烂，调入适量的盐即可。

脆耳腐竹炖土豆

〔材料〕熟猪耳200克、土豆100克、腐竹50克、胡萝卜50克。

〔调料〕高汤、姜丝、酱油、盐、鸡精、西芹叶。

做法

1.熟猪耳切成一指宽、3厘米长的条；土豆和胡萝卜洗净去皮，切成粗条；腐竹泡发，斜刀切寸段。

2.汤锅加适量高汤，倒入土豆和胡萝卜条煮开，添加姜丝、酱油、猪耳和腐竹，再煮15分钟。

3.开锅后撇去浮沫，调入适量的盐和鸡精，撒上西芹叶，出锅即可。

清烩十锦汤

〔材料〕熟肉丸50克、五花肉50克、猪肚50克、猪肠50克、鸡肉50克、土豆40克、白菜40克、豆腐40克、番茄40克、水发腐竹20克、鲜香菇20克。

〔调料〕猪油、葱姜末、高汤、盐、酱油、水淀粉、香菜叶。

做法

1.五花肉、猪肚、猪肠和鸡肉分别切片，和肉丸一起焯水；土豆和番茄洗净去皮，豆腐、白菜、腐竹和香菇洗净，分别切片。

2.炒锅烧热，融化猪油后爆炒葱姜末，加入高汤煮开，倒入备好的什锦料和调味料，炖煮10分钟。

3.然后用水淀粉勾芡，撒上香菜叶即可。

丝瓜肉片汤

〔材料〕丝瓜300克、瘦猪肉200克。

〔调料〕胡椒粉、盐、味精、香油、植物油、葱花、水淀粉、姜丝。

做法

1.丝瓜去皮，洗干净，切滚刀块；瘦猪肉洗净，切成薄片，用水淀粉、盐及适量清水拌匀备用。

2.汤锅置大火上，倒入植物油烧至五成热，加入丝瓜煸炒至八成熟，加入足量开水。

3.汤开后，将肉片放入汤中，加入葱花、姜丝、盐、味精，待汤再开时，略煮一会儿至材料熟透为止，出锅前撒上胡椒粉，淋入香油即可。

营养师建议

★★★丝瓜味甘，性凉、无毒，有清热利肠、凉血解毒、活络通经等功效。

苹果瘦肉汤

〔材料〕猪瘦肉100克、红苹果100克、玉米笋100克。

〔调料〕盐、料酒、葱段、姜片。

营养师建议

★★★①红苹果、青苹果均可，配瘦肉和玉米笋都很赏心悦目。②苹果切块后容易变色，可以在瘦肉快炖熟的时候备料下锅。

做法

1.瘦肉洗净，切成厚片，焯水待用；苹果洗净，去核去心，连皮切成月牙块，待用；玉米笋洗净，斜刀切成段。

2.汤锅加清水，放入瘦肉片、料酒、葱段和姜片煮开，慢火炖半小时至瘦肉酥烂。

3.放入苹果块和玉米笋，炖至熟透，调入适量的盐即可。

蹄香花生浓汤

〔材料〕猪手300克、红皮小花生仁50克、枸杞20克。

〔调料〕盐、料酒、葱段、姜片。

做法

1.猪手洗净，用刀轻刮表皮，剁成小块，焯水待用；花生泡水半小时后煮开，倒掉开水，待用。

2.汤锅加清水，放入猪手以及料酒、葱段、姜片、盐等调料，大火煮开，小火炖1小时。

3.加入花生、枸杞同煮10分钟，调入适量的盐即可。

TIPS 贴心小提示<<<

①花生煮开后倒掉变成红色的开水，是为了不让整锅汤变成红色。如果不介意变色，可以省去这一步，保留花生红衣的养分。②猪手富含胶质，有利于女性养颜美容。

藕炖排骨养颜汤

【材料】新鲜莲藕100克、排骨200克。

【调料】盐、料酒、葱段、姜片、陈皮。

做　法

1.排骨洗净，焯水待用；莲藕洗净，去皮，切成滚刀块，备用。

2.汤锅加清水，放入排骨、料酒、葱段、姜片、陈皮，大火煮开。

3.放入莲藕块，再次煮开锅后换小火慢炖至熟烂，调入适量的盐即可。

营养师建议

★★★ 1 莲藕选两头都有须茎的，这样孔洞中不会有泥沙。2 不能用铁锅煮莲藕，否则汤色发黑。

清炖双冬鸡腿

〔材料〕鲜鸡腿200克、冬瓜100克、冬菇50克。

〔调料〕食用油、香葱丝、高汤、花椒水、姜片、盐、鸡精。

做　法

1.鸡腿洗净，剁块后焯水；冬瓜洗净，去皮去子后切成块；冬菇用温水泡发后去蒂，切成两半。

2.炒锅加油，爆炒香葱丝后倒入鸡腿翻炒，至鸡腿变色，然后添加高汤，倒入花椒水、姜片和冬菇，炖煮20分钟，倒入冬瓜后续煮10分钟。

3.开锅撇去浮沫，调入盐和鸡精，撒上香葱丝，即可。

苦瓜菠萝煲鸡

〔材料〕鲜鸡翅200克、苦瓜50克、菠萝50克。

〔调料〕盐、料酒、淀粉、蛋清、食用油、葱姜丝、鸡精、高汤。

做　法

1.鲜鸡翅洗净，用盐、料酒、淀粉和蛋清抓匀；苦瓜洗净去子，切成滚刀块；菠萝取用内瓤，切成滚刀块。

2.炒锅加油烧热，爆炒葱姜丝后放入鸡翅翻炒，至鸡翅变色，倒入高汤，再放入苦瓜和菠萝块，同煮半小时。

3.开锅撇去浮沫，撒上葱丝，用盐和鸡精调味，即可。

滑鸡片丝瓜汤

〔材料〕鸡胸肉200克、丝瓜100克、鲜香菇50克。

〔调料〕盐、鸡精、淀粉、蛋清、嫩姜丝、高汤、胡椒粉、香芹叶。

做　法

1.鸡胸肉洗净，切片后用盐、鸡精、淀粉和蛋清抓匀；丝瓜洗净去皮，对半剖开后切成3厘米段；鲜香菇洗净后切丝。

2.汤锅加入高汤，煮开后倒入滑鸡片、丝瓜和香菇，加适量胡椒粉同煮10分钟。

3.开锅后撇去浮沫，用水淀粉勾芡，撒上香芹叶，出锅即可。

双色木耳鸡翅煲

〔材料〕鸡翅250克、木耳50克、银耳50克、金针菇50克。

〔调料〕盐、料酒、蛋清、淀粉、食用油、葱姜丝、高汤、红枣、胡椒粉。

做 法

1.鸡翅洗净，用盐、料酒、蛋清、淀粉抓匀；银耳、木耳用温水泡发，去蒂分成小朵；金针菇洗净，分成小束。

2.炒锅加油烧热，爆炒葱姜丝后倒入鸡翅翻炒，至鸡翅变色。

3.倒入高汤，加红枣、黑、白木耳和金针菇煮开，换成小火炖至鸡翅熟透，用盐和胡椒粉调味，即可。

TIPS 贴心小提示<<<

表皮整齐、颜色深绿的冬瓜可不用去皮，直接切块，清火的效果更好。

冬菇蹄筋炖凤爪

〔材料〕鲜凤爪200克、熟蹄筋100克、冬菇50克。

〔调料〕高汤、料酒、姜片、盐、鸡精、香菜叶。

做 法

1.凤爪洗净，剁去爪尖，再剁成两三段，焯水；蹄筋切成小块；冬菇洗净，切成两半。

2.汤锅加高汤，倒入凤爪、料酒和姜片同煮，至凤爪熟烂，再加入蹄筋和冬菇，继续煮10分钟。

3.开锅撇去浮沫，调入适量的盐和鸡精，撒上香菜叶，出锅即可。

绿豆炖老鸡

〔材料〕母鸡1/2只、绿豆50克、莴苣300克、枸杞适量。

〔调料〕盐、姜块、葱结、料酒。

做 法

1.母鸡洗净斩块，放入沸水中焯一下，取出冲尽血水备用；莴苣去皮洗净，切块备用；枸杞用温水泡发备用；姜用刀拍破备用。

2.锅内放入凉水、鸡肉块、姜块、葱结用大火煮沸，撇净浮沫，改小火炖10分钟。

3.放入绿豆、枸杞、盐、料酒煮至绿豆熟烂，捞出姜块、葱结。加入莴苣块煮熟即可。

TIPS 贴心小提示<<<

老母鸡汤有很好的养身功效，加入清热的绿豆、绿绿的莴苣，不仅可以去除母鸡汤的油腻感，而且特别适合秋天干燥的天气，还可以在汤中加入一小把黄豆或三四个山楂，这样老母鸡肉就很容易炖烂，省时省火。

红白猪肝汤

〔材料〕猪肝200克、番茄100克、百合50克。

〔调料〕盐、料酒、姜丝、香菜叶。

做 法

1. 猪肝焯水，切片待用；番茄去皮切成小块，待用；百合用温水泡开，择去根蒂，待用。

2. 汤锅加清水，放入猪肝、料酒、姜丝同煮5分钟，煮至猪肝熟透，撇去浮沫。

3. 加入番茄和百合，中火再煮大约10分钟，调入适量的盐，然后再撒上香菜叶即可。

奶油蘑菇汤

〔材料〕蘑菇100克、面粉100克、清汤350克、牛奶130克、瘦猪肉丁100克、炸面包丁50克。

〔调料〕盐、味精、胡椒粉、料酒、黄油。

做法

1.蘑菇洗净，切片备用；猪肉洗净，切成小块，然后加适量清水煮沸，撇去浮沫，加入料酒，再改小火炖至八成熟。

2.将黄油放入锅内加热，放入面粉炒至黄色，将煮过的猪肉、肉汤及牛奶分三次倒入锅中，不断搅拌至糊状，再把清汤加入，搅拌成黏稠的汤汁。

3.把蘑菇片放入奶油汤中，煮开，加入盐、味精、胡椒粉调味，最后加入炸面包丁进行装饰即可。

花雕鸡块

〔材料〕净鲜鸡1只、肥猪肉100克。

〔调料〕蜂蜜、蚝油、花雕酒、葱姜丝。

做法

1.鲜鸡洗净晾干，涂抹蚝油和蜂蜜，10分钟后剁成大块；肥猪肉切片。

2.炒锅烧热，放入肥猪肉煎至出油，倒入鸡块，翻炒至表皮微黄，续加花雕酒翻炒片刻，倒入清水和葱姜丝，大火煮开。

3.换成小火慢炖半小时，至鸡肉熟透，撇去浮沫和油渣，出锅即可。

青笋漂鸡球

〔材料〕鲜鸡肉200克、青笋50克、荸荠50克。

〔调料〕盐、鸡精、淀粉、料酒、蛋清、高汤、花椒水、嫩姜丝。

做法

1.荸荠洗净，去皮后剁碎；鲜鸡肉洗净，去骨剁成肉茸，用盐、鸡精、淀粉、料酒、蛋清和荸荠末拌匀，抟成球形；青笋洗净，去皮后切成细丝。

2.汤锅加入高汤和花椒水煮开，换成中火倒入青笋丝和嫩姜丝，再慢慢加入鸡球，用勺轻轻搅动，中火煮至鸡球全部浮起。

3.开锅撇去浮沫，用适量的盐和鸡精调味即可。

江南老鸭汤

〔材料〕盐水鸭300克、大白菜150克、熟火腿50克、笋干20克。

〔调料〕高汤、粽叶、小油菜心、鸡精。

做法

1.盐水鸭切成整齐的条段；大白菜洗净，菜帮切成宽条，菜叶撕成大块；熟火腿切成细丝；笋干用温水泡发，切去老根，其余切成细丝；粽叶和小油菜心洗净。

2.汤锅加高汤，放入盐水鸭、笋干、火腿、粽叶和菜帮同煮10分钟。

3.开锅后挑出粽叶，放入白菜叶和小油菜心，调入适量鸡精，出锅即可。

菠菜鸡煲

〔材料〕净鲜鸡300克、菠菜200克。

〔调料〕蚝油、绵白糖、淀粉、酱油、食用油、葱姜丝、香菇丝、青笋丝、高汤、盐、鸡精。

做法

1. 净鲜鸡洗净，剁成块后用蚝油、白糖、淀粉和酱油煨10分钟；菠菜洗净，去根后切成两段。

2. 炒锅加油，爆炒葱姜丝后添加蚝油、香菇丝和青笋丝翻炒，再倒入鸡块煮开，换小火慢炖至鸡肉熟烂。

3. 开锅后倒入菠菜，用适量的盐和鸡精调味即可。

TIPS 贴心小提示<<<

足够鲜嫩的菠菜可以留住根部，洗净后整棵入汤烧煮，不但留住了根部的营养，也为菜式增色不少。

魔芋烧鸭

〔材料〕鸭肉250克、魔芋100克。

〔调料〕绿茶包、豆瓣酱、花椒水、料酒、大蒜、高汤、盐、青蒜、水淀粉。

做法

1. 绿茶包用水煮开；魔芋洗净，去皮切块后在滚茶中汆烫，取出用冷水浸泡；鸭肉洗净，剁成块后焯水；大蒜剥皮切片；青蒜洗净切丝。

2. 炒锅烧热，加豆瓣酱、花椒水、料酒、大蒜片翻炒，再倒入高汤、鸭肉和魔芋块，大火煮开后换成小火慢炖，至鸭肉熟透。开锅后加盐和青蒜丝搅匀，用水淀粉勾芡，出锅即可。

营养师建议

★★★ 魔芋是一种低热量、高纤维素的食品，减肥功效出众。可去超市选购魔芋豆腐或魔芋丝团，焯水后煮汤。

酱香鸡汤

〔材料〕净鲜鸡1只、芝麻酱100克、花生酱100克、鸡腿菇50克、茶树菇50克。

〔调料〕高汤、酱油、料酒、绵白糖、花椒粉、姜末。

做法

1. 鲜鸡洗净，剁去头、尾和爪，剁成四大块；鸡腿菇和茶树菇洗净，分成小朵。

2. 沙锅加高汤，倒入芝麻酱、花生酱、酱油、料酒、绵白糖、花椒粉和姜末，搅拌均匀后煮开。

3. 倒入鸡块和菌菇，炖煮40分钟后取出鸡块，在汤碗中摆放成整鸡形状，将汤汁浇上，即可。

TIPS 贴心小提示<<<

剁掉的头和爪也可以一起入汤煲煮，摆放后的整鸡形状更加自然。

银耳木瓜汤

〔材料〕银耳50克、木瓜100克、排骨200克。

〔调料〕盐、葱段、姜片。

做法

1. 银耳泡发，择净待用；木瓜去皮去子，切成滚刀块待用；排骨焯水待用。

2. 汤锅加清水，放入排骨、葱段、姜片同煮，大火烧开后放入银耳，小火慢炖约1小时。

3. 把木瓜放入汤中，再炖15分钟，调入适量的盐即可。

椰汁芋头鸡

〔材料〕鲜鸡腿250克、芋头150克、椰汁1罐。

〔调料〕鸡油、葱姜丝、高汤、料酒、盐、鸡精、香菜叶。

做法

1. 芋头洗净去皮，切块后用清水浸泡；鸡腿洗净，剁成块后焯水。

2. 炒锅加热，融化鸡油后爆炒葱姜丝，倒入高汤和料酒，再放入芋头、鸡块和适量椰汁，煮开后撇去浮沫，换成小火慢炖20分钟。

3. 开锅调入适量的盐和鸡精，撒上香菜叶，即可。

榨菜排骨汤

〔材料〕排骨250克、土豆200克、榨菜50克。

〔调料〕料酒、姜片、鸡精、香菜叶。

做法

1.排骨洗净，剁成寸段后焯水；土豆洗净，去皮，切成小块；榨菜洗净，也切成大小类似的块。

2.汤锅加清水，倒入排骨、料酒和姜片，煮开后挑出姜片，倒入榨菜和土豆块，换成中火煮半小时。

3.调入适当的鸡精，撒上香菜叶，出锅即可。

双色老鸡汤

〔材料〕净老鸡200克、木耳50克、银耳50克。

〔调料〕盐、葱段、姜片、茴香。

做法

1. 净老鸡洗净剁块，焯水待用；木耳温水泡发，择净待用；红枣洗净，用温水浸泡待用。

2. 汤锅加清水，放入鸡块、红枣、葱段、姜片、茴香，大火烧开后转小火炖1小时，捞出葱段、姜片与茴香。

3. 把木耳与银耳放入汤中，再次煮沸后换小火慢炖约半小时，调入适量的盐即可。

TIPS 贴心小提示<<<

1 也可用精选鸡胸或鸡翅作主料。
2 柴鸡胜过肉鸡，且以老母鸡为上。

红玉菠菜养血汤

〔材料〕猪血200克、菠菜200克。

〔调料〕盐、鸡精、姜片、虾皮。

做法

1.猪血洗净焯水，切成3厘米长1厘米厚的块；菠菜洗净，去根后拦腰切断。

2.汤锅加清水，放入猪血块、盐和姜片同煮，大火煮开后挑出姜片，换成中火继续煮10分钟。

3.开锅倒入菠菜，先茎后叶，大火煮开即停火，调入适量的盐和鸡精，撒上虾皮即可。

营养师建议

★★★ 菠菜富含铁元素，与猪血搭配，补血更见功效，适合体虚贫血的朋友经常食用。

青丝百叶汤

〔材料〕牛百叶250克、青笋150克、韭黄50克。

〔调料〕食用油、料酒、高汤、盐、白醋、香菜叶。

做法

1.牛百叶洗净，焯水后切成丝；青笋洗净切丝；韭黄洗净，切成3厘米长的段。

2.炒锅加油烧热，放入牛百叶、青笋和料酒炒出香味，再倒入韭黄翻炒，添加适量的高汤，煮开后停火。

3.开锅撇去浮沫，调入适量的盐和白醋，撒上香菜叶，出锅即可。

TIPS 贴心小提示<<<

1 这是一道清汤，所以要选购白色的牛百叶，并添加白醋调味。
2 可用西芹代替青笋。

番茄百合猪肝汤

〔材料〕番茄200克、鲜猪肝200克、鲜百合50克。

〔调料〕料酒、鸡精、高汤、淀粉、蛋清、姜末、葱丝、胡椒粉。

做 法

1.猪肝洗净切片，用料酒、鸡精、淀粉、蛋清和姜末拌匀后焯水；番茄洗净，去皮切成片；鲜百合洗净，削去变色的边缘，剥开后用清水浸泡。

2.汤锅加高汤，放入番茄、百合、料酒和姜丝煮开，倒入猪肝片，煮开后撇去浮沫。调入适量的盐、胡椒粉和鸡精，出锅即可。

泡菜汆肉片

〔材料〕猪肉250克、韩式泡菜200克、平菇100克、青笋100克。

〔调料〕盐、料酒、淀粉、姜末、鸡精、高汤、香菜叶。

做 法

1.猪肉洗净，切成薄片，用盐、料酒、淀粉和姜末煨10分钟，焯水后放入汤碗；泡菜和青笋洗净切丝；平菇洗净，用手撕成细丝后焯水。

2.汤锅加高汤，倒入泡菜、青笋和平菇丝同煮10分钟，调入适量的盐和鸡精。

3.将沸腾的成品汤倒入汤碗，撒上香菜叶即可。

TIPS 贴心小提示<<<

泡菜洗净煮开后，汤中酸味可能不足，可用少许陈醋调味。

枣香乌鸡汤

〔材料〕净乌鸡200克、红枣50克、枸杞10克。

〔调料〕盐、料酒、葱段、姜片。

做 法

1.乌鸡洗净，去头、尾、爪，剁块，焯水待用；红枣、枸杞用清水洗去浮尘，温水略泡，待用。

2.汤锅加清水，放入乌鸡块，加盐、料酒、葱段、姜片、红枣同煮约45分钟。

3.把枸杞放入汤中，继续用小火炖10分钟，调入适量的盐即可。

营养师建议

★★★ 1 乌鸡滋阴，红枣补血，建议女孩子们可以每月炖一次滋补身体。2 当归和人参也都是滋补佳品，可以替换煲入汤中。

酸辣汤

〔材料〕瘦猪肉200克、豆腐100克、卷心菜100克、香菇20克、木耳20克、鸡蛋1个。

〔调料〕花椒盐、料酒、鸡精、高汤、葱姜丝、水淀粉、陈醋、胡椒粉、盐。

做 法

1.猪肉洗净切丝，用花椒盐、料酒和鸡精煨10分钟；豆腐和卷心菜洗净切丝；香菇和木耳泡发，去蒂切丝；鸡蛋打散。

2.汤锅加高汤，倒入猪肉丝、葱姜丝、香菇和木耳丝同煮10分钟。

3.开锅后用水淀粉勾芡，浇入蛋液，停火，调入适量的陈醋、胡椒粉和盐，出锅即可。

莲生凤爪汤

〔材料〕凤爪200克、生花生仁50克、去心莲子50克。

〔调料〕盐、葱段、姜片、料酒。

做　法

1. 凤爪洗净，剁掉爪尖，焯水待用；生花生仁和去心莲子洗净，用温水浸泡，待用。

2. 汤锅加清水，放入凤爪、料酒、葱段、姜片同煮，大火开后放入花生仁和莲子，继续用大火烧开。

3. 换小火慢炖至凤爪熟烂，调入适量的盐即可。

TIPS 贴心小提示<<<

① 也可放入红枣或红豆同煮。
② 干的莲子不宜煮熟，可选用清水莲子罐头，超市有售。

酥肉汤

〔材料〕五花肉250克、白萝卜200克、鸡蛋2个。

〔调料〕淀粉、料酒、花椒盐、食用油、高汤、姜片、葱段。

做　法

1. 五花肉洗净，切成3厘米见方的块；鸡蛋打散，加淀粉、料酒和花椒盐等调味料拌匀，倒入肉块挂糊；白萝卜洗净，去皮切成滚刀块。

2. 炒锅加油烧至五成热，依次放入挂糊后的肉块，慢慢搅动以免粘锅，至肉块外皮呈金黄色，即成酥肉，取出沥去油。

3. 汤锅加高汤，倒入酥肉和萝卜块、姜片和葱段，大火煮开后小火慢炖15分钟，出锅即可。

香菇西芹鸡丝汤

〔材料〕鸡胸肉200克、西芹100克、香菇50克。

〔调料〕盐、料酒、淀粉、鸡精、高汤。

做　法

1. 鸡胸肉洗净，用盐、料酒、淀粉和鸡精拌匀后蒸熟，撕成细丝；西芹洗净，茎干部分焯水，斜刀切成丝，西芹叶择取少许嫩尖备用；香菇泡发，去蒂后切成丝。

2. 汤锅加高汤，倒入香菇煮开，然后放入鸡丝，和西芹丝同煮10分钟左右。

3. 开锅后调入适量的盐和鸡精，再撒上西芹叶，即可。

肉片黄瓜木耳汤

〔材料〕猪肉150克、黄瓜100克、木耳50克。

〔调料〕花椒水、料酒、猪油、葱姜丝、高汤、水淀粉、盐、胡椒粉。

做　法

1. 猪肉洗净切成薄片，用花椒水、料酒等调味料拌匀，煨10分钟；黄瓜洗净去皮，切成菱形片；木耳用温水泡发，洗净后用手撕成小块。

2. 炒锅加热，融化猪油后爆炒葱姜丝，倒入高汤煮开，再加入肉片、黄瓜片和木耳同煮15分钟。

3. 开锅后用水淀粉勾芡，调入适量的盐和胡椒粉，出锅即可。

酸菜五花肉汤

〔材料〕五花肉200克、酸菜200克。

〔调料〕盐、料酒、十三香、淀粉、枸杞、鸡精、葱丝。

做 法

1.五花肉洗净，切成薄片，用盐、料酒、十三香和淀粉拌匀，煨10分钟；酸菜洗净切片；枸杞洗净。

2.汤锅加清水煮开，倒入肉片、酸菜片和枸杞同煮，至肉片变色熟透，停火焖20分钟。

3.开锅后调入适当的盐和鸡精，撒上葱丝，即可。

发财汤

〔材料〕发菜50克、鸡胸肉150克、猪肉150克。

〔调料〕食用油、高汤、姜片、水淀粉、盐、鸡精、米酒。

做 法

1.鸡胸肉和猪肉洗净，切丝后焯水；发菜泡水后洗净，用少许食用油拌匀，大火蒸15分钟。

2.汤锅加高汤煮开，放入姜片、鸡肉和猪肉丝，大火同煮15分钟。

3.倒入发菜，用水淀粉勾芡，调入适量的盐和鸡精，淋上几滴米酒即可。

风味酸菜鸭肉汤

〔材料〕鸭胸肉200克、酸菜100克、粉丝30克。

〔调料〕盐、料酒、姜丝、葱花。

做 法

1.鸭胸肉切成1厘米厚的片，焯水待用；酸菜切丝，待用；粉丝洗净，清水略泡，待用。

2.汤锅加清水，放入鸭肉、料酒、姜丝煮开，再放入酸菜，汤开后换小火慢炖约半小时。

3.出锅前倒入泡软的粉丝，5分钟后调入适量的盐，撒上葱花即可。

风舞红尘

〔材料〕鸡翅250克、小红尖椒100克。

〔调料〕桂花陈酒、酱油、淀粉、盐、胡椒粉、食用油、葱姜丝、大蒜瓣、高汤。

做 法

1.鸡翅洗净，两侧用刀轻轻划开，加各种调味料煨10分钟；小红尖椒洗净去蒂，对半切开；大蒜剥皮，切成薄片。

2.炒锅加油烧热，爆炒葱姜丝、蒜片和红辣椒后，倒入鸡翅翻炒，至鸡翅变色为止。

3.添加足量高汤，大火煮开后慢炖10分钟，出锅即可。

TIPS 贴心小提示<<<

1 选购新鲜的小红辣椒，辣味十足。
2 桂花陈酒取八月桂花酿成酒，酒味香甜醇厚，有开胃健脾之功效。

家常肚丝汤

〔材料〕熟猪肚200克、豆腐皮100克、青蒜50克、鸡蛋1个。

〔调料〕高汤、食用油、酱油、陈醋、胡椒粉、盐、水淀粉。

做 法

1.猪肚和豆腐皮洗净，焯水后切成丝；青蒜洗净切丝；鸡蛋打散后摊成蛋皮，切成细丝。

2.炒锅加油烧热，爆炒青蒜丝后加入高汤，倒入肚丝、豆腐皮丝和蛋皮丝同煮10分钟。

3.调入适量的陈醋、胡椒粉和盐，用水淀粉勾芡，出锅即可。

玉兰嫩肝汤

〔材料〕生猪肝 200 克、玉兰片 50 克、火腿 50 克。

〔调料〕高汤、盐、鸡精、水淀粉、葱丝。

做 法

1.猪肝洗净，切成柳叶片，焯水后捞出；玉兰片、火腿分别洗净后切片。

2.高汤烧开，放入肝尖、玉兰片、火腿，大火烧开后撇去浮沫，用水淀粉勾薄芡。

3.把盐、鸡精放入汤中调味，最后撒上葱丝即可。

营养师建议

★★★ 1 生猪肝切片后用盐水冲洗，可保持鲜嫩口感。2 为赶时间可以直接在超市购买熟猪肝，但口感肯定不如新鲜猪肝嫩。

丝瓜咸蛋肉丝羹

〔材料〕猪肉200克、丝瓜150克、熟咸鸭蛋1个。

〔调料〕盐、水淀粉、绵白糖、料酒、姜丝、胡椒粉、蛋清、高汤。

做 法

1.猪肉洗净、切丝，用绵白糖、盐、料酒、蛋清拌匀；丝瓜洗净去皮，对半剖开后切成滚刀块；咸鸭蛋剥皮，蛋白切成碎丁，蛋黄切成两半。

2.汤锅加高汤煮开，倒入丝瓜、咸蛋白和姜丝，煮至丝瓜变软，再倒入肉丝煮开。

3.用水淀粉勾芡，加胡椒粉调味，盛入汤碗后将两半蛋黄轻置汤面上，即可。

白菜四宝

〔材料〕大白菜 200 克、熟火腿 50克、熟鸡胸肉50克、鲜香菇50克、四季豆 50 克。

〔调料〕高汤、盐、鸡精。

做 法

1.大白菜洗净，只取用菜帮，切成粗长条后焯水；香菇和四季豆洗净，切成细丝后焯水；熟火腿切丝；熟鸡胸肉撕成细丝。

2.将菜帮在汤碗中排成十字形，然后把火腿丝、香菇丝、鸡丝和四季豆丝分四色整齐码放在四个小格中，倒入适量高汤，调入盐和鸡精。

3.整个汤碗放入笼屉中，大火蒸10分钟，取出上桌即可。

菠菜牛肉羹

〔材料〕菠菜200克、牛肉馅100克。

〔调料〕绵白糖、盐、料酒、蛋清、水淀粉、高汤、胡椒粉、红椒丝。

做 法

1. 牛肉馅用绵白糖、盐、料酒、蛋清和水淀粉拌匀；菠菜洗净，切成3厘米长段。

2. 汤锅加入高汤，煮开后换成中火，倒入牛肉馅，用勺慢慢搅匀，煮至馅料熟透，再按照先梗后叶的顺序倒入菠菜，用勺搅匀。

3. 用水淀粉勾芡，再浇入适量蛋清，用盐和胡椒粉调味，再撒上红椒丝，出锅即可。

沸腾羊肉

〔材料〕冷冻羊肉片250克、黄豆芽100克、鸡蛋2个。

〔调料〕葱、孜然、盐、淀粉、大蒜粉、食用油、干红辣椒。

做 法

1.羊肉片解冻；鸡蛋打散，加盐、孜然、淀粉和大蒜粉拌成糊状，放入羊肉片抓匀，腌渍10分钟；干红辣椒剪碎；黄豆芽洗净去根，焯水后平铺在汤碗底部。

2.汤锅加清水煮开，汆烫羊肉片，捞出盛入汤碗中，堆上干红辣椒末。

3.炒锅加油，大火烧至微微冒烟，浇在羊肉片和辣椒上，即可。

TIPS 贴心小提示<<<

汤碗底部可以先放好几张洗净的生菜叶，增添菜式的美色。

龙凤汤

〔材料〕鸡胸肉250克、鲜鱼块150克、熟芝麻20克。

〔调料〕食用油、葱姜末、高汤、盐、酱油、花椒水、辣椒粉。

做 法

1. 鸡胸肉洗净，鲜鱼块洗净去骨，切成小块，用盐、酱油、花椒水和姜末拌匀，蒸熟；熟芝麻捣成碎末。

2. 炒锅加油烧热，爆炒葱姜末后加入高汤煮开，撇去浮沫，倒入鸡肉和鱼肉块，加辣椒粉同煮5分钟，停火。

3. 将煮好后的汤倒入汤碗，在汤面上均匀撒些熟芝麻，即可。

TIPS 贴心小提示<<<

花椒水可以自制，花椒洗净用开水煮几分钟，捞出花椒，放凉即可。

打卤蛋羹

〔材料〕鸡蛋2个、猪肉50克、小白菜50克、鲜虾仁20克、鲜香菇20克。

〔调料〕盐、鸡精、姜粉、淀粉。

做 法

1.鸡蛋打散，加盐、鸡精和凉开水，用汤碗蒸成小半碗蛋羹；猪肉洗净，切成薄片，和洗净的虾仁一起用盐、鸡精、姜粉、淀粉、蛋清拌匀；香菇洗净，去蒂切成薄片；小白菜洗净。

2.汤锅加高汤煮开，倒入虾仁、香菇和肉片煮开，放入小白菜，再开后撇去浮沫，用水淀粉勾芡，调入适量的盐。

3.将煮好的打卤汤轻轻浇在蒸好的蛋羹上，即可。

豆腐滚鸭骨

〔材料〕烤鸭鸭架200克、小油菜200克、豆腐150克。

〔调料〕高汤、二锅头、姜片、盐、葱丝。

做 法

1. 鸭架剔除肥油过多的部分，剁成块；小油菜洗净，拦腰切断；豆腐洗净，切块后焯水。

2. 汤锅加高汤，放入鸭架块、豆腐和姜片，倒入少许二锅头，煮开后换中火炖至汤色发白。

3. 开锅后放入小油菜，先菜帮后菜叶，调入适量的盐，撒上葱丝，即可。

雪菜火腿蛋汤

〔材料〕雪菜100克、火腿100克、鸡蛋1个。

〔调料〕高汤、盐、鸡精、胡椒粉、葱丝。

做 法

1. 雪菜洗净，切宽丝；火腿洗净后切条；鸡蛋打散待用。

2. 高汤烧开，放入雪菜、火腿，大火烧开后，浇入打散的蛋液。

3. 把盐、鸡精、胡椒粉等调料放入汤中，略煮半分钟，最后撒上葱丝即可。

花莲肉丁汤

〔材料〕猪肉100克、黄花菜50克、莲子50克、枸杞10克。

〔调料〕高汤、盐、鸡精、料酒、葱花。

做法

1.猪肉洗净，切成小丁，加料酒、盐和鸡精煨上10分钟，焯水待用；去心莲子和黄花菜用温水泡开、洗净；枸杞洗去浮尘待用。

2.高汤烧开，加入肉丁、黄花菜、莲子，大火烧开后转中火煮10分钟。

3.把盐、枸杞放入汤中略煮1分钟，最后撒上葱花即可。

TIPS 贴心小提示<<<

最好选用四四方方的五花肉，冰箱冷冻室稍冻后，很容易切成丁，而且五花肉红白相间口感也好。

牛肉菜花汤

〔材料〕熟牛肉50克、菜花35克、土豆150克、胡萝卜100克、芹菜30克、洋葱100克、牛肉汤适量。

〔调料〕盐。

做法

1.洋葱洗干净，切丝；芹菜择洗干净，切段；胡萝卜洗净切条，放在锅内用油焖熟，再加入芹菜调味；菜花洗净，用手掰成小朵；土豆洗净切块；熟牛肉切片备用。

2.把适量牛肉汤倒入沙锅内，放入土豆，加上牛肉片煮沸，土豆熟后放盐，调好口味。

3.把菜花在清水中煮沸后，捞入牛肉汤中，再煮15分钟，加洋葱、胡萝卜，煮至菜花熟透即可。

鸡蓉冬瓜羹

〔材料〕冬瓜200克、鸡胸肉200克、熟火腿20克。

〔调料〕盐、料酒、食用油、高汤、蛋清、葱姜丝。

做法

1. 冬瓜洗净，去皮去子，刨成细丝；鸡胸肉稍稍速冻后，用刀刮散，剁成细泥，加少许盐和蛋清，搅拌均匀，鸡蓉即成；熟火腿剁成末。

2. 汤锅加油烧热，爆炒葱姜丝后拣出不用，加冬瓜丝和料酒翻炒，添高汤煮至冬瓜熟透。

3. 换成小火，将鸡蓉徐徐倒入，边倒边搅拌，鸡蓉倒净即停火，盛入汤碗后撒上火腿末，即可。

鸡肝腐竹韭黄汤

〔材料〕鸡肝4副、花生150克、韭黄50克。

〔调料〕高汤、姜丝、料酒、水淀粉、酱油、盐、鸡精、香油。

做法

1. 鸡肝洗净去筋切成片，加入姜丝、料酒、淀粉、酱油抓匀腌渍；腐竹洗净用温水泡后挤去水分切成3厘米段；韭黄摘去老根洗净切成3厘米段备用。

2. 沙锅内倒入高汤，大火烧开后放入腐竹，大火煮开转小火将腐竹煮熟后下入鸡肝，用筷子快速打散断生后，放入韭黄段，加入适量的盐和鸡精，淋上香油即可。

糯米酒香鸡

〔材料〕糯米酒150克、净鲜鸡250克、红枣20克、当归20克。

〔调料〕盐、鸡精、大葱、姜。

做 法

1.鲜鸡洗净，去头、颈和爪，剁成小块后焯水；红枣和当归洗净；大葱切3厘米段，姜拍扁。

2.汤锅加入适量清水，放入鸡块、葱段和姜同煮，大火烧开后再加入糯米酒、红枣和当归，换成小火炖1小时。

3.开锅撇去浮沫，调入适量的盐和鸡精，出锅即可。

TIPS 贴心小提示<<<

① 鸡颈含太多淋巴组织，最好不用。

② 糯米酒以琥珀色泽、酒精含量低的品种为上，推荐花雕和绍兴老酒。

牛蓉蒲公英羹

〔材料〕牛里脊肉100克、蒲公英100克、枸杞20粒。

〔调料〕料酒、酱油、食用油、葱末、姜末、高汤、盐、鸡精、水淀粉、香油。

做 法

1.将牛里脊洗净剁成茸，加入料酒、酱油腌渍；蒲公英摘去老根黄叶洗净，焯水过凉沥干，切成末；枸杞洗净用温水泡软备用。

2.锅内倒油，烧至六成热，放入牛肉蓉打散炒熟，放入葱、姜末爆香后加高汤，大火烧开后放入蒲公英末、枸杞，再用大火烧开后加盐和鸡精，用水淀粉勾薄芡，淋入香油即可。

营养师建议

★★★牛里脊要选用条小肉嫩的小牛肉，剁肉蓉时最好用刀背，这样剁出的肉蓉不易沾上案板的碎末。

鸡丝蒲公英汤

〔材料〕蒲公英100克、鸡胸脯肉50克。

〔调料〕食用油、盐、葱丝、姜丝、香油、鸡精。

做 法

1.蒲公英摘去老根黄叶，洗净焯水过凉；鸡胸脯肉洗净煮熟，晾凉撕成丝备用。

2.锅内倒油烧至六成热，放入姜丝煸香，倒入适量清汤，大火烧开后放入蒲公英，再开后撒入鸡丝，煮开后加入适量的盐和鸡精，撒上葱丝，淋入香油即可。

营养师建议

★★★枝叶中含有胆碱、氨基酸和微量元素，具有广谱抗菌作用，并能激发人体的免疫功能，消炎利胆保肝，是春季的时令健康蔬菜。

猪肝番茄豌豆汤

〔材料〕猪肝300克、番茄3个、鲜豌豆20克。

〔调料〕姜片、料酒、淀粉、酱油、盐、鸡精、香油。

做 法

1.将猪肝洗净，摘除血管，切成片，拌入料酒、淀粉、酱油腌渍；番茄剥皮，切成四瓣；将青豌豆煮熟过凉沥干备用。

2.沙锅内放入适量清汤，大火烧开后放入番茄、豌豆、姜片，煮开后转小火煲10分钟后放入猪肝打散，待猪肝变色后放入适量的盐和鸡精，淋入香油即可。

雪梨蹄花汤

〔材料〕淡味酱猪蹄1只、雪梨200克。

〔调料〕高汤、盐。

做 法

1.酱猪蹄洗净，剁块。

2.雪梨去皮去核，切成块。

3.高汤里放入猪蹄用大火煮开。

4.放入雪花梨块，煮至雪花梨变色，加盐调味出锅即可。

菠菜粉丝肉片汤

〔材料〕菠菜150克、粉丝50克、瘦猪肉50克、鸡蛋1个。

〔调料〕高汤、水淀粉、料酒、盐、鸡精、香油、葱丝。

做　法

1.将菠菜摘根洗净焯水过凉，沥干后切成段；粉丝用温水泡软；鸡蛋磕入碗中剔除蛋黄；瘦猪肉洗净切片，放入蛋清碗中，加水淀粉、料酒抓匀腌渍备用。

2.锅内倒入高汤，大火烧开后放入粉丝、菠菜，加猪肉片用筷子迅速拨散，加入适量的盐和鸡精，淋入香油，撒上葱丝即可。

乳鸽薏米菊花汤

〔材料〕雏鸽2只、薏米50克、菊花10克。

〔调料〕葱段、姜片、料酒、盐、胡椒粉。

做　法

1.将乳鸽摘去杂毛，开膛洗净，每只从中劈开，剁成四块，焯水捞出，洗去血沫；薏米用温水泡软；菊花用温水发好，去除杂质备用。

2.锅内放入清汤，下鸽肉、薏米、姜片、葱段、料酒，大火烧开后改小火焖煮1小时，放入菊花略煮片刻，加入适量的盐和胡椒粉即可。

咸肉冬瓜汤

〔材料〕咸肉200克、冬瓜300克。

〔调料〕葱丝、姜块、料酒、鸡精、清汤。

做　法

1.将咸肉洗净切成厚片；冬瓜去皮去瓤，洗净切成块；姜洗净用菜刀拍松备用。

2.锅内倒入清汤，加入咸肉、姜块和料酒，大火烧开后转小火焖煮30分钟，放入冬瓜块，大火开锅后转小火继续炖30分钟，加鸡精即可。

南瓜四喜汤

〔材料〕南瓜100克、牛肉丸50克、胡萝卜50克、莴苣50克。

〔调料〕清汤、盐、鸡精、香油。

做　法

1. 南瓜、胡萝卜和莴苣分别洗净、去皮，切削成鱼丸大小的球；牛肉丸洗净。

2. 清汤入锅，加入牛肉丸，大火烧开后撇去浮沫。

3. 把南瓜、胡萝卜与莴笋球放入汤中，继续用大火烧开，加盐、鸡精调味，最后淋上香油即可。

TIPS　贴心小提示<<<

挖冰淇淋的小勺可用来制备南瓜、胡萝卜和莴笋球。白萝卜、土豆、豆腐等都可以用来做这道汤，注意颜色搭配漂亮就可以了。

榨菜肉丝汤

〔材料〕瘦肉100克、榨菜100克。

〔调料〕高汤、葱丝、水淀粉、料酒、盐、鸡精、香油。

做　法

1.将瘦肉洗净切成丝，放入容器，抓入水淀粉、料酒拌匀，倒入滚水锅中打散汆熟捞出；榨菜洗净切成粗丝，用清水浸泡备用。

2.锅内倒入高汤大火烧开后，放入榨菜丝、肉丝，加入适量的盐和鸡精，淋入香油，撒上葱丝即可。

牛筋乱炖汤

〔材料〕熟牛筋200克、白萝卜50克、土豆50克、番茄50克。

〔调料〕高汤、盐、鸡精、香菜。

做　法

1.熟牛筋用开水烫过，洗净，切成块；白萝卜洗净去皮，切成菱形块，焯水待用。

2.番茄洗净后用开水烫去表皮，切块；土豆去皮后洗净，切块。

3.高汤加入牛筋、萝卜、番茄、土豆，大火煮开后转小火炖5分钟，加盐、鸡精调味，最后撒上香菜即可。

肚片苦瓜汤

〔材料〕猪肚300克、苦瓜2根。

〔调料〕食用油、葱段、姜片、料酒、桂皮、花椒、大料、盐、鸡精、白醋、淀粉。

做　法

1.将猪肚翻开用白醋和淀粉揉搓，去掉油筋杂物洗净，放入滚水中用小火煮熟捞出，晾凉切片；苦瓜洗净剖开、去瓤，焯水捞出沥干，切成菱形块备用。

2.锅内倒油烧至六成热，放入葱段、姜片煸出香味后放入猪肚、苦瓜翻炒，烹入料酒，倒入适量清汤，放入桂皮、花椒、大料，大火烧开后改小火焖煮30分钟，加入适量的盐和鸡精即可。

营养师建议

★★★ 苦瓜性寒味苦，含有很高的营养成分和药用价值，具有清暑祛热、明目解毒、凉血止痛、补肾润脾之功效。

瘦肉黄瓜汤

〔材料〕瘦猪肉300克、黄瓜2根、枸杞20颗。

〔调料〕姜块、料酒、盐、鸡精、食用油。

做　法

1.猪肉洗净，切块焯水捞出；黄瓜洗净，除去瓜瓤，切成大块；枸杞洗净用温水泡软；姜块洗净用刀拍松备用。

2.锅内倒油烧至六成热，放入姜块、猪肉煸炒片刻，烹入料酒，倒入适量清汤，大火烧开后转小火炖半小时后，放入黄瓜、枸杞，煮开后转小火焖炖半小时，放入适量的盐和鸡精即可。

TIPS 贴心小提示<<<

炖汤的黄瓜宜选用皮色黄澄、比较光滑的老黄瓜。

冬瓜汆丸子

〔材料〕瘦猪肉200克、冬瓜300克。

〔调料〕葱末、姜末、水淀粉、料酒、高汤、盐、胡椒粉、香菜末、香油。

做　法

1.将瘦猪肉斩成肉茸，放在容器中，加葱末、姜末，抓入水淀粉、料酒搅拌上劲；冬瓜去皮、去瓤切成大片备用。

2.锅内放水，大火烧开后转小火，将肉茸挤成小丸子，均匀下入沸水中汆煮，丸子熟后捞出。

3.锅内放高汤，放入冬瓜片，大火烧开后转小火将冬瓜煮熟，下入丸子，开锅后加盐、胡椒粉，撒入香菜末，淋入香油即可。

TIPS 贴心小提示<<<

做肉丸的肉茸在搅拌时要顺着一个方向搅拌，最后加点盐能使肉茸更有劲。

薏米老鸭汤

〔材料〕薏米100克、老鸭1只。

〔调料〕葱、姜、料酒、盐、鸡精、胡椒粉。

做法

1. 将老鸭洗净，去内脏，剁去脚爪，斩成大块，焯水捞出洗去血沫沥干；薏米洗净用冷水泡软；葱洗净切大段、姜洗净用刀拍松备用。

2. 锅内倒入清汤，放入鸭块、薏米、姜块、葱段、料酒，大火烧开后改小火煲2小时，加入盐、鸡精和胡椒粉即可。

营养师建议

★★★ 薏米具有健脾补肺、清热利湿的作用，特别容易消化吸收，是很好的食疗食品，可煮粥做汤，因其所含的各种成分，使其药用价值超过食用价值。淘洗时要注意用冷水轻轻淘洗，不可用力搓揉，以免营养成分丢失。

肉鸽润肺汤

〔材料〕肉鸽500克（约2只）、沙参20克、玉竹20克。

〔调料〕葱段、姜片、盐、鸡精。

做法

1. 肉鸽洗净，摘除杂毛，控干血水，斩成八块。焯水捞出洗净血沫；沙参、玉竹洗净，用温水泡软备用。

2. 沙锅内放入适量清汤，大火烧开后放入肉鸽、沙参、玉竹、葱段、姜片，开锅后改小火焖煮2小时，放入适量的盐和鸡精即可。

营养师建议

★★★肉鸽味道鲜美，营养丰富，有"一鸽胜九鸡"之美誉。鸽肉中含有大量蛋白质和多种氨基酸，是滋补佳品。和几味中药同煲，有滋阴益气、清热解毒、生津润燥、润肺养肺之功效，最适宜秋季进补。

鸡丝莼菜羹

〔材料〕熟鸡胸肉200克、莼菜罐头1/2瓶、红椒50克。

〔调料〕水淀粉、盐、鸡精、胡椒粉、香菜叶。

做法

1. 熟鸡胸肉用手撕成细丝，待用；取莼菜适量，焯水；红椒洗净，去蒂去子后切丝，焯水。

2. 汤锅加清水，大火烧开后放入鸡丝，煮沸后转小火炖10分钟，再放入莼菜和红椒丝。

3. 汤开后加水淀粉勾芡，调入适量的盐、鸡精和胡椒粉，撒上香叶菜即可。

营养师建议

★★★①若选用新鲜鸡胸肉，要顺着肉的纹路切成细丝，用腌肉料煨好蒸熟后再用。②莼菜罐头可在超市选购。

鸭血豆腐汤

〔材料〕熟鸭血200克、豆腐200克、胡萝卜半根、香菜1根。

〔调料〕食用油、葱丝、姜丝、高汤、盐、水淀粉、胡椒粉、醋。

做法

1. 将鸭血洗净切成条；豆腐切成条焯水过凉；胡萝卜去皮洗净切成条焯水过凉；香菜摘根洗净切成末备用。

2. 锅内倒油烧至六成热，放入姜丝、葱段煸香。沙锅内倒入高汤，大火烧开后放入鸭血、豆腐、胡萝卜，大火烧开后转小火，加盐，用水淀粉勾薄芡，撒香菜末、胡椒粉关火，加醋即可。

木耳雪梨汤

〔材料〕木耳20克、雪梨2个、瘦肉200克、无花果4颗、蜜枣4颗、陈皮1块。

〔调料〕盐。

做法

1. 将木耳用温水泡软，摘去根蒂洗净；雪梨洗净去核切块；瘦肉洗净切块，焯水过凉；陈皮洗净备用。

2. 锅内倒适量清水，放入全部材料，大火烧开，改小火煲2小时，加盐即可。

营养师建议

★★★此汤有生津止渴，润肺化痰之功效。适合于经常上火、肺热咳嗽痰淤者服用，是秋季滋养佳品。

菜干杏仁鸭肾汤

〔材料〕白菜干200克、南北杏15克、腊鸭肾4个、瘦猪肉100克、蜜枣4颗。

〔调料〕盐。

做法

1. 将白菜干用清水泡软洗净，挤去水分切成段；南北杏、蜜枣用温水泡软去核；腊鸭肾用温水浸泡洗净切片；瘦猪肉洗净切成厚片备用。

2. 沙锅放入适量冷水，放入白菜干、南北杏、腊鸭肾、瘦猪肉，大火烧开后小火煲1小时，加入蜜枣继续焖煲半小时，最后入盐即可。

营养师建议

★★★南北杏是一种无异味的中药，有止咳润肺作用，用做辅助汤料最合适。

乌鸡红枣汤

〔材料〕乌鸡500克、红枣50克。

〔调料〕食用油、葱段、姜块、料酒、盐、鸡精。

做法

1. 将乌鸡摘去杂毛洗净，剁成大块，焯水捞出洗去血沫沥干；红枣洗净用温水泡软；姜块洗净用刀拍松备用。

2. 锅内倒油烧至六成热，放入葱段、姜块煸香，倒入适量清汤，放入鸡块、红枣、料酒，大火烧开后，小火煲2小时，加入适量的盐和鸡精即可。

营养师建议

★★★乌鸡含有大量微量元素、蛋白质、氨基酸、铁质，有滋阴补血、健脾益胃、润肤养颜之功效，尤其适合女性在秋天食用。

玉竹凤爪汤

〔材料〕鲜鸡脚10只、精五花肉200克、玉竹50克、百合50克、芡实50克。

〔调料〕料酒、盐、鸡精。

做法

1. 将鸡脚洗净，剥去黄衣，斩去趾骨，斩开成两段，焯水捞出；五花肉洗净，放入滚水煮至断生捞出，晾凉之后切成半寸长条；玉竹、百合、芡实用温水泡软备用。

2. 沙锅内放入适量清汤，大火烧开，放入鸡脚、五花肉、玉竹、芡实、料酒，开锅后转小火慢煲1小时，放入百合再煲30分钟，加入盐和鸡精即可。

双菇肉丝羹

〔材料〕猪肉丝100克、香菇50克、金针菇50克。

〔调料〕盐、料酒、十三香、高汤、胡萝卜丝、水淀粉、鸡精、香菜叶。

做法

1. 猪肉丝洗净，用盐、料酒、十三香拌匀后煨10分钟；香菇与金针菇分别洗净去蒂，焯水后将香菇切丝；胡萝卜去皮后洗净，切丝。

2. 汤锅加高汤，放入肉丝、胡萝卜丝、香菇丝和金针菇，搅拌均匀。

3. 大火烧开后转小火慢炖10分钟，用水淀粉勾芡，调入适量的盐和鸡精，撒上香菜叶即可。

时蔬五彩羹

〔材料〕牛肉馅50克、四季豆50克、豆腐50克、番茄50克、南瓜50克、鸡蛋1个。

〔调料〕高汤、盐、鸡精、料酒、十三香、水淀粉、香菜叶。

做 法

1.牛肉馅用盐、鸡精、料酒、十三香拌匀后煨10分钟；四季豆、豆腐、番茄、南瓜分别洗净，切成丁后焯水；鸡蛋分离出蛋清，搅匀待用。

2.高汤倒入锅中，大火烧开后放入牛肉馅，煮沸后撇去浮沫。

3.把四季豆、豆腐、番茄和南瓜丁放汤中，用中火稍炖至熟烂，加水淀粉勾芡，倒入蛋清迅速搅匀，调入适量的盐和鸡精，撒上香菜叶即可。

胡萝卜牛肉汤

〔材料〕牛腩300克、山楂2颗、胡萝卜100克、青萝卜500克。

〔调料〕食用油、姜片、葱段、料酒、盐。

做 法

1.牛腩洗净，切成大块，焯水捞出；胡萝卜洗净，削去须根，切成滚刀块；山楂洗净备用。

2.锅内倒油烧至六成热，放入红萝卜，煸炒片刻。

3.沙锅内放入适量清汤，大火烧开后放入牛腩块、山楂、姜片、葱段、料酒，开锅后小火焖煮2小时，放入胡萝卜块、枸杞，大火烧开后再用小火焖煮1小时，加盐5分钟后即可。

沙参桃仁牛尾汤

〔材料〕沙参100克、核桃仁50克、牛尾500克。

〔调料〕料酒、盐、鸡精。

做 法

1.将沙参洗净用温水泡软切成段；核桃仁用温水泡软去衣；牛尾洗净斩成小段焯水过凉备用。

2.沙锅内放入适量清汤，放入沙参、核桃仁、牛尾段、料酒，大火烧开后转小火慢煲2小时，加入盐和鸡精即可。

营养师建议

★★★ 沙参味甘微苦、性凉，有养阴清肺、祛痰止咳之功能，对秋天肺热燥咳，阴伤咽干有特殊疗效。

石竹瘦肉汤

〔材料〕瘦猪肉300克、腐竹100克、石斛15克、玉竹15克、红枣5颗。

〔调料〕葱段、姜片、料酒、盐、鸡精。

做 法

1.将瘦猪肉洗净切块焯水过凉；腐竹洗净用温水泡软，挤出水分，切段；石斛、玉竹、红枣洗净备用。

2.沙锅内倒适量清汤，放猪肉块、石斛、玉竹、红枣、葱段、姜片、料酒，大火烧开改小火煲1小时，放腐竹小火煲半小时，加入适量的盐和鸡精即可。

沙参玉竹节瓜汤

〔材料〕南沙参20克、玉竹20克、节瓜400克、猪大骨400克、花生50克、红枣6颗。

〔调料〕姜片、盐、鸡精。

做 法

1.将沙参、玉竹洗净；节瓜洗净去皮，切成大块；花生洗净用温水泡软；红枣洗净去核；猪大骨砍开洗净，焯水过凉备用。

2.锅内倒适量清汤，放猪大骨、姜片、沙参、玉竹、花生、红枣大火烧开，小火煲1小时，放节瓜再煲1小时，加入适量的盐和鸡精即可。

蟹柳牛肉羹

〔材料〕牛肉馅100克、蟹柳50克、青豆50克。

〔调料〕盐、料酒、十三香、水淀粉、鸡精、香菜叶。

做 法

1. 牛肉馅加盐、料酒和十三香拌匀后煨10分钟；蟹柳与青豆分别洗净、焯水。

2. 汤锅加清水烧开，放入煨好的牛肉馅和蟹柳搅匀，用大火烧开。

3. 倒入青豆稍煮，用水淀粉勾芡，调入适量的盐和鸡精，撒上香菜叶即可。

海带丝炖老鸭

〔材料〕鸭子1只、水发海带300克。

〔调料〕料酒、盐、味精、葱末、姜片、花椒、胡椒粉。

做 法

1. 将鸭子洗净后剁成小块；发好的海带洗净，切丝备用。

2. 锅内放水，再放入鸭肉，煮沸后撇去浮沫。

3. 加入料酒、葱末、姜片、花椒、胡椒粉、海带丝，煮沸后改用中火煮至鸭肉烂熟。

4. 加入盐、味精调味即可。

营养师建议

★★★鸭肉脱骨烂香，海带鲜嫩好吃，夏季多吃一些海带、鸭子不仅能补充由于天热体内流失的大量维生素和蛋白质等营养物质，还能利水消肿、防暑祛热。

娃娃菜火腿汤

〔材料〕娃娃白菜4棵、火腿40克。

〔调料〕盐、鸡精、香油、葱丝、姜丝、香菜。

做　法

1. 将白菜心洗净，根部打十字花刀焯水过凉；火腿洗净切薄片备用。

2. 锅内倒入适量清汤，大火烧开后放入白菜心，开锅后加入火腿片煮开，大火滚片刻，加入适量的盐和鸡精，撒上葱丝、香菜、姜丝，淋上香油即可。

肝片玉兰汤

〔材料〕猪肝300克、青笋50克、玉兰片100克。

〔调料〕高汤、料酒、盐、鸡精、胡椒粉、葱花。

做　法

1. 将猪肝洗净，摘除杂筋，切成长条片，用盐水洗去血沫，焯水捞出沥干；玉兰片洗净切成梳状片，放在清水里浸泡；青笋洗净切片备用。

2. 沙锅内放入高汤，大火烧开后放入玉兰、青笋、料酒，开锅后撇去浮沫，放猪肝片，快速用筷子打散，加入适量的盐和鸡精、白胡椒粉，撒上香葱末即可。后小火焖煮30分钟，放入适量的盐即可。

营养师建议

★★★猪肝有滋阴补血、润泽肌肤之功效，冬季天冷血液循环慢，常饮可以帮助人体补血。

猪肉莲藕汤

〔材料〕嫩猪肉400克、莲藕300克、红豆50克。

〔调料〕料酒、盐、味精、香油、香菜段、葱段、姜块。

做　法

1. 猪肉洗净后切块；莲藕去皮在水中泡15分钟后，切成滚刀块；红豆洗净，泡4小时。

2. 锅中放入适量清水，将洗净的猪肉块放入，煮10分钟，撇去浮油及浮沫，再将莲藕块、红豆、料酒、姜块、葱段一起放入，用大火煮沸后再改小火炖1小时。

3. 将盐、味精加入汤中调味，再将香菜段撒在汤上，淋入香油搅匀即可。

营养师建议

★★★此汤有滋补肾阴之功效，体虚肾亏者可多食用。既可助肾阳，亦适合于皮肤粗糙者，对冬季经常出现的皮肤干燥也有一定效果。

芋艿鸡块汤

〔材料〕母鸡1只、芋艿300克、竹荪20克、枸杞10克。

〔调料〕食用油、姜片、葱段、料酒、盐。

做　法

1. 将母鸡拔去杂毛、开膛去内脏洗净，斩成大块，焯水捞出、洗去血沫沥干；芋艿剥皮切成滚刀块；竹荪用温水泡软切成段；枸杞洗净备用。

2. 锅内倒油烧至六成热，放入姜片、葱段煸香，然后放入鸡块，煸炒片刻。

3. 沙锅内倒入适量清汤，大火烧开后放入鸡块、芋艿、竹荪、枸杞、葱段、姜片、料酒，开锅后改小火焖煮2小时，放入适量的盐即可。

营养师建议

★★★母鸡蛋白质含量高，脂肪较厚，冬季人体需要适度增加脂肪来帮助抵御寒冷，最适合食用母鸡。

牛肉土豆汤

〔材料〕牛腱子300克、土豆300克、番茄2个、洋葱1个、山楂4颗。

〔调料〕食用油、葱段、姜片、料酒、盐。

做　法

1.腱子洗净除去肥油，切成1.5厘米小块，焯水捞出沥干；土豆削皮切成同牛肉大的块；番茄洗净剥皮切成大块；洋葱去皮洗净切成八块；山楂洗净备用。

2.锅内倒油烧至六成热，放入土豆块，煸成金黄色出锅；洋葱放入油锅煸香。

3.沙锅放入适量的清汤，大火烧开后放入牛肉、山楂、姜片、葱段、料酒，大火烧开后小火焖煮2小时，放入土豆、洋葱和番茄，开锅后小火焖煮30分钟，放入适量的盐即可。

牛尾贞枣汤

〔材料〕牛尾500克、黑枣6颗、女贞子100克。

〔调料〕姜片、料酒、盐、香油。

做　法

1.将牛尾洗净斩成小段焯水过凉；女贞子、黑枣去核洗净用清水浸泡片刻备用。

2.沙锅内倒入清汤，放入牛尾、女贞子、黑枣、姜片、料酒，大火烧开后转小火焖炖2小时后加盐、香油即可。

佛手排骨汤

〔材料〕猪肋排300克、佛手瓜300克、杏仁20克。

〔调料〕姜片、葱段、料酒、盐。

做　法

1.肋排洗净顺骨缝切成单根，斩成3厘米段，焯水捞出洗去血沫；佛手瓜洗净切块；杏仁用温水泡软备用。

2.锅内倒入适量清水，放入焯好的排骨、杏仁、姜片、葱段、料酒，大火烧开后小火煲1小时；放入佛手瓜块，大火烧开后改小火煲半小时，加入适量的盐即可。

营养师建议

★★★冬季天气寒冷，容易感冒，久咳不止。杏仁可以润肺止咳；佛手瓜有理气扶正的作用，能滋润解燥、帮助消化。此汤适合于伤风不愈、久咳不愈。

双冬鹅肉汤

〔材料〕光鹅半只、冬笋200克、冬菇100克。

〔调料〕葱段、姜片、料酒、盐。

做　法

1.将光鹅洗净斩块，焯水捞出洗去血沫沥干；冬笋切成滚刀块，焯水过凉；冬菇用温水泡软，切成两半备用。

2.沙锅内倒入适量清汤，大火烧开后放入鸡块、冬笋、冬菇、葱段、姜片、料酒，开锅后改小火焖煮2小时，放入适量的盐即可。

营养师建议

★★★①鹅肉性味甘平，蛋白质含量高，起补虚益气，暖胃生津的作用。②冬笋味甘、性寒，有解毒的作用。其高蛋白、低脂肪、少淀粉、多纤维的特点有利于帮助人体消食化积。

八宝豆腐羹

〔材料〕豆腐100克、小虾仁50克、鸡肉50克、冬笋20克、火腿20克、青豆20克、香菇20克、杏仁20克、松子仁20克。

〔调料〕高汤、盐、鸡精、水淀粉。

做　法

1.所有原料洗净后切丁，焯水待用。

2.汤锅加高汤煮开，把所有原料丁都放入汤中，大火烧开后转小火慢炖10分钟，撇去浮沫。

3.加水淀粉勾芡，调入适量的盐和鸡精即可。

猪肝养护汤

〔材料〕鲜猪肝150克、胡萝卜150克、香菜1根。

〔调料〕食用油、葱丝、姜丝、水淀粉、料酒、鸡精、盐、酱油。

做　法

1.将猪肝洗净去血水，剔除血管切成薄片，加入水淀粉、料酒、酱油、食用油腌渍；胡萝卜去皮洗净切成小斜片；香菜摘去根须，切成小段备用。

2.锅内倒油烧至六成热，放入葱丝、姜丝煸香，放入胡萝卜片煸炒片刻后，加入适量清汤，大火烧开后转小火煮10分钟，放入猪肝用筷子打散，开锅后放入适量的盐和鸡精，撒入香菜段即可。

猪尾芋头汤

〔材料〕猪尾300克、芋头200克、淮山药20克、红枣6颗。

〔调料〕葱段、姜片、料酒、盐、鸡精。

做　法

1.将猪尾拔除杂毛，刮净油腻洗净，斩成3厘米段，焯水过凉沥干；芋头洗净去皮，切成滚刀块；淮山药、红枣洗净备用。

2.锅内倒适量清汤，放猪尾、淮山药、红枣、葱段、姜片、料酒，大火烧开，改小火煲1小时，放芋头，小火煲半小时，加入适量的盐和鸡精即可。

胡椒猪肚汤

〔材料〕胡椒100粒、猪肚1个、腐竹100克、平菇100克。

〔调料〕盐、淀粉、葱段、姜片、料酒。

做　法

1.猪肚翻开用淀粉和盐搓擦，去油腻、除异味，洗净后放入滚水内焯煮5分钟，断生后捞出用温水洗净浮沫杂物，将胡椒装入肚内扎住口；腐竹用温水泡软挤去水分；平菇洗净，摘去老根，撕成条状，焯水过凉捞出沥干；葱切大段；姜块用刀拍松备用。

2.沙锅内放入适量清汤，放入猪肚、姜块、葱段、料酒，大火烧开后小火煲2小时后，捞出猪肚，从中剖开倒出胡椒，将猪肚切条，放回沙锅；加入腐竹、平菇大火烧开后改小火煲20分钟，放入盐即可。

猪肉萝卜汤

〔材料〕猪前肘精肉300克、白萝卜500克、红枣6颗。

〔调料〕食用油、葱段、姜片、料酒、盐。

做　法

1.前肘肉洗净切块，焯水捞出洗去浮沫；萝卜洗净切块；红枣洗净用温水泡软备用。

2.锅内倒油烧至六成热，放入肉块，煸至发黄，放入葱段、姜片煸香；倒入适量清水，大火烧开，放入红枣、料酒，小火焖煮1小时。放入萝卜块大火煮沸，转小火焖煮1小时后放入适量的盐即可。

营养师建议

★★★萝卜有消积化痰、解毒行气之功效，古人云：冬吃萝卜夏吃姜，不劳大夫开处方。冬天饮食比较肥腻，经常吃萝卜能行气润肠，排毒养颜。

鹿角胶排骨汤

〔材料〕排骨500克、鹿角胶9克、杜仲9克、枸杞9克、淮山药10克、当归3克。

〔调料〕葱段、姜片、料酒、盐、鸡精、胡椒粉。

做　法

1.将排骨洗净，斩成3厘米段，焯水过凉沥干；杜仲、淮山药、枸杞、当归洗净备用。

2.锅内倒适量清汤，放排骨、鹿角胶、杜仲、枸杞、淮山药、当归、葱段、姜片、料酒，大火烧开，改小火煲3小时，加入适量的盐、鸡精和胡椒粉即可。

营养师建议

★★★鹿角胶含有胶质、钙质，有温补肝肾、益精养血之功效，可强化筋骨，预防骨质疏松，还可调理肾脏功能。

菜心狮子头煲

〔材料〕五花肉300克（四成肥六成瘦）、青菜心200克、荸荠50克、海米20克。

〔调料〕高汤、葱姜汁、料酒、水淀粉、盐、鸡精、植物油。

做 法

1. 五花肉洗净斩成石榴米大小的肉糜；荸荠斩成石榴米大小；海米用温水泡软沥干斩成颗粒，加入葱姜汁、料酒、水淀粉、盐顺着一个方向搅拌，直至其上劲后，做成4个大肉丸备用。

2. 锅内倒油烧至六成热，放入青菜心略煸一下出锅备用。

3. 沙锅内倒入高汤，将青菜心平铺在锅底，码入大肉丸。中火烧开后，小火慢煲2小时，加入盐、鸡精即可。

腔骨菜心汤

〔材料〕腔骨300克、粉条100克、油菜心300克。

〔调料〕料酒、醋、盐、鸡精。

做 法

1. 将腔骨洗净砍成几块，焯水过凉；油菜心洗净焯水过凉；粉条剪断用温水泡软备用。

2. 锅内倒适量清汤，放腔骨、料酒、醋大火烧开，小火焖煮1小时，放粉条煮5分钟后，放入油菜心，加入适量的盐和鸡精即可。

营养师建议

★★★ ① 此汤具有开胃消食、健骨补钙的功效。② 骨头里含有大量钙质，煮食时加适量的醋，可以促进钙质分解到汤中。

猪肝番茄玉米煲

〔材料〕猪肝300克、番茄3个、甜玉米粒适量。

〔调料〕姜片、料酒、淀粉、酱油、盐、鸡精、清汤。

做 法

1. 将猪肝洗净，去除血管，切成片，拌入料酒、淀粉、酱油腌渍待用。

2. 番茄剥皮，切成四瓣待用；将玉米粒切碎待用。

3. 沙锅内放入适量清汤，大火烧开后放入玉米粒，小火煲30分钟后放入番茄、姜片，再小火煲10分钟后放入猪肝打散，待猪肝变色后放入盐、鸡精即可。

TIPS 贴心小提示<<<

番茄不好剥皮，可先把番茄用开水烫一下，再泡在冷水里，剥皮就容易了。

骨香山药汤

〔材料〕猪肋排200克、山药200克、红枣5颗。

〔调料〕葱段、姜片、料酒、盐、鸡精、花生油。

做 法

1. 猪肋排洗净斩成3厘米段，焯水捞出洗去血沫沥干；山药洗净去皮，切成滚刀块；红枣洗净用温水泡软备用。

2. 锅内倒入花生油烧至六成热后放入山药，煸炒成黄色后出锅备用。

3. 沙锅内放入清汤大火烧开，放入排骨、葱段、姜片、料酒，开锅后小火焖煮半小时，放入山药、大枣，再小火焖煮半小时，放入盐、鸡精即可。

三色珍珠汤

〔材料〕鸡胸脯肉100克、豌豆50克、番茄1个。

〔调料〕高汤、姜丝、水淀粉、料酒、盐、鸡精、胡椒粉、香油。

做法

1.将鸡胸脯肉洗净剁成肉泥，放入容器，加水淀粉、料酒顺时针搅拌上劲；豌豆洗净煮熟沥干；番茄剥皮去子切成丁备用。

2.锅内加水，大火烧开后转小火，将鸡肉茸挤成小丸子氽熟后捞出备用。

3.锅内放入高汤、姜丝、豌豆、番茄丁，大火烧开后放入鸡肉丸，开锅后加入适量的盐、鸡精和胡椒粉，淋入香油即可。

猪肚白果汤

〔材料〕熟猪肚300克、白果100克。

〔调料〕香菜末、姜片、盐、鸡精、清汤。

做法

1.猪肚切条；白果洗净去皮，用温水浸泡数小时，放入滚水煮熟后捞出备用。

2.沙锅内放入适量清汤，放入猪肚、白果、姜片，大火烧开后转小火焖煮30分钟，加盐、鸡精、撒上香菜末即可。

营养师建议

★★★①白果含有淀粉、蛋白质、脂肪、矿物质、粗纤维等成分，有温胃理气、定喘镇咳之功效。②白果中含有银杏酚和银杏酸，生食可使人中毒。烹调前通过浸泡煮熟，可以除去大部分毒素。

猪肚腐竹煲

〔材料〕猪肚1个、腐竹100克、平菇200克。

〔调料〕胡椒50粒、葱、姜、料酒、盐、淀粉、清汤。

做法

1.猪肚翻开用淀粉和盐擦搓，去油腻、除异味，洗净，放入滚水内焯煮5分钟，断生后捞出用温水洗净浮沫杂物，将胡椒装入猪肚内扎住口；腐竹用温水泡软；平菇洗净，撕成条状，焯水过凉捞出沥干；葱切段；姜块用刀拍松备用。

2.沙锅内放入适量清汤，放入猪肚、姜块、葱段、料酒，大火烧开后小火煲2小时，捞出猪肚，从中剖开倒出胡椒，将猪肚切条，放回沙锅；加入腐竹、平菇，大火烧开后小火煲40分钟后放入盐，10分钟后即可。

芸豆猪手煲

〔材料〕新鲜猪手400克（中等大小约2只）、芸豆100克、枸杞10克。

〔调料〕葱段、姜块、料酒、盐、味精、清汤。

做法

1.猪手用清水洗净，拔除余毛，用刀刮除表面杂物，从中劈开，斩成六块，焯水捞出洗去浮沫；芸豆用温水泡软；枸杞洗净用温水泡软；姜块用刀背拍松备用。

2.沙锅倒入适量清汤，放入猪手、葱段、姜块、料酒，大火煮沸后改用小火煨2小时，放入芸豆小火慢煲1小时，放入枸杞、盐煮10分钟断火，加味精即可。

猪手薏米煲

〔材料〕猪手300克（1只）、薏米40克、枸杞10克。

〔调料〕葱段、姜片、料酒、盐、胡椒粉、清汤。

做 法

1.猪手洗净，去杂毛，刮去油腻，从中劈开，斩成四段，焯水捞出洗去浮沫；薏米洗净用温水泡软；枸杞洗净备用。

2.沙锅内放入适量清汤，大火烧开后放入猪手、薏米、枸杞、姜片、葱段、料酒，开锅后撇去浮沫，小火煲3小时，加盐、胡椒粉即可。

肥肠苦瓜煲

〔材料〕猪大肠300克、苦瓜2根。

〔调料〕葱段、姜片、料酒、桂皮、花椒、大料、盐、味精、植物油、淀粉、白醋、清汤。

做 法

1.猪大肠翻开用白醋和淀粉揉搓，去掉油筋杂物洗净，放入滚水中小火煮熟捞出，晾凉切片；苦瓜洗净剖开、去瓤，焯水后捞出沥干，切成菱形块备用。

2.锅内倒油烧至六成热，放入葱段、姜片，煸出香味后放入大肠、苦瓜翻炒，烹入料酒，倒入适量清汤，放入桂皮、花椒、大料，大火烧开后改小火焖煮30分钟，加盐、味精即可。

TIPS 贴心小提示<<<

最好选用色白、表皮颗粒大的苦瓜，这样的苦瓜成熟饱满，苦味较小。

蹄筋花生汤

〔材料〕水发牛蹄筋200克、大花生仁100克。

〔调料〕高汤、葱段、姜块、盐、鸡精、胡椒粉。

做 法

1.水发牛蹄筋洗净切段，改刀成条用温水浸泡；花生仁洗净用温水泡发，剥去胞衣；姜块用刀拍松备用。

2.锅内倒入高汤，放入牛蹄筋，大火烧开后加花生仁、葱段、姜块转小火炖1小时，直至蹄筋酥软后加入适量的盐和鸡精、胡椒粉即可。

营养师建议

★★★牛蹄筋中含有大量的胶原蛋白，脂肪含量低，不含胆固醇，能增强细胞新陈代谢，增加皮肤弹性，帮助人体保持皮肤水分。春天，气候干燥的北方最适合经常食用。

鸡丝蛋皮韭菜汤

〔材料〕鸡胸脯肉100克、韭菜50克、鸡蛋2个。

〔调料〕高汤、盐、鸡精、香油、食用油。

做 法

1.将鸡胸脯肉洗净煮熟，晾凉后撕成细丝；鸡蛋磕入碗中搅拌均匀，用油锅摊成蛋皮，晾凉后切成丝；韭菜摘根洗净切成3厘米段备用。

2.锅内倒入高汤，大火烧开，放入鸡丝、蛋皮丝，开锅后入韭菜，再加入适量的盐和鸡精，淋入香油即可。

三黄鸡薏米汤

〔材料〕三黄鸡1只、薏米100克。

〔调料〕葱、姜、料酒、盐、鸡精、胡椒粉。

做 法

1.将三黄鸡洗净，去内脏，剁去脚爪，焯水捞出洗去血沫，斩块沥干；薏米洗净用温水泡软；葱洗净切大段；姜洗净用刀拍松备用。

2.沙锅内倒入清汤，放入鸡块、薏米、姜块、葱段、料酒，大火烧开后改小火焖炖1小时，加入适量的盐、鸡精和胡椒粉即可。

牛腩萝卜煲

〔材料〕牛腩300克、青萝卜500克、山楂4颗、胡萝卜100克、枸杞10粒。

〔调料〕葱段、姜片、料酒、盐、食用油、清汤。

做 法

1.将牛腩洗净，切成大块，焯水捞出；青萝卜、胡萝卜洗净，削去须根，切成滚刀块；山楂、枸杞洗净备用。

2.锅内倒油烧至六成热，放入胡萝卜，煸炒片刻。

3.沙锅内放入适量清汤，大火烧开后放入牛腩块、山楂、姜片、葱段、料酒，开锅后小火焖煮2小时，放入青萝卜块、胡萝卜块、枸杞大火烧开后小火焖煮1小时，加入盐5分钟后即可。

营养师建议

★★★煲汤用的枸杞宜选个大、干爽、结实、色润者为好。

茄汁牛尾煲

〔材料〕去皮鲜牛尾1条、牛腩200克、胡萝卜1个、洋葱1/2个、番茄1个、土豆1个。

〔调料〕盐、番茄酱、姜块、葱段、料酒、盐、鸡精、植物油、清汤。

做 法

1.将牛尾洗净，顺着骨缝斩成小段，焯水过凉；姜块、葱段用刀拍松后；胡萝卜、土豆洗净切成滚刀块；番茄洗净切成四瓣；洋葱剥皮洗净切块备用。

2.锅内倒油烧热，放入胡萝卜、土豆块煸黄，盛出后再放入番茄酱翻炒2分钟盛出备用。

3.沙锅中放入清汤适量，大火烧开后放入牛尾、姜块、葱段、料酒，烧开后小火焖煮1小时后，放入洋葱、番茄、胡萝卜、土豆块。大火烧开后小火焖煮半小时后，放入盐、番茄酱、鸡精，中火炖10分钟即可。

牛百叶白菜煲

〔材料〕牛百叶300克、猪瘦肉100克、白菜300克、蜜枣6颗。

〔调料〕姜块、料酒、盐、鸡精、植物油、清汤、香油。

做 法

1.牛百叶洗净，放入开水中浸泡3分钟后捞出，刮去黑衣，去除杂物，控干切成梳形片；猪瘦肉切片加料酒、盐少许略腌一下；白菜梗叶分开，菜梗切成3厘米长条；菜叶切成大片备用。

2.锅内倒油烧至六成热，放入白菜叶煸炒片刻。

3.沙锅内放入适量清汤，大火烧开后放入白菜梗，蜜枣、姜块，小火焖煮30分钟，放入白菜叶炖20分钟，放入猪肉片、牛百叶，大火烧开，加盐、鸡精、香油即可。

营养师建议

★★★萝卜富含多种维生素、矿物质、粗纤维，营养非常丰富。

火腿白菜汤

〔材料〕黄芽白菜心500克、猪瘦肉150克、火腿50克、瑶柱2颗。

〔调料〕姜片、盐、味精、植物油、清汤。

做法

1.瘦肉、火腿洗净切丝；瑶柱用温水泡软、蒸熟，撕成细丝；白菜心洗净，从中劈成四瓣备用。

2.锅内倒油烧至六成热，放入姜片煸香，放入白菜煸软，加入适量清汤、瘦肉丝、瑶柱，大火烧开，中火煮30分钟后放入火腿丝大火烧滚片刻，放盐、味精即可。

干丝火腿汤

〔材料〕豆腐干200克、火腿50克、芹菜30克、香菇3朵。

〔调料〕鸡汤、姜丝、葱花、盐、白糖、味精、葱油。

做法

1.将豆腐干洗净切丝；火腿切丝；香菇洗净去根蒂切丝；芹菜洗净去根，叶也切丝待用。

2.沙锅内放入鸡汤，加姜丝、豆腐干丝大火煮5分钟后，放入香菇、芹菜、火腿丝继续用大火煮3分钟，加盐、白糖、味精，撒上葱花，淋入葱油即可。

火腿鸡蓉汤

〔材料〕金华火腿100克、鸡胸脯肉200克、鸡蛋1个。

〔调料〕高汤、香菜1根、盐、胡椒粉、香油。

做法

1.鸡胸脯肉洗净，放入蒸锅中蒸熟，取出晾凉撕成小条，用刀剁碎成蓉；火腿切成丝；鸡蛋磕在碗里打散搅匀；香菜去根洗净切成末备用。

2.沙锅内放入高汤，大火烧开后放入鸡蓉、火腿丝小火煲30分钟，泼入蛋液，加入盐、胡椒粉、香油、撒上香菜即可。

牛肉怀杞汤

〔材料〕牛腱子肉300克、怀山药10克、枸杞10克、桂圆肉10克、芡实50克。

〔调料〕葱段、姜片、料酒、盐、味精、清汤。

做法

1.将牛腱子肉洗净，切块焯水捞出沥干；芡实、枸杞洗净用温水泡软；怀山药、桂圆肉洗去杂质备用。

2.沙锅内放入清汤，放入牛腱子肉、芡实、怀山药、葱段、姜片、料酒，大火烧开后改小火煲2小时，放入枸杞、桂圆肉，小火煲30分钟，加盐、味精即可。

营养师建议

★★★①芡实、怀山药有补脾胃、益肺肾之功效，并且容易吸收。②煲汤用的枸杞宜选个大、干爽、结实、色润者为好。

排骨莲藕汤

〔材料〕猪肋排300克、藕300克、小枣5颗。

〔调料〕姜片、葱段、料酒、盐。

做法

1.猪肋排洗净顺骨缝切成单根，斩成3厘米段，焯水捞出洗去血沫；莲藕洗净去皮，切块备用。

2.锅内放入适量冷水，放入焯好的排骨、姜片、葱段、料酒，大火烧开后转小火炖1小时，放入切好的藕块、小枣；大火烧开后再改小火焖煮半小时，加入适量的盐即可。

营养师建议

★★★①莲藕味甘性平，富含铁质，有理胃补血之功效。②莲藕去皮切块后容易变色发黑，可泡在清水里以保持色泽白嫩。

肉丝芹菜汤

〔材料〕瘦肉200克、芹菜100克、胡萝卜50克。

〔调料〕葱丝、淀粉、料酒、盐、鸡精、食用油。

做法

1. 将瘦肉洗净切丝，放入容器，加淀粉、料酒抓匀；芹菜摘去根叶，洗净切丝焯水过凉；胡萝卜去皮洗净切丝备用。

2. 锅内倒油烧至六成热，放入葱丝煸香，胡萝卜丝煸软备用。

3. 锅内倒入清汤，大火烧开后放入肉丝打散，加芹菜、胡萝卜大火滚开后，加入适量的盐和鸡精即可。

营养师建议

★★★芹菜味辛甘，性凉，有清热平肝、健胃降压的作用。同时芹菜里还含有甘露醇、挥发油、烟酸等人体不可缺少的物质，能促进鱼肉消化，帮助胃肠摄入营养；含有的微量元素钾可补充人体在夏季因大量出汗丢失的钾。

牛膝当归瘦肉汤

〔材料〕瘦肉300克、怀牛膝10克、白术10克、当归10克、红枣4颗。

〔调料〕姜片、料酒、盐、味精、清汤。

做法

1. 将瘦肉洗净切块焯水；怀牛膝、白术、当归、红枣洗净备用。

2. 锅内放入适量清汤，放瘦肉、姜片、料酒、怀牛膝、白术、当归、红枣，大火烧开，小火煮2小时，加盐、味精即可。

冬瓜瘦肉煲

〔材料〕冬瓜300克、瘦肉200克、薏米20克、茯苓6克、泽泻6克。

〔调料〕姜片、盐、鸡精、香油、清汤。

做法

1. 将瘦肉洗净，切成块焯水捞出沥干；冬瓜去皮、去瓤切块；薏米、茯苓、泽泻洗净备用。

2. 锅内倒入适量清汤，放瘦肉、薏米、茯苓、泽泻、姜片，大火烧开，改小火煲2小时，放冬瓜煲20分钟，加盐、鸡精，淋香油即可。

营养师建议

★★★①凉补利水，可以快速将多余脂肪乳化物代谢出体内，有减肥之功效。②食后可能会增加排尿次数，为正常现象。

人参排骨汤

〔材料〕排骨500克、高丽参12克、白术6克、熟地6克、川芎3克、甘草3克。

〔调料〕姜片、料酒、盐、味精、清汤。

做法

1. 将排骨洗净，斩成3厘米段，焯水过凉洗净；高丽参、白术、熟地、川芎、甘草洗净沥干备用。

2. 汤钵内倒适量清汤，放排骨、高丽参、白术、熟地、川芎、甘草、姜片、料酒。将汤钵放入大锅隔水炖4小时，加盐、味精即可。

营养师建议

★★★此汤有补心健脾，促进造血功能。适用于女性赤带及白带所引发的子宫寒冷型不孕症，可加强、巩固、恢复子宫机能。

冬笋羊肉煲

〔材料〕羊肉400克、冬笋400克。

〔调料〕葱段、姜片、料酒、盐、味精、清汤。

做 法

1.将羊肉洗净切成大块，焯水捞出，洗去血沫沥干；冬笋剥皮去老根洗净，切成滚刀块，放入滚水中煮熟捞出沥干备用。

2.沙锅内倒入适量清汤，放入羊肉、冬笋、姜片、葱段、料酒，大火烧开后改小火煲3小时，加盐、味精即可。

TIPS 贴心小提示<<<

1 如果羊肉膻味比较重，可先用一个白萝卜切开和羊肉同煮15分钟，捞出羊肉使用即可。

2 羊肉性热，适宜秋冬季节食用。

羊肉粉丝煲

〔材料〕羊肋肉300克、粉丝100克、红枣4颗。

〔调料〕葱段、姜片、料酒、盐、胡椒粉、味精、植物油、清汤。

做 法

1.羊肋肉洗净，焯水至断生后捞出控干晾凉，切成3厘米长、1.5厘米宽的厚片；粉丝洗净剪断；红枣洗净备用。

2.锅内放油烧至六成热，放入姜片、葱段煸出香味，放入羊肉大火爆煸片刻。

3.沙锅内放入适量清汤，大火烧开后放入羊肉、红枣、料酒，开锅后小火焖煮2小时，放入粉丝，煮10分钟后加盐，5分钟后断火放入味精、胡椒粉即可。

老鸭冬瓜荷叶煲

〔材料〕老公鸭半只、冬瓜500克、荷叶半张。

〔调料〕盐、姜块、料酒、盐、味精、清汤。

做 法

1.将老鸭洗净，去杂毛，斩成大块，焯水捞出洗去血沫沥干；冬瓜去皮，切成大块；荷叶洗净；姜块洗净用刀拍松备用。

2.沙锅内放入适量清汤，放入荷叶垫在沙锅底，放入老鸭、姜块、料酒、大火烧开后改小火焖煮2小时后放入冬瓜，小火30分钟后放盐、味精，片刻即可。

营养师建议

★★★此汤有逐血气、降血压、强筋骨、补肝肾之功效，其性善下行的沉降作用，具有引导胆囊、肾脏、膀胱、尿道部位的结石下行，并排出体外的作用。

排骨萝卜顺气汤

〔材料〕排骨300克、白萝卜500克。

〔调料〕姜片、葱段、料酒、盐。

做 法

1.猪肋排洗净顺骨缝切成单根，斩成3厘米段，焯水捞出洗去血沫；萝卜洗净去根须，切块焯熟过凉备用。

2.锅内放入适量冷水，放入焯好的排骨、姜片、葱段、料酒，大火烧开后改小火煲1小时；放入萝卜块；大火烧开后改小火慢炖半小时，加入盐即可。

黑芝麻瘦肉汤

〔材料〕瘦猪肉200克、黑芝麻50克、胡萝卜50克。

〔调料〕高汤、葱丝、盐、鸡精、香油。

做法

1.将黑芝麻洗净沥干；猪肉洗净切成小块焯水；胡萝卜洗净去皮切成小块备用。

2.锅内倒入高汤，放入肉块、胡萝卜、黑芝麻，大火烧开后转小火焖煮1小时，加入适量的盐和鸡精，淋入香油、撒上葱丝即可。

营养师建议

★★★黑芝麻中含有各种营养成分及大量的维生素E，可延缓衰老，有润五脏、强筋骨、宜气力之功效。

牛蒡枸杞骨头汤

〔材料〕牛蒡100克、枸杞10克、猪大骨500克、荸荠200克。

〔调料〕料酒、醋、盐、味精、清汤。

做法

1.将牛蒡洗净，用刀背拍松；枸杞洗净，用温水泡软；猪大骨洗净砍成几块，焯水过凉；荸荠洗净去皮，从中横刀切开备用。

2.锅内倒适量清汤，放骨头、牛蒡、料酒、醋，大火烧开，小火煮2小时，放荸荠、枸杞，再煮30分钟，加盐、味精即可。

营养师建议

★★★此汤有清热止渴、开胃消食、健骨补钙之功效。

五子乌鸡煲

〔材料〕乌鸡1只、莲子50克、红枣5颗、枸杞子10克、松子仁10克、五味子10克。

〔调料〕葱段、姜片、料酒、盐、清汤。

做法

1.将乌鸡去杂毛、斩去爪尖、拍断脊骨及胸骨，洗净焯水沥干；莲子洗净，用温水泡软；枣子、枸杞子、松子仁、五味子洗净备用。

2.沙锅倒适量清汤，放乌鸡、莲子、枣、葱段、姜片、料酒大火烧开撇去浮沫，改小火煲3小时，放枸杞子、松子仁、五味子、小火煲20分钟，加盐即可。

黄芪羊肉煲

〔材料〕黄羊肉500克、老姜50克、当归15克、黄芪15克。

〔调料〕料酒、盐、味精、清汤、老姜各适量。

做法

1.将羊肉洗净，切成大块，焯水捞出，用温水洗去浮沫；老姜用刀拍松；当归、黄芪洗净备用。

2.锅内倒入适量清汤，放入料酒、老姜、当归、黄芪、羊肉，大火烧开后，改小火煲3小时，加盐、味精即可。

TIPS 贴心小提示<<<

1 要选用老姜，老姜辛辣味重，用于解表，发散风寒效果更好。

2 热补食品，适合女性产后体质虚弱受风寒而造成的腹痛，可预防感冒。

金缨牛肉煲

〔材料〕牛肉300克、油麦菜100克、金缨子6克、枸杞6克、女贞子3克、五味子3克、覆盆子3克。

〔调料〕姜块、料酒、盐、鸡精。

做 法

1. 将牛肉洗净，切块，焯水过凉；油麦菜洗净切段；金缨子、枸杞、女贞子、五味子、覆盆子放入纱布带扎紧；姜块用刀背拍松备用。

2. 沙锅内倒入清汤，放牛肉、姜块、金缨子等药包、料酒，大火烧开改小火煲3小时，放油麦菜煮熟，加盐、鸡精即可。

营养师建议

★★★此汤有温补肝肾之功效，特别适合因肝肾功能不足而影响卵子排出的妇女服用，能促进细胞的新陈代谢。

木须肝片汤

〔材料〕羊肝200克、水发木耳100克、水发黄花50克、熟地10克、枸杞10克、白芍8克、当归6克、炒酸枣仁6克。

〔调料〕高汤、淀粉、料酒、酱油、盐、味精、胡椒粉。

做 法

1. 将几味中药洗净放入沙锅煎熬成汁，去沉淀澄清；羊肝洗净切成薄片，放入碗中，用淀粉、料酒、酱油抓匀上浆；黄花洗净切两段；木耳洗净切小块备用。

2. 沙锅内倒入高汤、药汁，放黄花、木耳，大火烧开煮5分钟，将羊肝片抖散下锅，开锅后撇去浮沫，放盐、味精、胡椒粉即可。

营养师建议

★★★此汤有养肝补血、安神明目之功效。

十全羊肉煲

〔材料〕羊肉500克、茼蒿200克、当归6克、白芍6克、党参6克、川芎3克、熟地3克、茯苓3克、白术3克、甘草3克。

〔调料〕葱段、姜片、料酒、盐、味精、清汤。

做 法

1. 将羊肉洗净，切成大块，焯水捞出用温水洗去血沫沥干；茼蒿择好洗净，沥干水分备用。药料悉数洗净备用。

2. 锅内倒入适量清汤，放入药料、羊肉、葱段、姜片、料酒大火烧开，改小火煲3小时，放入茼蒿煮2分钟，加盐、味精即可。

营养师建议

★★★此煲为热补汤品，可增强肠胃吸收力，帮助骨骼生长，增加抵抗力，适合营养不良的发育期儿童食用。

豆芽鸡丝汤

〔材料〕黄豆芽200克、鸡胸脯肉200克。

〔调料〕食用油、蒜瓣、高汤、姜丝、葱丝、盐、鸡精、胡椒粉、香菜、醋、香油。

做 法

1. 将鸡胸脯肉洗净煮熟晾凉后撕成细丝；黄豆芽洗净摘去根须焯水过凉；香菜洗净切成3厘米段，蒜切成片备用。

2. 锅内倒油烧至六成热，放入蒜片炝锅、烹醋，加入高汤、鸡丝、黄豆芽、盐、鸡精、姜丝、葱丝，开锅后撇去浮沫，放入胡椒粉、香菜段、醋，淋入香油即可。

天麻老鸡汤

〔材料〕 老土鸡1只、天麻20克、枸杞10克。

〔调料〕 姜片、料酒、盐、植物油、清汤。

做 法

1. 将土鸡拔除杂毛，开膛洗净，剁去趾尖，斩成大块，焯水过凉；天麻洗净，用温水泡软；枸杞洗净备用。

2. 锅内倒油烧至六成热，放姜片煸香，烹入料酒，倒适量清汤，放鸡块大火烧开，小火煮1小时，放天麻再煮1小时，加盐即可。

粉葛红豆银耳汤

〔材料〕粉葛300克、瘦肉200克、红豆40克、扁豆40克、银耳20克、蜜枣4颗、陈皮1块。

〔调料〕盐。

做 法

1.将粉葛去皮、洗净切块；瘦肉洗净切块焯水过凉；红豆、扁豆洗净用温水泡软；银耳用温水泡软去净根蒂，撕成小块；陈皮洗净备用。

2.锅内倒适量清水，放入全部材料，大火烧开，小火煲3小时，加盐即可。

营养师建议

★★★此汤有清热解毒及降低血糖之功效，常饮可预防身体燥热而导致的唇疮及口腔炎症。

茶树菇排骨汤

〔材料〕茶树菇50克、小排骨300克、红枣10颗。

〔调料〕高汤、姜片、盐、香油。

做 法

1.将茶树菇洗净切段；小排骨洗净斩成小块焯水捞出沥干；红枣洗净去核备用。

2.锅内倒入高汤，放入茶树菇、排骨、红枣、姜片，大火烧煮10分钟后，转小火焖煮30分钟，加适量的盐，淋入香油即可。

营养师建议

★★★茶树菇含有多种氨基酸及营养成分，和香菇一起被视为菇中之王，有滋阴、补肾、润肺、活血、健脑、养颜之功效。用来烧汤，风味独特，香馥可口。

人参鸡块汤

〔材料〕人参3克、嫩母鸡1只、芋头300克。

〔调料〕葱段、姜块、料酒、盐、味精、猪油、清汤。

做 法

1.将鸡肉洗净，择去杂毛，开膛去内脏、剁去趾尖、斩成大块焯水过凉；芋头洗净去皮，切块；人参洗净；姜块用刀拍松备用。

2.锅内放猪油烧至六成热，放葱段、姜块煸香，烹入料酒，倒入适量清汤，放鸡块、人参，大火烧开，小火慢煲1.5小时，加芋头、盐再煲半小时，加味精即可。

营养师建议

★★★人参含有多种营养成分，有大补元气、生津止渴、养神补益之功效。适于气虚体弱者服用。

怀山萝卜汤

〔材料〕怀山药40克、青萝卜200克、胡萝卜300克、瘦肉200克、枸杞10克。

〔调料〕姜片、盐、味精、清汤。

做 法

1.将怀山药洗净用温水泡1小时；青萝卜、胡萝卜洗净去皮，切成滚刀块；瘦肉洗净，切块后焯水过凉；枸杞洗净用温水泡软备用。

2.锅内倒适量清汤，放入青萝卜、胡萝卜、怀山药、瘦肉、姜片，大火烧开，小火煲2小时，放枸杞煮10分钟，加盐、味精即可。

营养师建议

★★★此汤有补脾胃、益肺肾、行气明目之功效。适合于久坐电脑屏幕前工作之人士食用。

香芋鸡汤

〔材料〕土鸡半只、芋头100克、枸杞10粒。

〔调料〕食用油、姜片、葱段、料酒、盐。

做 法

1.将土鸡摘去绒毛，开膛去内脏洗净，斩成大块，焯水捞出，洗去血沫沥干；芋头剥皮洗净，切块，焯水过凉；枸杞洗净用温水泡软备用。

2.锅内倒油烧至六成热，放入姜片、葱段煸香，放入鸡块，煸炒片刻。

3.沙锅内倒入适量清汤，大火烧开后放入鸡块、葱段、姜片、料酒，开锅后小火焖煮1小时，放入芋头、枸杞，大火烧开后转小火继续焖煮1小时，放入适量的盐即可。

白果鹌鹑汤

〔材料〕白果100克、鹌鹑2只、瘦肉200克、荸荠150克、薏米50克、腐竹50克、陈皮1块。

〔调料〕姜片、料酒、盐、味精、清汤。

做 法

1.将白果洗净，用温水泡6小时，剥皮；鹌鹑、瘦肉洗净斩块焯水过凉；腐竹用温水泡软切段；薏米用温水泡软；荸荠洗净去皮各切两瓣；陈皮洗净备用。

2.锅内倒适量清汤，放入全部材料、姜片、料酒，大火烧开，小火慢煲2小时，加盐、味精即可。

TIPS 贴心小提示<<<

白果含有毒性成分白果酸，能损害神经系统，食用前应用温水浸泡数小时再加工。

人参薏米汤

〔材料〕花旗参片20克、薏米60克、花生80克、瘦肉200克、红枣6颗。

〔调料〕姜片、盐、清汤。

做 法

1.将花旗参、红枣洗净；薏米、花生洗净用温水泡软；瘦肉洗净切块，焯水备用。

2.锅内倒适量清汤，放花旗参、薏米、花生、瘦肉、红枣、姜片，大火烧开，小火慢煲2小时，加盐即可。

参须红枣鸡汤

〔材料〕嫩鸡肉500克、参须50克、红枣50克。

〔调料〕盐、味精、料酒。

做 法

1.鸡肉洗净，切块，在开水中焯5分钟后，去除血水备用；红枣浸泡片刻清洗干净。

2.将鸡块、参须、红枣、料酒、盐、适量清水一起加入锅内，用小火炖40分钟，加入味精调味即可。

白肉酸菜汤

〔材料〕带皮五花肉300克、酸菜300克、粉丝100克。

〔调料〕食用油、姜丝、葱花、盐、鸡精。

做　法

1.将五花肉洗净，拔去肉皮上的杂毛，用刀刮净上面的油腻，整块放入滚水中煮至断生后捞出，切成大片；酸菜洗净挤干切成细丝；粉丝洗净剪段备用。

2.锅内倒油烧至六成热，放入姜丝、葱花炒香后放入酸菜煸炒片刻盛出。

3.沙锅内放入清汤适量，大火烧开后放入肉片、酸菜，烧开后改小火炖1小时，放入粉丝后继续炖10分钟，放入盐和鸡精即可。

咸菜肉丝汤

〔材料〕猪肉70克、咸菜40克。

〔调料〕盐、鸡精、胡椒粉、香油。

做　法

1.将猪肉洗净切成丝；咸菜洗净切成丝备用。

2.将切好的猪肉丝放入开水中汆烫。

3.锅中倒入适量的水烧开，再放入咸菜、肉丝，加入适量的盐、鸡精、胡椒粉煮开。

4.最后淋上一点香油即可。

TIPS 贴心小提示<<<

咸菜内含有较多的盐分和杂质，要用大量的清水冲洗浸泡，以免咸淡难以掌握，煮汤时要先尝咸淡后再加入调料。

萝卜瘦肉汤

〔材料〕白萝卜200克、胡萝卜1根、瘦猪肉80克、香菇3朵。

〔调料〕盐。

做　法

1.将白萝卜、胡萝卜洗净后切块；猪肉洗净，切片；香菇泡发洗净，一切两半。

2.锅中倒入适量清水，加入白萝卜、胡萝卜、香菇煮开，再继续煮约20分钟，下入肉片煮熟，放盐调味即可。

玉米浓汤

〔材料〕玉米粒50克、火腿2片、豌豆20克、鸡蛋1个。

〔调料〕盐、淀粉、鸡精。

做　法

1.将火腿切成小丁、鸡蛋打成蛋液，淀粉加水调匀备用。

2.锅内倒入适量的水，加入玉米粒、火腿丁、盐、鸡精煮开后改用小火。

3.淋入调好的水淀粉，改用小火继续煮开。

4.再撒下豌豆，倒入蛋液稍煮2分钟即可。

生菜豆腐汤

〔材料〕嫩生菜叶100克、豆腐100克、火腿10克。

〔调料〕鸡汤、猪油、盐、味精、葱汁、姜汁、白醋、胡椒粉。

做 法

1.把嫩生菜叶洗净，控净水，切成段；豆腐切成长方块；火腿切成小菱形片备用。

2.锅内倒入鸡汤和切好的豆腐块，煮至汤开时，撇去浮沫。

3.在汤中倒入猪油，放入生菜叶，盖上锅盖，用大火煮几分钟。

4.然后加盐、味精、葱汁、姜汁、胡椒粉、白醋调好口味，最后放入火腿小菱形片即可。

莲子炖猪肚

〔材料〕猪肚1个、去心莲子30克。

〔调料〕盐、姜丝、葱丝。

做 法

1.泡发莲子；然后将猪肚内外翻洗干净。

2.将猪肚放入沸水大火氽烫，撇净浮沫，捞出沥干水分，切条。

3.将肚条、发好的莲子、葱丝、姜丝放入清水中，先大火煮沸，再用小火炖约2小时，放盐调味即可。

营养师建议

★★★猪肚含有蛋白质、脂肪、无机盐等。莲子含有丰富的钙、磷、铁。莲子炖猪肚可健脾益胃、补虚益气，产妇常服有益脾胃之功效。

青萝卜老鸭汤

〔材料〕老公鸭半只、青萝卜500克。

〔调料〕姜块、料酒、盐、鸡精、清汤。

做 法

1.老鸭洗净，摘去杂毛，斩成大块，焯水捞出洗去血沫沥干；萝卜洗净去根须切成滚刀块；姜块洗净用刀拍松备用。

2.沙锅内放入适量清汤，放入鸭块、姜块、料酒，大火烧开后改小火焖煮1小时后放入萝卜块，30分钟后放入适量的盐和鸡精即可。

营养师建议

★★★1老鸭性平微寒凉、味甘咸，以雄性为上，有滋阴补虚、利尿消肿的作用。嫩鸭湿毒，老鸭滋阴，老公鸭煨汤为上品。2青萝卜性微凉，味甘辛，有健胃消食、止咳化痰、顺气利尿、清热解毒之功效。秋季常吃能清肺热，润喉咙。

人参炖老鹅

〔材料〕鹅1/2只、人参15克、枸杞5克。

〔调料〕盐、料酒、味精、葱段、姜片、胡椒粉。

做法

1.鹅肉洗净切块，放入沸水中焯一下，洗净血水备用；枸杞用温水泡洗干净。

2.锅内放水，放入鹅肉煮沸，撇去浮沫，加入人参、枸杞、葱段、姜片炖煮1小时。

3.加入盐、料酒、胡椒粉、味精，再煮15分钟即可。

营养师建议

★★★鹅肉含有大量蛋白质、维生素和矿物质，鹅肉味甘、性平，有滋阴补肾、益气和胃、生津止渴等功效，与人参炖食，非常适合冬季进补，对体弱畏寒、头晕目眩、神经衰弱、失眠多梦者有辅助疗效。

木耳竹荪汤

〔材料〕木耳50克、竹荪50克、金针菇50克、排骨100克。

〔调料〕盐。

做法

1.将排骨洗净，切成小块，放入沸水中焯一下，捞出备用；木耳用温水发好，洗净，撕成小片；竹荪用温水发好，沥干，切段；金针菇洗净，切段，备用。

2.锅置火上，放入适量清水，烧开，放入排骨转小火熬煮1小时，加入金针菇、竹荪、木耳，煮开后焖5分钟，将盐撒入，搅匀即可。

木耳老鸡汤

〔材料〕老母鸡半只（约250克）、木耳50克、红枣50克。

〔调料〕盐、味精、葱段、姜片、茴香。

做法

1.将老母鸡洗净剁块，用沸水焯一下，备用；木耳用凉水泡发，择洗干净；红枣洗净，用温水泡软后，去核，备用。

2.锅置火上，放入适量清水，放入鸡块、葱段、姜片、茴香，大火烧开后放入木耳、红枣同煮。

3.待锅中二次开后转小火慢炖约30分钟，撒入盐、味精即可。

冬瓜鸡丁汤

〔材料〕冬瓜150克、鸡胸肉100克。

〔调料〕姜丝、盐。

做法

1.将冬瓜洗净去皮，切成2厘米见方的块；鸡胸肉洗净，用沸水焯一下，切丁，备用。

2.锅置火上，放入适量清水烧开，放冬瓜块、姜丝先煮至出味

3.放入鸡丁、盐煮5分钟即可。

双花鸡肉汤

〔材料〕菜花200克、鸡肉200克、西兰花150克、玉米半根、胡萝卜半根、水发木耳2朵。

〔调料〕姜片、盐、料酒。

做 法

1.将菜花、西兰花洗净，切成小朵，用盐水泡一会儿，捞出冲洗干净；鸡肉洗净，切块，放沸水锅中焯去血水；玉米、胡萝卜、木耳洗净，切块。

2.锅中放入适量清水，先放入玉米、胡萝卜、鸡肉、姜片煮开约30分钟，再放入菜花、西兰花、木耳煮5分钟，出锅前用盐、料酒调味即可。

火腿洋葱汤

〔材料〕火腿50克、洋葱100克。

〔调料〕蒜末、鸡精、盐、黑胡椒粉。

做 法

1.将火腿切3厘米长片；洋葱去皮，洗净，切片，备用。

2.锅置火上，放油烧热，放入火腿煸至香酥，盛出。

3.原锅中底油烧热，放入蒜末爆香，放入洋葱片，翻炒出香味，倒入适量清水煮开，转小火加盖焖煮7～8分钟，放入火腿、盐、黑胡椒粉、鸡精，搅匀即可。

营养师建议

★★★蘑菇、平菇、草菇均具有滋补、降压、抗癌的功效。草菇能降血压、增强肌体抗病能力。平菇能增强人体免疫力，有抑制病毒的作用。蘑菇是心血管、肥胖病患者的理想食品。

咖喱牛肉汤

〔材料〕牛腩300克、土豆300克。

〔调料〕食用油、葱段、姜片、油咖喱、料酒、盐。

做 法

1.将牛腩洗净切块，焯水捞出沥干；土豆削皮、洗净，切成滚刀块备用。

2.锅内倒油烧至六成热，放入土豆块，煸成金黄色出锅控油。

3.沙锅放入适量的清汤，大火烧开后放入牛肉、葱段、姜片、油咖喱、料酒，开后改小火焖煮2小时，放入土豆块，大火开锅后小火焖煮30分钟，放入适量的盐即可。

营养师建议

★★★咖喱是综合了各种辛辣香料制成的调味料，用来做汤，色泽金黄，味道浓郁，辛香微辣，有激发食欲、暖身补气的作用。

猪小肘黄豆汤

〔材料〕猪小肘1个、黄豆100克、枸杞10克。

〔调料〕葱段、姜片、料酒、盐、胡椒粉、清汤。

做 法

1.将猪小肘洗净，拔去杂毛，刮去油腻，焯水捞出洗去浮沫；黄豆洗净用温水泡软；枸杞洗净备用。

2.沙锅内放入适量清汤，大火烧开后放入猪小肘、黄豆、枸杞、葱段、姜片、料酒，开锅后撇去浮沫，小火煲2小时，加盐和胡椒粉即可。

营养师建议

★★★冬天皮肤干燥，水分流失多。猪小肘富含胶原蛋白，能保持皮肤的弹性。黄豆富含植物蛋白，并能补充人体所需要的热量。

牛腩煲

〔材料〕牛腩100克、生菜100克、干红枣20克。

〔调料〕姜片、酱油、料酒、干红辣椒丝、桂皮、盐。

做　法

1.将牛腩清洗干净，切成片，放入沸水中焯一下，捞出；生菜剥去老叶，洗净，切成块；干红枣去核，洗净，备用。

2.锅置火上，放油烧热，放入姜片、干辣椒丝煸炒出香味，放入牛腩稍炒，盛出，放入煲锅内，加适量清水，烧开后转小火煲2小时，加生菜、干红枣、酱油、料酒、桂皮、盐，继续煲30分钟即可。

华盛顿浓汤

〔材料〕鸡胸肉50克、洋葱25克、青柿子椒25克、胡萝卜25克、玉米粒25克、香菇25克、牛奶250克。

〔调料〕高汤、盐、味精。

做　法

1.将鸡胸肉洗净，切成2厘米大小的丁块；洋葱、胡萝卜洗净、去皮，切成细小的丁块；青柿子椒洗净，去蒂，去子，切小丁；玉米粒洗净，用温水泡软；香菇用水泡发后，洗净，切丝，备用。

2.锅置火上，倒入适量高汤，放入鸡肉丁、洋葱丁，胡萝卜丁、青柿子椒丁、玉米粒、香菇丝烧开，转小火煮至浓稠（其间要不停用汤勺转搅），撒入盐、味精，搅匀即可。

针菇肉丝汤

〔材料〕金针菇100克、瘦猪肉80克。

〔调料〕淀粉、葱末、酱油、鸡精、盐、胡椒粉、香油。

做　法

1.将猪肉洗净切成丝，放入碗中倒入酱油拌匀腌渍；金针菇择洗干净，切成两段,备用。

2.锅置火上，放入适量清水烧开，放入金针菇。

3.取肉丝沾上淀粉投入，再放入鸡精、盐调味。

4.煮10分钟，撒入葱末、胡椒粉，滴少许香油，搅匀即可。

营养师建议

★★★金针菇味道爽口，营养丰富。可以促进儿童生长发育，增强抵抗力。并有益肠胃、抗癌的功效。

四味猪肝汤

〔材料〕猪肝250克。

〔调料〕芝麻、枸杞、女贞子、核桃、姜丝、葱段、盐、淀粉。

做　法

1.将猪肝洗净，切片，撒上淀粉抓匀，备用。

2.锅置火上，放入适量清水，放入芝麻、枸杞、女贞子、核桃煮开，转中火煮20分钟关火，少滗出汤汁，其他弃之不用。

3.将猪肝、姜丝、葱段加入汤汁中煮开，片刻熄火，撒入盐调味即可。

营养师建议

★★★芝麻、枸杞、女贞子、核桃都是滋补肝、肾的良品，可滋补肝肾虚弱，预防少白头等症。猪肝富含维生素，能使白发变黑，并能改善掉发现象，所以两者搭配同食，效果极佳。

杞菊排骨汤

〔材料〕排骨200克、枸杞25克、杭白菊10克。

〔调料〕盐、味精、葱段、姜片。

做　法

1.将排骨洗净，切合适大小的块，用沸水焯一下；将枸杞、杭白菊用温水洗净，备用。

2.锅置火上，放入适量清水，加排骨、葱段和姜片大火煮开，转小火慢炖约30分钟，放入枸杞、杭白菊，继续炖10分钟，撒入盐、味精搅匀即可。

营养师建议

★★★菊花与丝瓜同食，有祛风化痰、清热解毒、凉血止血的功效。能抗病毒和预防病毒感染，常食可清热养颜，洁肤除雀斑。

飘香羊肉白萝汤

〔材料〕羊腿肉300克、白萝卜300克。

〔调料〕葱段、姜片、料酒、盐、鸡精、食用油。

做　法

1.羊肉洗净、沥干血水、切块，放入料酒、姜片抓匀腌渍半小时；萝卜洗净，去根须，切成滚刀块，焯水过凉备用。

2.锅内倒油烧至六成热，放入葱段煸香，放入腌渍好的羊肉，用大火翻炒。

3.沙锅内放入适量清汤，大火烧开后放入羊肉，开锅后改小火焖煮2小时，放入萝卜继续焖煮1小时，再加入适量的盐和鸡精煮5分钟即可。

TIPS 贴心小提示<<<

羊肉性热，入脾肾两经，有补脾肾、壮筋骨、祛风寒之功效。配之以萝卜理气通络，为冬季食补之良方。

羊肉暖身汤

〔材料〕羊肋肉150克、红枣4颗、粉丝50克、白菜100克。

〔调料〕食用油、葱段、姜片、料酒、盐、鸡精、胡椒粉。

做　法

1.将羊肉洗净，焯水至断生后捞出控干晾凉，切成3厘米长、1.5厘米宽的厚片；白菜洗净切成大片；粉丝洗净剪断；红枣洗净备用。

2.锅内放油烧至六成热，放入葱段、姜片煸出香味，放入羊肉大火爆煸片刻。

3.沙锅内放入适量清汤，大火烧开后放入羊肉、红枣、料酒，开锅后转小火焖半小时，放入白菜、粉丝，大火开锅煮3分钟后加入适量的盐、鸡精和胡椒粉即可。

暖栗温鸡汤

〔材料〕母鸡1只、栗子300克。

〔调料〕姜块、葱段、料酒、盐、鸡精、胡椒粉。

做　法

1.母鸡洗净，去内脏，剁去脚爪，焯水捞出洗去血沫沥干；栗子剥壳泡软除去内膜；葱洗净切大段、姜洗净用刀拍松备用。

2.沙锅内倒入清汤，放入鸡块、栗子、姜块、葱段、料酒，大火烧开后改小火慢煲2小时，再加入适量的盐、鸡精和胡椒粉即可。

营养师建议

★★★鸡肉补脾造血，栗子健胃，健脾更有利于人体吸收鸡肉的营养成分，栗子与鸡肉同食使造血机能也随之增强。

乌鸡玉兰补汤

〔材料〕乌鸡1只、玉兰片200克、枸杞10克、红枣6颗。

〔调料〕姜片、料酒、盐、胡椒粉。

做　法

1.将乌鸡摘去杂毛，剁去爪尖洗净，斩成大块，焯水过凉；玉兰片洗净，切成梳状大片；枸杞、红枣洗净用温水泡软备用。

2.锅内倒适量清汤，放入乌鸡、龙眼肉、玉兰片、枸杞、红枣、姜片、料酒，大火烧开后改小火焖煲2小时，再加入适量的盐和胡椒粉即可。

营养师建议

★★★乌鸡的营养价值远远高于普通鸡，被称为名贵的食疗珍禽。它含有10种氨基酸，其蛋白质、维生素、微量元素的含量更高。有滋养肝肾、养血益精的作用。

冬瓜炖老鸭

〔材料〕老鸭1/2只、冬瓜300克、火腿30克。

〔调料〕鸡汤、盐、料酒、味精。

做　法

1.冬瓜去皮、瓤，洗净切厚片备用；火腿切片备用。

2.老鸭洗净，放入开水中氽一下，捞出洗净备用。

3.取一沙锅，放入老鸭、鸡汤、冬瓜片、火腿片、料酒，用旺火煮沸后改小火炖2小时，加盐、味精调味即可。

营养师建议

★★★鸭肉不但肉鲜汤美，还富含优质蛋白和多种无机盐。冬瓜炖鸭肉可滋阴清热、利水消肿，常食还能起到润泽肌肤的作用。

酸菜鸭肉汤

〔材料〕鸭胸肉200克、酸菜150克。

〔调料〕盐、味精、料酒、姜丝、葱丝。

做法

1.将鸭胸肉洗净，切片，用沸水焯一下，备用；酸菜切丝，备用。

2.锅置火上，放入适量清水，放入鸭肉、料酒、姜丝煮开，再放入酸菜，转小火煮约30分钟，放入盐、味精，撒上葱丝，出锅即可。

营养师建议

★★★鸭肉不但肉鲜汤美，还富含优质蛋白和多种无机盐。冬瓜炖鸭肉可滋阴清热、利水消肿，常食还能起到润泽肌肤的作用。

鸭血木耳汤

〔材料〕鸭血200克、木耳25克。

〔调料〕姜末、香菜末、盐、胡椒粉、香油、水淀粉、味精。

做法

1.将鸭血清洗干净，切成3厘米见方的块；木耳用温水发好，洗净，用手撕成小片，备用。

2.锅置火上，放入适量清水，加盐烧开。

3.放入鸭血、木耳、姜末，烧开后转中火煮10分钟，加香油、味精搅匀，用水淀粉勾芡，撒上胡椒粉、香菜末即可。

菠菜鸭血汤

〔材料〕鸭血150克、菠菜250克。

〔调料〕盐、香油、葱末。

做法

1.将鸭血洗净，切长4厘米、厚1厘米的片；菠菜去老叶，掰开，洗净，切6厘米长的段。

2.锅置火上，放油烧热，放入葱末煸炒出香味。

3.倒入适量清水，煮开，放入鸭血，煮沸，转中火焖10分钟。

4.放入菠菜、盐，小火煮5分钟，淋上香油即可。

银杞鸡肝汤

〔材料〕银耳20克、枸杞20克、鸡肝200克。

〔调料〕高汤、姜片、料酒、水淀粉、酱油、盐、鸡精、胡椒粉、香油。

做法

1.鸡肝洗净、去筋后切成小块，加料酒、水淀粉、酱油抓匀腌渍。

2.银耳洗净去蒂用温水泡软撕成小片；枸杞洗净用温水泡软备用。

3.沙锅内倒入高汤，放入银耳、枸杞。

4.大火烧开后改小火焖煮10分钟，下入鸡肝，用筷子快速打散断生后，加入适量的盐、鸡精和胡椒粉，淋上香油即可。

萝卜清胃汤

〔材料〕白萝卜300克、鸭胗2个、芹菜100克。

〔调料〕葱段、盐、鸡精。

做　法

1.将白萝卜洗净去根须切块；芹菜洗净切段；鸭胗洗净用温水泡软备用。

2.沙锅内倒入清水，放入白萝卜块、鸭胗、葱段，大火烧开后转小火焖煮2小时，放入芹菜段再煮10分钟，加入适量的盐和鸡精即可。

栗子瘦肉汤

〔材料〕瘦猪肉300克、栗子100克、淮山药60克。

〔调料〕陈皮、盐、味精。

做　法

1.栗子去壳，用开水烫过，脱去内膜。

2.陈皮浸软，刮去内瓤，洗净备用。

3.淮山药洗净切块；瘦猪肉洗净切块。

4.锅内放入猪肉块、栗子、淮山药、陈皮、清水，先用大火煮沸，撇去浮沫，改小火炖3小时，加盐、味精调味即可。

营养师建议

★★★栗子对脾虚腹泻有益，被称为“健身珍果”。据《随息居饮食谱》记载“栗子甘平补肾，益气厚肠，止泻耐饥，最利腰脚。”

胡椒萝卜汤

〔材料〕白萝卜500克、排骨200克。

〔调料〕大蒜、花椒、胡椒、盐。

做　法

1.排骨洗净，斩成小块，放入沸水中焯去血水。

2.白萝卜洗净，去皮后切成块，也放入沸水中焯一下捞出。

3.取一沙锅，放入排骨、白萝卜、大蒜、花椒、胡椒、盐，用大火煮开后改小火煮至熟烂即可。

营养师建议

★★★萝卜有行气通便的功效，是人体肠道的“清道夫”。这道汤添加了胡椒、大蒜，最适合在冬天饮用，不但可以为你补充能量，还可以保持你的肠胃通畅。

萝卜牛腩煲

〔材料〕胡萝卜200克、白萝卜200克、牛腩200克。

〔调料〕植物油、葱、姜、大蒜、红辣椒、香菜、花椒、陈皮、茴香、米酒、酱油、蚝油、碎冰糖。

做　法

1.胡萝卜、白萝卜洗净切滚刀块；葱切段，姜、大蒜、红辣椒用刀背拍碎备用；牛腩切块，放入滚水中氽烫后捞出沥水。

2.锅内放油烧热，爆香葱、姜、大蒜、红辣椒，放入花椒、陈皮、茴香、碎冰糖、酱油略炒一下，再放入氽烫过的牛腩拌炒均匀，焖2分钟左右，加入米酒，倒水淹过牛腩，用小火煮1小时。

3.加入切好的胡萝卜、白萝卜及蚝油继续熬煮1小时。

4.最后撒上少许香菜即可。

酸菜白肉锅

〔材料〕五花肉300克、酸菜150克、竹笋1根、青蒜1根。

〔调料〕高汤、盐、鸡精、胡椒粉、醋。

做法

1.酸菜泡水洗净，切片；竹笋去皮、洗净切片；青蒜洗净，切斜段备用。

2.五花肉洗净，与笋片一起放入滚水中氽烫，捞出沥干，待凉切小片。

3.锅中倒入高汤煮沸，放入五花肉片、酸菜片、笋片煮熟。

4.加入盐、鸡精、胡椒粉、醋调匀，撒上青蒜段即可。

黄豆排骨汤

〔材料〕黄豆100克、排骨300克。

〔调料〕姜片、料酒、盐、鸡精。

做法

1.将黄豆洗净，用温水泡发；排骨洗净斩块焯水过凉备用。

2.锅内倒适量清汤，放入黄豆、排骨，大火烧开后转小火慢煲1小时，加入适量的盐和鸡精即可。

羊肝羹

〔材料〕羊肝250克、菠菜100克、鸡蛋1个。

〔调料〕羊肉汤、食用油、盐、味精、葱花、姜末。

做法

1.羊肝洗净切片；菠菜择洗干净切段。

2.锅内放油烧热，放入葱花、姜末爆香，再加入羊肝片煸炒，加入羊肉汤、盐，煮至羊肝熟烂。

3.加入菠菜段，磕入鸡蛋，不停地搅动，煮至菠菜、鸡蛋熟透，加入味精调味即可。

里脊三片汤

〔材料〕黄瓜100克、猪里脊肉75克、榨菜50克、油菜1棵、枸杞少量。

〔调料〕盐、味精、料酒、香油。

做法

1.猪里脊肉洗净，切小薄片，放入沸水中焯一下，捞出，冲水备用。

2.黄瓜洗净，切成薄片；榨菜洗净，切薄片；油菜洗净，撕片备用。

3.锅内放清水煮沸，放入氽好的肉片，煮至肉熟时，再放入黄瓜片、榨菜片、油菜、料酒、盐、枸杞煮沸。

4.最后放入味精，淋上香油即可。

排骨芋头汤

〔材料〕猪肋排300克、芋头200克、青菜心2个、小枣5颗。

〔调料〕葱段、姜片、料酒、盐、清汤、花生油。

做法

1.将猪肋排洗净斩成3厘米段，焯水捞出洗去血沫沥干。芋头洗净去皮，用挖球器挖成球状；青菜心洗净沥干；小枣洗净待用。

2.锅内下入花生油烧至六成热后放入芋头球，翻炒至发黄后出锅；青菜心放入油锅煸香。

3.另起锅，放入清汤大火烧开，放入排骨、葱段、姜片、料酒，开锅后小火焖煮2小时，放入芋头、小枣，再小火焖煮1小时，放入青菜心、盐，10分钟后即可出锅。

牛肉蔬菜汤

〔材料〕牛肉75克、洋葱50克、土豆45克、芹菜30克、番茄30克、牛骨30克。

〔调料〕盐、米酒、葱段、姜片。

做法

1.牛肉切大丁，入沸水氽烫后捞出；洋葱去外膜切除尾部；土豆去皮；芹菜切长段，番茄去蒂洗净切瓣备用。

2.锅中加水放入牛骨、葱段、姜片，大火煮开后，将剩余材料及米酒一起放入锅中。

3.待煮滚后，改用小火将牛肉煮至熟烂，加盐调味即可。

营养牛骨汤

〔材料〕牛骨400克、胡萝卜150克。

〔调料〕植物油、盐、洋葱、姜片。

做法

1.牛骨剁块，洗净，放入开水中煮5分钟，取出冲净。

2.胡萝卜去皮，切大块。

3.烧热锅，下油一汤匙，慢火炒香洋葱、姜片，注入适量水煮开，加入牛骨、胡萝卜煮3小时，加盐调味即成。

营养师建议

★★★ 牛骨含有丰富钙质，怀孕后期是胎儿骨骼形成的时候，特别需要钙质，可应常饮用牛骨汤。

黑芝麻猪脚汤

〔材料〕猪脚1只、黑芝麻100克。

〔调料〕盐。

做法

1.黑芝麻用水洗净，起干锅炒香后，研成粉末。

2.猪脚去毛洗净、切块，氽烫后，备用。

3.将约1000克水倒入煲中，水开后将猪脚放入，中火烧开，小火续煮1小时，停火后，将盐和芝麻末倒入汤中即可。

黄花猪心汤

〔材料〕黄花菜20克、猪心半个、小油菜50克。

〔调料〕盐。

做 法

1.猪心洗净，入水汆烫，捞起入凉水中用手挤压去血水，反复换水。

2.去净血水的猪心加3碗水煮，大火烧开后转小火煮约15分钟，取出切薄片。

3.黄花菜去蒂、泡水洗净；小油菜洗净备用。

4.用两碗水，加入黄花菜煮，水烧开后将小油菜、猪心片放入，加盐调味即可食用。

大排蘑菇汤

〔材料〕大排骨200克、鲜蘑菇50克、番茄50克。

〔调料〕料酒、盐、味精。

做 法

1.每块大排骨用刀背拍松，再敲断骨髓后加料酒、盐腌15分钟。

2.锅中加水适量，放炉火上烧煮，水沸放入大排骨，撇去浮沫，加料酒，用小火煮30分钟。

3.汤煮好后加入蘑菇片再煮10分钟，放入盐、味精、料酒后，再放入番茄片，煮沸即可食用。

营养师建议

★★★此菜品有排骨、鲜蘑菇、番茄。此种组合含钙、磷、铁丰富，能促进乳母及婴儿的骨质生长发育及造血机能，产后大出血者食之尤宜。

肝尖玉兰汤

〔材料〕猪肝300克、玉兰片50克、青笋50克、火腿30克。

〔调料〕葱末、料酒、盐、味精、高汤。

做 法

1.将猪肝洗净，去除杂筋，切成长条片，用盐水洗去血沫，焯水捞出沥干。

2.玉兰片、青笋、火腿洗净后分别切片待用。

3.沙锅内放入高汤，大火烧开后放入猪肝、玉兰、青笋、火腿、料酒，再次开锅后撇去浮沫，放入盐、味精，撒上葱末即可。

时蔬浓汤

〔材料〕洋葱100克、胡萝卜100克、土豆100克、卷心菜100克、草菇50克、熟鸡丝50克、熟火腿50克。

〔调料〕盐、高汤、番茄酱、黄油、香叶、胡椒粉。

做 法

1.将各种蔬菜洗净控干水分，均切成3厘米长的丝；草菇洗净后切片；火腿切丝。

2.锅内放入黄油烧至五成热，放入全部蔬菜丝煸炒至嫩黄，加入番茄酱、香叶继续煸炒片刻后倒入高汤，大火烧开后转小火焖煮30分钟。

3.将草菇片、盐、胡椒粉放入锅中，小火煮15分钟，最后放入鸡丝、火腿丝拌匀即可。

羊肉萝卜煲

〔材料〕羊腿肉300克、白萝卜300克、小枣4颗。

〔调料〕葱段、姜片、料酒、盐、味精、清汤、植物油。

做法

1.羊腿肉洗净、沥干血水、切块，放入料酒、姜片抓匀，腌渍半小时；白萝卜洗净，去根须，切成滚刀块，焯水过凉；小枣洗净待用。

2.锅内倒油烧至六成热，放入葱段煸香，再放入腌渍好的羊腿肉，大火翻炒过油。

3.沙锅内倒适量清汤，大火烧开后放入羊肉、小枣，开锅后用小火焖煮2小时，放入萝卜继续焖煮1小时，加盐、味精即可。

营养师建议

★★★羊肉性热，入脾肾两经，有补脾肾、壮筋骨、去风寒之功效。配之以萝卜，理气通络为冬季食补之良方。

豆腐猪肝肉片汤

〔材料〕猪肝（切薄片）150克、瘦猪肉50克、三角油豆腐50克、咸酸菜10克。

〔调料〕植物油、姜片、姜汁、盐、酱油、味精。

做法

1.油豆腐、猪肝薄片分别洗净;咸酸菜洗净切片。

2.把瘦猪肉、猪肝片加姜汁、酱油、味精腌10分钟，然后放开水中煮熟捞起。

3.锅中放油烧热，爆香姜片，加入适量水浇开，放咸酸菜片、油豆腐煮5分钟。

4.放入猪肝片、瘦猪肉煮熟，加入少许盐即可。

冬笋土鸡煲

〔材料〕土鸡半只、冬笋1个、面筋6个、枸杞20粒。

〔调料〕葱段、姜片、料酒、盐、植物油、清汤。

做法

1.土鸡拔去杂毛，开膛去内脏洗净，斩成大块，焯水捞出，洗去血沫沥干；冬笋剥皮去根，切成滚刀块，焯水过凉；枸杞洗净待用。

2.锅内倒油烧至六成热，放入姜片、葱段煸香，放入鸡块，煸炒片刻。

3.沙锅内倒入适量清汤，大火烧开后放入鸡块、冬笋、面筋、葱段、姜片、料酒，开锅后小火焖煮3小时，加盐调味即可。

营养师建议

★★★冬笋味甘、性寒，有解毒的作用。其高蛋白、低脂肪、少淀粉、多纤维的特点有利于消化和减肥。

芪归炖鸡汤

〔材料〕小母鸡1只、黄芪50克、当归10克。

〔调料〕盐、胡椒粉。

做法

1.小母鸡宰杀，去毛及内脏，剁去鸡爪及嘴壳，用清水洗净。

2.黄芪去粗皮、洗净，当归洗净待用。

3.沙罐洗净，放清水400克，放入全鸡，烧开后撇去浮沫，加黄芪、当归、胡椒粉，用小火炖2小时左右，加适量盐，再炖2分钟即可食用。

首乌黄芪乌鸡汤

〔材料〕乌鸡肉200克、制首乌20克、黄芪15克、红枣8颗。

〔调料〕盐。

做法

1.将制首乌、黄芪洗净，用纱布包好。

2.红枣洗净、去核。

3.把乌鸡肉洗净，去脂肪，切小块，入水氽烫，去血水，捞出沥干水分。

4.把纱布药包及红枣、乌鸡肉一起放入沙锅中，加适量清水，大火烧开，小火煮2小时，去药袋后，加盐调味即可。

黄芪茯苓鸡汤

〔材料〕鸡腿250克、黄芪15克、魔芋丝15克、茯苓15克、红枣15颗。

〔调料〕盐、料酒。

做法

1.鸡腿切块入热水中氽烫，之后捞起沥干。

2.黄芪、茯苓、红枣用清水冲净。

3.将上述材料加约600克水熬汤，大火煮开后转小火煮约25分钟，加料酒及盐调味，起锅前加入魔芋丝，即可食用。

双冬肉奶汤

〔材料〕猪里脊肉250克、鸡蛋清1个、冬笋适量、冬菇适量、青菜心适量、熟火腿适量。

〔调料〕盐、味精、料酒、植物油、葱段、姜片、姜汁、水淀粉、奶汤、清汤。

做法

1.猪里脊肉切厚1厘米、长2.5厘米见方的块，加入盐、味精、鸡蛋清、水淀粉搅匀腌渍；冬笋、冬菇、火腿切片；青菜心切长段；将冬笋、冬菇、青菜心入沸水中略烫捞出。

2.腌好的肉块入沸水煮熟捞出，加葱段、姜片、盐、味精、料酒，蒸熟取出，剔去葱、姜，滗出汤汁，扣入汤碗中。

3.植物油烧至五成热，倒入清汤、奶汤、料酒、盐、味精、冬笋、冬菇、青菜心、姜汁，烧沸后撇去浮沫，起锅倒入盛肉的汤碗中，撒入火腿片即可。

杜仲排骨汤

〔材料〕 排骨400克、胡萝卜1个、杜仲8克、黄芪10克、枸杞10克、当归3克、黑枣5颗。

〔调料〕 葱段、姜片、料酒、盐、鸡精、清汤。

做法

1.将排骨洗净斩成寸段，焯水捞出沥干；胡萝卜洗净去皮切成滚刀块。杜仲、黄芪、枸杞、当归、黑枣洗净待用。

2.锅内倒入适量清汤，放入排骨、杜仲、黄芪、枸杞、当归、黑枣、葱段、姜片、料酒，大火烧开，改小火慢煲2小时，放入胡萝卜煲30分钟，加盐、鸡精即可。

南瓜米豆美颜汤

〔材料〕猪排骨100克、小南瓜1个、米豆200克、花生仁200克、番茄2个。

〔调料〕盐。

做法

1.猪排骨洗净；南瓜洗净去皮；番茄洗净切成大块备用。

2.把猪排骨放在热水中汆烫一下，除去血水；米豆、花生先泡水2小时。

3.锅内倒水烧开，放入所有的材料，用大火煲30分钟。

4.再转用小火煲2小时，最后加盐调味即可。

TIPS 贴心小提示<<<

在煲的期间如果水快要烧干，要再加入适量的开水。

石竹猪肚汤

〔材料〕 猪肚1个、腐竹100克、石斛15克、玉竹15克、红枣5颗。

〔调料〕 葱段、姜片、料酒、淀粉、盐、味精、清汤。

做法

1.将猪肚翻开反复用盐和淀粉搓擦，直至清除浮油，焯水过凉。

2.腐竹洗净用温水泡软，挤出水分，切段；石斛、玉竹、红枣洗净待用。

3.沙锅内倒适量清汤，放猪肚、石斛、玉竹、红枣、葱段、姜片、料酒大火烧开，改小火煲2小时，放腐竹小火煲1小时，加盐、味精即可。

营养师建议

★★★①有生津养胃、滋阴润肺之功效，适用于肺胃阴虚燥热症状者。

②胃寒者不宜食用。

鸡血藤牛腩煲

〔材料〕 牛腩300克、山药200克、红枣6颗、鸡血藤6克、杜仲6克。

〔调料〕 葱段、姜片、料酒、盐、味精、清汤。

做法

1.将牛腩洗净切成3厘米长的块，焯水过凉；山药去皮洗净，切成滚刀块；红枣、鸡血藤、杜仲洗净待用。

2.沙锅内倒适量清汤，放牛腩、红枣、鸡血藤、杜仲、葱段、姜片、料酒，大火烧开，改小火煲2小时，放山药小火煲1小时，再加入盐、味精即可。

营养师建议

★★★有补肝肾、强筋骨、活血补血、舒筋活络之功效，适用于筋骨酸痛者食用。另外还可调理产后虚弱体质。

黄精猪肘煲

〔材料〕猪肘500克、黄精20克、党参10克、白蔻2克、红枣10颗。

〔调料〕葱段、姜片、料酒、酱油、盐、味精、胡椒粉、清汤。

做法

1.将猪肘洗净，剔去大骨，摘去杂毛，刮去油腻，焯水，用温水洗净血沫，切块备用。黄精、党参、白蔻、红枣洗净待用。

2.锅内倒适量清汤，放黄精、党参、白蔻、红枣、葱段、姜片、猪肘块、料酒、酱油，大火烧开，改小火煲3小时，放入盐、味精、胡椒粉即可。

木耳肉丝汤

〔材料〕猪里脊肉100克、胡萝卜50克、木耳3朵、红甜椒1个。

〔调料〕高汤、盐、米酒、葱末、淀粉、胡椒粉。

做法

1.猪里脊肉洗净切丝，放入碗中加盐、米酒、淀粉，腌渍10分钟。

2.木耳、红甜椒洗净，切丝；胡萝卜去皮切丝，备用。

3.锅中倒入高汤烧开，放入黑木耳丝、胡萝卜丝及肉丝煮熟，加入盐、胡椒粉调味，撒上葱末即可。

营养师建议

★★★煮汤时，肉丝要最后放，放过肉丝，调过味后，马上起锅。肉丝煮时间久了，就会变硬，这会影响到整道汤的口感。

黄豆芽排骨豆腐汤

〔材料〕嫩豆腐1盒、黄豆芽200克、小排骨400克、青椒150克。

〔调料〕高汤、葱段、盐、胡椒粉、姜片。

做法

1.豆腐切成3厘米的方块；青椒洗净去子，切成细丝；黄豆芽洗净备用。

2.小排骨洗净切小块，先入滚水中氽烫，捞出备用。

3.汤锅内放入高汤，煮开后，先放入小排骨、黄豆芽与姜片，待滚后以小火煮30分钟，然后放入豆腐、青椒丝煮10分钟，加盐、胡椒粉调味，放入葱段即可。

营养师建议

★★★黄豆芽配豆腐炖排骨汤，富含蛋白质、纤维素，对脾胃火气大、消化不良者很适宜，可促进肠胃蠕动，并能清降胃火、助伤疤收口。

南瓜汤

〔材料〕嫩南瓜500克、鸡肉100克、小青椒25克、大葱白100克、鲜辣椒25克。

〔调料〕清汤、花生油、白糖、辣椒酱、黄豆酱、酱油、大葱丝、大蒜蓉、胡椒粉、盐。

做法

1.鸡肉洗净去筋膜，切成6厘米长的丝，用酱油、大葱丝、大蒜蓉、白糖、胡椒粉、盐腌渍入味，待用。

2.将嫩南瓜切成四瓣，去皮、子、蒂根，切成3厘米见方的块；小青椒、大葱白、鲜辣椒洗净，去蒂根，均切成丝。

3.炒锅烧热，放入花生油，烧五成热时，放入腌渍入味的鸡肉丝煸炒一下，再放入嫩南瓜、小青椒、鲜辣椒、葱白丝，加清汤、辣椒酱、黄豆酱，烧开即可。

乌鸡首乌煲

〔材料〕乌鸡1只、玉兰片50克、何首乌15克、枸杞15克、青仁黑豆10克、龙眼肉10克、红枣6颗。

〔调料〕姜片、料酒、盐、味精、清汤。

做 法

1.将乌鸡摘去杂毛，剁去爪尖洗净，斩成大块，焯水过凉；玉兰片洗净，切成梳状大片；

2.青仁黑豆洗净，用温水泡软；何首乌、枸杞、红枣洗净待用。

3.锅内倒适量清汤，放乌鸡、龙眼肉、玉兰片、何首乌、枸杞、红枣、青仁黑豆、姜片、料酒，大火烧开，改小火焖煲3小时，捞出何首乌，加盐、味精即可。

营养师建议

★★★此汤有滋阴补肾，乌发生发之功效。适用于少白头及容易脱发掉发者食用。不可和人参一起服用。

杜仲栗子鸡汤

〔材料〕鸡肉500克、栗子150克、杜仲40克。

〔调料〕盐、料酒、味精、葱段、姜片。

做 法

1.将鸡肉洗净后切成块，放在沸水中焯5分钟，去除血水备用；栗子在沸水中煮5分钟后去除壳备用。

2.锅中加入适量清水，把鸡块及栗子、杜仲、葱段、姜片、料酒一起加入锅中用大火煮开，再用小火炖40分钟，加入盐、味精调味即可。

莲藕汤

〔材料〕莲藕200克、猪肉50克、冬菇20克。

〔调料〕葱末、姜末、料酒、盐、味精。

做 法

1.将莲藕削皮，洗净，切片；冬菇放入温水中泡发，捞出去蒂，洗净，切片；猪肉洗净，切薄片，置碗中，放入葱末、姜末、盐、味精、料酒，搅拌均匀，腌渍10分钟，备用。

2.锅置火上，放油烧至四成热，放入腌好的猪肉片煸炒，随后放入藕片翻炒几下，加入适量清水，煮开后放入冬菇片，再次煮开后，转小火焖5分钟即可。

什锦香羊排

〔材料〕羊排200克、熟猪肚80克、腐竹80克、冬瓜80克。

〔调料〕食用油、辣椒酱、绵白糖、葱姜丝、高汤、香菇丝、小油菜心、粉皮、盐。

做 法

1.羊排洗净，剁成3厘米段后焯水；熟猪肚洗净切丝；腐竹泡软，斜刀切成3厘米段；冬瓜洗净，去皮切片；粉皮洗净，切长条。

2.炒锅加油烧热，加辣椒酱、绵白糖和葱姜丝翻炒，加羊排炒至半熟。

3.添加高汤，倒入香菇丝、冬瓜片和腐竹煮开，换小火炖20分钟，加小油菜心和粉皮，煮3分钟后停火，调入适量的盐即可。

银杞明目汤

〔材料〕银耳15克、枸杞15克、鸡肝100克、茉莉花24朵。

〔调料〕料酒、姜汁、盐、味精。

做 法

1.将鸡肝洗净，切成薄片，放入碗内，加料酒、姜汁、盐拌匀待用。

2.银耳洗净，撕成小片，用清水浸泡待用。

3.茉莉花摘去花蒂，洗净，放入盘中，枸杞洗净待用，将锅置火上，加入水、料酒、姜汁、盐、味精、银耳、鸡肝、枸杞烧沸，撇去浮沫，待鸡肝熟后盛入碗内撒入茉莉花即可。

洋参鲜莲木瓜汤

〔材料〕新鲜莲子100克、猪腿肉200克、西洋参10克、青木瓜1个。

〔调料〕盐、蚝油。

做 法

1.青木瓜去皮，洗净后切成块；猪腿肉、新鲜莲子、西洋参分别洗净备用。

2.锅中放入青木瓜、猪肉、莲子、西洋参，加入适量的水，用大火烧开，改用中小火煲煮3小时。

3.调入盐，吃的时候把猪腿肉取出切成片，蘸着蚝油吃即可。

营养师建议

★★★此汤可以清热润肺、补气生津、增强体质、愉悦精神。

姜母老鸭煲

〔材料〕老鸭1只、老姜200克、黄芪15克、枸杞15克、当归6克、熟地6克、肉桂适量。

〔调料〕盐、味精、清汤。

做 法

1.将老鸭摘净杂毛，洗净斩成大块，沥干水分；老姜刷洗干净，用刀背拍松；黄芪、枸杞、肉桂、当归、熟地洗净待用。

2.干锅烧热，放入鸭块翻炒，将鸭油炒出后捞出，将油控干。

3.锅内倒适量清汤，放黄芪、枸杞、肉桂、当归、熟地、鸭肉、老姜，大火烧开，改小火慢煲2小时，加盐、味精即可。

羊肉冬瓜汤

〔材料〕羊肉片100克、冬瓜300克。

〔调料〕植物油、香油、葱末、姜末、盐、味精。

做　法

1.冬瓜去皮、洗净、切成薄片。

2.羊肉片用盐、味精、葱末、香油、姜末拌匀后，腌渍5分钟。

3.锅内倒油烧热后放入冬瓜略炒，加适量清水，加盖烧开。

4.向烧开的锅中加入已腌渍好的羊肉片，煮熟即可。

营养师建议

★★★羊肉甘温，有补虚祛寒、温补气血、益肾补衰、开胃健力之功效；冬瓜性寒味甘，有很好的利尿消肿的功效，对怀孕六七个月出现水肿及小便短赤反应的孕妇，有一定的治疗效果。

山楂萝卜羊肉煲

〔材料〕羊肉500克、白萝卜300克、山楂20克。

〔调料〕姜、盐、香菜叶。

做　法

1.羊肉洗净切块，放入沸水中汆烫，捞出，洗净血水。

2.白萝卜去皮洗净，切块备用；山楂洗净备用；姜洗净，切片备用。

3.取一沙锅，放入羊肉、白萝卜、山楂、姜片，加入刚淹没材料的清水，用大火煮沸后，改小火煮约1小时。

4.待羊肉熟透，加入盐、香菜叶调味即可。

腰片茼蒿汤

〔材料〕猪腰2副、茼蒿300克。

〔调料〕高汤、葱丝、淀粉、盐、姜片、料酒、鸡精、香油。

做　法

1.猪腰洗净从中剖开，剔除外膜筋线，切片，抓入淀粉、料酒腌渍；茼蒿摘根洗净，切成大段焯水过凉备用。

2.锅内倒入高汤，大火烧开后放入茼蒿、姜片，下腰片后用筷子迅速打散，放入适量的盐和鸡精，撒上葱丝，淋上香油即可。

羊肉粉皮汤

〔材料〕熟羊肉400克、粉皮200克。

〔调料〕料酒、酱油、白糖、味精、葱末。

做 法

1.熟羊肉切小丁备用；将粉皮洗净，切成菱形片备用。

2.炒锅置大火上，锅中加入适量清水，放入羊肉块，再加入料酒、酱油、白糖，用大火炖20分钟。

3.将粉皮加到汤内用大火烧开后盛入汤碗，将葱末撒在汤上，用味精调味即可。

TIPS 贴心小提示<<<

①粉皮放入汤内时间不宜太长，如时间太长粉皮会太软。
②吃羊肉不宜同吃南瓜，以防气滞发病。
③羊肉忌铜，所以不宜用铜锅烹调。

舒心驻颜老火汤

〔材料〕羊尾骨（连尾）1条、羊排250克、枸杞20克、当归20克。

〔调料〕食用油、姜、料酒、高汤、冰糖、茴香、陈皮、盐。

做 法

1.羊尾骨和羊排洗净，剁成小块后焯水；姜少许切丝，其余拍扁；枸杞和当归洗净。

2.炒锅加油，爆炒姜丝、羊骨和羊排，续加料酒翻炒片刻，倒入适量高汤，放入冰糖、枸杞、当归、姜块、茴香和陈皮煮开，换成小火炖50分钟。

3.开锅后撇去浮沫，调入适量的盐，出锅即可。

羊肉萝卜汤

〔材料〕羊肉300克、白萝卜100克、羊骨汤适量。

〔调料〕盐、味精、料酒、胡椒粉、辣椒油、香菜、葱段、姜片。

做 法

1.羊肉洗净后，切成小方块，放入开水中略焯捞出，用清水冲去血沫备用；白萝卜清洗干净，切成滚刀块，放入开水中煮至透明捞出；香菜洗净，切成末。

2.在大沙锅中放入羊肉、羊骨汤、料酒、胡椒粉、葱段、姜片，用大火煮沸，撇去浮沫，盖上锅盖，用小火炖1小时左右。

3.加入盐、味精、白萝卜继续炖30分钟左右，至羊肉烂熟。

4.食用时撒上香菜末，淋入辣椒油搅匀即可。

胡辣全羊汤

〔材料〕胡椒50克、小干红辣椒10个、羊肋肉300克、羊心100克、羊肝100克、羊肾100克、羊肚100克。

〔调料〕葱段、姜片、料酒、盐。

做 法

1.将羊肉、羊心、羊肝、羊肾、羊肚洗净焯水，晾凉后切成厚片；胡椒用纱布带装好；辣椒去蒂洗净备用。

2.沙锅内倒入清汤，放入全部材料，加葱段、姜片、料酒等调料，大火烧开转小火焖炖1小时后放入盐，捞出胡椒袋即可。

营养师建议

★★★ ①羊肉性温热，营养丰富，有补气滋阴、暖中补虚、开胃健力、补血养肝明目之功效。②胡椒、辣椒辛辣芳香，能扩张毛细血管，增强血液循环。

清汁炖羊肉

〔材料〕羊肉300克、白萝卜1/2个、胡萝卜1/2根。

〔调料〕葱段、姜片、蒜瓣、茴香、香叶、料酒、盐、醋、红枣。

做 法

1.胡萝卜与白萝卜分别洗净、去皮，切成滚刀块待用。将羊肉洗净，切块，放入沸水中汆烫后捞出。

2.锅内倒水，放入羊肉块、葱段、姜片、蒜瓣、茴香、香叶、红枣，大火烧开后加料酒、醋，改小火炖1小时，再加入胡萝卜块、白萝卜块、盐，继续用小火炖15分钟即可。

乌鸡白凤汤

〔材料〕乌鸡1只、白凤尾菇50克。

〔调料〕料酒、葱段、姜片、盐、味精。

做法

1.乌鸡宰后去血。锅中倒入清水煮至冒水泡时，加入一匙盐离火，浸入乌鸡，鸡毛淋湿时提出，脱净毛及嘴尖、脚上硬皮，剪开鸡屁股，开膛取出内脏，用水冲洗干净。

2.锅中换清水加姜片煮沸，放入乌鸡、料酒、葱段，用小火焖煮至酥。

3.鸡汤中放入白凤尾菇、味精及盐等，调味后沸煮3分钟起锅食用。

排骨玉米汤

〔材料〕排骨500克、玉米3根。

〔调料〕盐、味精、香油。

做法

1.将排骨洗净后汆烫去血水，再捞起洗净沥干备用。

2.玉米去皮、须，洗净切段备用。

3.锅置火上，放入排骨、玉米段煮沸，改用中火煮10分钟。

4.放入锅中，加盐、味精焖约2小时，淋入香油盛出即可。

TIPS 贴心小提示<<<

很多人嫌排骨汤油腻，但是加入玉米以后，风味顿时十分别致。玉米最好是不老不嫩的，更能增添清甜的口味。

三丝汤

〔材料〕猪肉25克、生笋25克、鸡肉15克、冬菇丝15克、熟火腿丝10克、高汤500克。

〔调料〕料酒、盐、味精。

做法

1.将猪肉、鸡、生笋切成细丝，切得越细越好。

2.肉丝放入碗中，加入冷水搅散，浸出血水待用。

3.炒锅洗净，置旺火上，加入高汤，倒入肉丝，放入笋丝、冬菇丝，烧至将滚，用漏勺把浮上来的各种丝捞起。汤内洒上冷水少许，待浮沫升至汤面，即撇净，然后加入料酒、盐、味精略滚。

4.把捞出的肉丝、笋丝、冬菇丝，装入碗中，然后把汤浇在碗中，撒上火腿丝即成。

针菇牛肉丝汤

〔材料〕金针菇100克、牛肉80克。

〔调料〕淀粉、葱末、酱油、盐、胡椒粉、香油。

做法

1.将金针菇择洗干净，切成两段；牛肉洗净，用沸水焯一下，切丝，备用。

2.锅置火上，放入适量清水烧开，放入金针菇，接着取牛肉丝沾上淀粉投入，再放入盐搅匀，1～2分钟后放入葱末、胡椒粉，淋上香油即可。

营养师建议

★★★牛肉可补阳暖胃、补中益气。牛肉与姜同食，可驱寒保暖，治疗寒腹痛。

青木瓜猪脚汤

〔材料〕青木瓜半个、黄豆100克。

〔调料〕猪蹄高汤、盐。

做　法

1.将青木瓜去皮及子，洗净，切块；黄豆用水浸泡3小时，洗净、沥干，备用。

2.锅置火上，倒入猪蹄高汤烧开，放入黄豆煮至八成熟，加入青木瓜煮至熟烂，放盐，搅匀即可。

营养师建议

★★★青木瓜猪脚汤中，木瓜除一般成分外，还含有木瓜蛋白酶和脂肪酶，其脂肪酶对脂肪有很慢的分解能力，有一定的减肥作用，并有健胃助消化的作用。

黄豆排骨蔬菜汤

〔材料〕黄豆50克、排骨200克、西兰花50克、香菇4朵。

〔调料〕盐。

做　法

1.将黄豆洗净，与排骨一同放入热水中烫。

2.香菇去蒂、洗净切半，西兰花剥朵、洗净。

3.将黄豆、排骨加水煮，大火开后转小火，约煮40分钟，再放入香菇、西兰花、盐，煮滚后即可。

冬菇凤爪汤

〔材料〕鸡爪6只、冬菇30克、花生50克、干红枣50克。

〔调料〕盐。

做　法

1.将鸡爪洗净，放入沸水中焯一下，捞出；冬菇去蒂，洗净，用温水发好，切片；干红枣洗净，去核；花生洗净，用水泡软，备用。

2.锅置火上，放入适量清水，大火烧开，放入鸡爪，煮10分钟，放入花生、干红枣、冬菇，烧开后转小火，焖1.5小时，最后加盐，搅匀即可。

草菇鸡片汤

〔材料〕鸡肉200克、草菇100克、枸杞少许。

〔调料〕盐、淀粉。

做　法

1.将草菇择洗干净，放入碗内，入锅蒸20分钟，取出；枸杞洗净，泡软。

2.将鸡肉切片置碗内，放入盐、淀粉拌匀。

3.锅置火上，放水烧开，将鸡肉、枸杞放入煮熟，捞出放入碗中，将蒸好的草菇围在鸡肉四周，然后将鸡汤淋上即可。

金针菇油菜

〔材料〕干金针菇20克、猪心1个、小油菜50克。

〔调料〕盐。

做 法

1.猪心洗净对剖；小油菜洗净；泡发金针菇。

2.将猪心放入沸水中汆烫，去血水，捞出洗净。

3.再将猪心放入水中，大火煮开后转小火煮约25分钟，取出切成薄片。锅中加水，放入猪心片、金针菇、小油菜煮沸，加盐调味即可。

营养师建议

★★★猪心味甘咸，具有安神定惊、养心补血、益智宁心等功效，可缓解孕妇孕期心虚失眠、头冷自汗等症状。

生菜牛丸汤

〔材料〕牛肉丸200克、生菜100克、番茄100克、金针菇100克、粉丝20克。

〔调料〕高汤、葱丝、姜末、盐、鸡精、香菜叶。

做 法

1.牛肉丸用清水轻轻冲洗；生菜和番茄洗净切块；金针菇洗净去蒂，分成小朵；粉丝用温水浸泡。

2.汤锅加高汤烧开，放入牛肉丸、葱丝和姜末煮开，撇去浮沫，换中火继续煮10分钟。

3.开锅倒入生菜、番茄、金针菇和粉丝，再煮5分钟，调入适量的盐和鸡精，撒上香菜叶，出锅即可。

马蹄粉肠腐皮煲

〔材料〕粉肠300克、荸荠（也称马蹄）100克、豆腐皮50克。

〔调料〕高汤、嫩姜丝、盐、胡椒粉。

做 法

1.粉肠洗净焯水；荸荠洗净，去皮后切成厚片；豆腐皮洗净，切成细丝。

2.汤锅加高汤煮开，倒入粉肠、荸荠、豆腐皮和嫩姜丝，大火煮开后换小火，炖至各种原料熟透。

3.将粉肠取出，略微放凉后切成小段，倒入锅中加热，用盐和胡椒粉调味，即可。

营养师建议

★★★粉肠煮熟后再切，肠衣不会缩回去。

如意四宝汤

〔材料〕黄豆芽200克、火腿肠100克、胡萝卜100克、茶树菇50克。

〔调料〕食用油、葱姜丝、高汤、盐、胡椒粉。

做 法

1.黄豆芽洗净，择去老根，焯水；火腿肠剥去外皮，切成滚刀块；胡萝卜洗净去皮，切成滚刀块；茶树菇和荷兰豆洗净，择去老茎，焯水。

2.炒锅加油烧热，爆炒葱姜丝后添加高汤，倒入黄豆芽、火腿肠、胡萝卜、茶树菇和荷兰豆同煮，至所有蔬菜熟透后停火。

3.调入适量的盐和胡椒粉，撒上葱丝，出锅即可。

牛肉寿喜烧

〔材料〕牛肉片300克、胡萝卜1根、洋葱100克。

〔调料〕盐、酱油、米酒、白糖。

做法

1.将胡萝卜洗净，切长片；洋葱去外皮，切片。

2.沙锅中倒入适量水，放入胡萝卜片、洋葱、所有调料焖煮约8分钟，加入牛肉片，至牛肉变色即可。

TIPS 贴心小提示<<<

1 牛肉片要选瘦一些的牛肉片，直接选用火锅牛肉片最好，既省事，又薄，缩短了煮肉的时间。

2 "寿喜烧"是日式料理的一种锅具名称，特点是酱汁和配料先煮至味道融合，再加入牛肉片，食用时连锅端出，这样可以保持汤汁的热度。

杏仁银耳香菇汤

〔材料〕杏仁30克、银耳10克、龙眼肉20克、红枣5个、香菇5朵、猪瘦肉200克。

〔调料〕姜片、盐。

做法

1.杏仁洗净；银耳泡发，洗净，撕成小朵；龙眼肉洗净；红枣洗净，去核儿；香菇泡发，去蒂，洗净；猪瘦肉洗净，切片。

2.锅中倒入适量清水，放入全部的材料及姜片，煮开后，改小火继续煮3小时左右，最后加盐调味即可。

冬瓜丸子汤

〔材料〕冬瓜300克、猪肉馅200克、鸡蛋清1个。

〔调料〕姜末、葱花、香菜末、盐、料酒、淀粉、味精、香油、香菜叶。

做法

1.冬瓜去皮洗净，切块备用。

2.猪肉馅加姜末、葱花剁匀，放入碗中，加入盐、料酒、淀粉、鸡蛋清、适量水，沿一个方向搅匀。

3.锅内放水烧开，放入冬瓜；再开锅后，用勺子舀起肉馅儿，做成丸子，一个个放入汤中。

4.待丸子全部浮起熟透，加少许盐、味精，撒上香菜末，淋上香油，放入香菜叶点缀即可。

营养师建议

★★★调肉馅时一定要加入鸡蛋清，这样口感会更细腻富有弹性，而且做出来的肉丸也更不易被煮碎。夏季多喝一些富含维生素C的冬瓜丸子汤，会有不错的清炎利水的功效，是爱漂亮的女士美容的佳品！

莲藕排骨汤

〔材料〕排骨150克、莲藕500克、小油菜1棵。

〔调料〕盐。

做法

1.将排骨洗净剁成块状；莲藕洗净去皮切成厚片；小油菜洗净待用。

2.将排骨放入开水中氽烫去血水后,冲凉、洗净备用。

3.将氽烫后的排骨和藕片一同放入清水锅中,大火烧开后改小火炖2小时,起锅前先放入小油菜煮2分钟,然后再放入少许盐即可。

花生猪脚汤

〔材料〕猪脚1只、花生45克。

〔调料〕姜片、葱段、盐、茴香、料酒、味精。

做 法

1.葱洗净切段，姜洗净切片。

2.猪脚洗净切块，汆烫后撇净血水和浮沫，捞出备用。

3.将猪脚、花生、姜片、葱段、茴香、料酒同时放入锅中，再加水、盐，先以中火煮沸，转小火续煮1小时。

4.放入味精调味，即可食用。

营养师建议

★★★此道菜可加快孕妇产后体虚、便秘等症状的康复，还可加快产后补血，帮助母乳分泌也有很不错的效果。

肉丝茭白汤

〔材料〕猪里脊肉200克、茭白50克、榨菜50克、泡辣椒2个、清汤适量。

〔调料〕盐、味精、料酒、香油、酱油、植物油、葱姜丝。

做 法

1.将茭白削皮去根后洗净，切成细丝，入沸水中略烫捞出，用冷水过凉后控水；猪里脊肉洗净后切成细丝，放入清水中漂洗几次；泡辣椒去蒂、子后，切成丝。

2.炒锅置中火上，加入植物油，烧至五成热时，用泡辣椒丝、葱姜丝炝锅，倒入料酒，放入茭白、榨菜、肉丝翻炒5分钟，再加入盐、味精、清汤、酱油，待材料入味后淋入香油，搅匀即可。

海带排骨汤

〔材料〕排骨150克、海带50克。

〔调料〕植物油、盐、料酒、葱段、姜片、胡椒粉、味精。

做 法

1.排骨洗净，切小段；海带泡洗干净，切丝。

2.将排骨放入开水中煮5分钟后，捞出沥干水分。

3.锅中倒入植物油烧至五成热，将排骨放入过一下油，盛出控油，将锅中多余的油沥出。

4.锅中倒入盐、料酒、葱段、姜片翻炒至有香味后，加入适量热水、排骨炖20分钟后加入海带，再炖30分钟，出锅前加入胡椒粉、味精调味即可。

牛肉丸子汤

〔材料〕牛肉丸300克、葱头50克、胡萝卜50克、土豆50克、豌豆20克。

〔调料〕牛肉汤、盐、香叶、干红辣椒、胡椒粉、味精。

做 法

1.将牛肉丸煮熟，捞出；将胡萝卜、葱头去皮，洗净，切成小方丁；将土豆去皮，洗净，切成小块。

2.锅置火上，倒油烧至五成热，先把胡萝卜丁、葱头丁放入，随之放入香叶、胡椒粉、干红辣椒，将蔬菜焯熟，放入牛肉汤、味精、盐，再将土豆放入锅中，煮到九成熟，把牛肉丸放入，烧开后，改小火稍煮即可。

鲜香水产汤

蛤肉豆腐木耳煲汤

【材料】哈肉100克、豆腐200克、木耳50克

【调料】姜片、香油、盐。

做法

1.将蛤肉清洗干净；豆腐洗净，切成大块；木耳用温水发好，洗净，用手撕成小片，备用。

2.煲锅置火上，放入适量清水烧开，放入豆腐块、木耳、姜片，大火烧开后转小火，煲1小时，放入蛤肉，继续煲30分钟，加香油、盐，搅匀即可。

鱼头豆腐汤

〔材料〕鱼头1个、豆腐200克、火腿50克、青蒜50克、清汤200克、牛奶100克。

〔调料〕植物油、盐、味精、料酒、葱、姜、胡椒粉、香油。

做 法

1.将鱼头洗净，一劈两半；豆腐洗净切成块；火腿切丝；青蒜洗净，切段。

2.鱼头放入滚水中焯烫后捞出，放入盘中加盐、味精、料酒略腌备用。

3.将植物油倒入炒锅内烧至温热，放入葱、姜、料酒、牛奶、清汤、胡椒粉、鱼头、豆腐大火煮至沸腾，改小火炖20分钟。

4.加入盐、味精、青蒜段、香油调味，再撒上火腿丝装饰即可。

豆腐海带汤

〔材料〕豆腐1块、海带50克、菜心50克。

〔调料〕胡椒粉、盐、味精、香油、姜汁、葱花。

做 法

1.豆腐洗净，切成丁；菜心洗净；海带发好，洗净后切成细丝。

2.锅中放入适量清水煮沸后，放入豆腐丁、海带丝、葱花，大火煮沸后加入菜心，最后用香油、盐、味精、姜汁、胡椒粉调味即可。

营养师建议

★★★1 海带含碘量很高，而且可以减少脂肪在体内的积存。2 海带要事先泡发好再用。

清蒸海参鸡汤

〔材料〕水发海参250克、嫩母鸡半只、熟火腿50克、水发冬菇50克、净冬笋50克、鸡骨200克、小排骨200克、清汤适量。

〔调料〕盐、味精、料酒、葱、姜。

做 法

1.将海参清洗干净，入沸水中略烫捞出，用沸水冲净血沫备用；熟火腿、水发冬菇、冬笋分别切成长方片。

2.将海参和嫩母鸡摆放在汤碗内，将笋片放在海参与嫩母鸡的两头空隙处，火腿片、冬菇放在中间，加入料酒、味精、盐、葱、姜、鸡骨、小排骨、清汤，盖上盖，入笼蒸烂熟取出，除去鸡骨、小排骨，捞出葱、姜不用，上桌即可。

海带肉丝汤

〔材料〕海带100克、猪肉150克、胡萝卜100克。

〔调料〕盐、味精、酱油、花椒、香油、植物油、葱段、姜丝、蒜片。

做 法

1.海带放入温水中浸泡1小时，待完全浸泡开后，洗净切成丝；猪肉、胡萝卜洗净切丝。

2.锅中倒入植物油，烧至五成热，将葱段、姜丝、蒜片、花椒放入锅中炒出香味，再加入肉丝、酱油翻炒2分钟，然后倒入适量热水烧开。

3.将海带丝、胡萝卜丝加入一起再煮20分钟，用盐、味精、香油调味即可。

紫菜肉丝汤

〔材料〕猪里脊肉100克、干紫菜20克、清汤300克、香菜适量。

〔调料〕盐、味精、料酒、酱油。

做 法

1.将猪里脊肉洗净，切成丝，放入清水中浸泡10分钟；干紫菜放入温水中浸泡至软；香菜洗净，切成长段。

2.炒锅置大火上，加入清汤烧至八成热，将肉丝倒入锅中，用筷子划散，待汤快煮开时，放入紫菜、酱油、盐、味精、料酒，烧沸后撇去浮沫，撒入香菜段即可。

营养师建议

★★★紫菜含有丰富的维生素和矿物质，多食可降血压、降血脂、降胆固醇。

三瓜干贝羹

〔材料〕干贝15克、冬瓜100克、西瓜皮100克、南瓜100克。

〔调料〕葱花、水淀粉、盐。

做 法

1.冬瓜、西瓜皮、南瓜均去皮洗净，切丁；干贝浸软，撕丝。

2.把干贝放入锅内，加适量清水，煮沸15分钟。

3.放冬瓜、西瓜皮、南瓜，煮沸后，用水淀粉勾芡，放葱花、盐调味即可。

营养师建议

★★★此羹有健脾养胃、清热利湿的作用，适宜高脂血症、糖尿病、肥胖症、湿热积滞者食用。

芦笋豆腐鱼头汤

〔材料〕胖头鱼鱼头1个、豆腐300克、芦笋200克、水发冬菇50克、水发海米30克。

〔调料〕酱油、盐、白糖、料酒、味精、豆瓣酱、植物油、葱段、姜片、蒜末。

做 法

1.鱼头洗净，用酱油浸5分钟；豆腐洗净切块；芦笋洗净切段；水发冬菇洗净切段。

2.锅置大火上，倒入植物油烧至五成热，放入鱼头，煎至两面金黄，放入豆瓣酱、料酒、白糖，烧热后加入适量温开水，再放入豆腐块，大火炖5分钟。

3.将鱼头、豆腐块、芦笋段、冬菇段、海米、姜片放入沙锅，加入适量清水，以小火炖15分钟，加入蒜末、盐、味精调味即可。

三鲜豆腐汤

〔材料〕嫩豆腐300克、胡萝卜50克、鲜虾仁50克、水发海参50克、清汤适量、韭黄适量。

〔调料〕盐、味精、料酒、胡椒粉、香油、植物油、姜片、水淀粉。

做 法

1.将嫩豆腐洗净上锅蒸透取出，除去外层硬皮后切成小丁；虾仁、海参洗净切成丁，加少许盐、料酒、水淀粉搅匀上浆；胡萝卜洗净切成花生米大小的粒；韭黄洗净切成约3厘米的段。

2.炒锅置大火上，加入植物油烧至五成热，用姜片炝锅，加入清汤、豆腐、虾仁、海参、胡萝卜，煮沸后撇去浮沫，再加入盐、味精、料酒、胡椒粉调味，用水淀粉勾芡，撒上韭黄段，淋入香油搅匀即可。

文蛤豆腐汤

〔材料〕文蛤250克、豆腐1块、油菜心少许。

〔调料〕姜丝、盐、胡椒粉。

做 法

1.文蛤泡洗干净；豆腐洗净，切厚片；油菜心洗净。

2.锅中放入适量清水烧开，放入豆腐、文蛤、姜丝煮开。

3.放入油菜心，用盐调味，关火。撒入胡椒粉调味即可。

营养师建议

★★★①蛤买回家后，要放在清水中浸泡一两天，使其充分吐沙，如果想加快速度，可以在清水中加入几滴植物油。②汤的味道本身已很鲜美，最好不放味精。

山药枸杞银鱼汤

〔材料〕小银鱼200克、山药100克、枸杞10克。

〔调料〕盐、胡椒粉。

做　法

1.将超市买来的小银鱼洗净，焯水待用；山药去皮洗净，切成滚刀块，待用。枸杞用温水浸泡，待用。

2.汤锅加清水，放入小银鱼、胡椒粉，大火烧开，加入山药炖至熟烂。

3.把枸杞放入汤中，调入适量的盐即可。

TIPS 贴心小提示<<<

1 小银鱼营养丰富，口感也好，在超市里很容易买到。
2 草鱼、鲶鱼均可替代主料。

干贝萝卜汤

〔材料〕萝卜300克、水发干贝200克、清汤适量。

〔调料〕植物油、盐、味精、料酒、水淀粉、香油、葱末、姜末。

做　法

1.将萝卜清洗干净，去皮，切块。

2.萝卜块放入大碗内，加入适量葱末、姜末、盐、料酒、清汤，入笼蒸透后取出，倒去汤汁备用。

3.将炒锅置大火上，放植物油烧至五成热，放入葱末、姜末炝锅，倒入料酒、清汤、水发干贝、萝卜块用大火煮沸，撇去浮沫，加入盐、味精改小火炖10分钟，食用时，淋入香油搅匀即可。

鲜虾荸荠汤

〔材料〕鲜虾400克、肥猪肉100克、荸荠100克、蛋清100克。

〔调料〕盐、味精、胡椒粉、植物油、香菜。

做　法

1.将虾肉洗净，剔除泥肠，沥干水分，剁成泥；肥猪肉洗净，切成细丁；荸荠洗净，去皮切碎。

2.将虾泥、肥猪肉丁、荸荠碎混合在一起，加蛋清、味精和盐顺着一个方向搅成泥。

3.锅中倒入适量的植物油，烧至五成热，将肉泥挤成丸子，下油锅炸至丸子漂起捞出；另起锅，置大火上，加入适量清水烧开，将虾丸略煮撇去浮油，加入盐、味精、胡椒粉、香菜调味即可。

酸辣鲜虾汤

〔材料〕鲜虾400克、月桂片、柠檬片。

〔调料〕辣椒油、白醋、柠檬汁、盐。

做　法

1.鲜虾剪去须、脚，清洗干净，沥干水分。

2.锅中加适量清水煮沸，放入辣椒油、白醋、月桂片、柠檬汁煮开。

3.放入鲜虾煮至滚沸后熄火，加入柠檬汁与盐调味即可。

营养师建议

★★★柠檬有抗氧化、防早衰、强化胶原细胞的作用，可减缓皮肤松弛，身材变形的速度，所以做汤时能放入柠檬的机会就不要错过。

鲜贝丸子汤

〔材料〕鲜贝300克、猪肥肉膘、南荠各60克、鸡蛋清1个、清汤适量、熟火腿适量、青菜心适量。

〔调料〕盐、味精、料酒、葱姜汁、香油、水淀粉。

做　法

1.将鲜贝、肉膘分别清洗干净；南荠去皮清洗干净；熟火腿切片；青菜心择洗干净，切长段。鲜贝、肉膘、南荠一同剁碎成蓉，放入碗中，加入鸡蛋清、料酒、盐、味精、葱姜汁、水淀粉搅匀备用；

2.炒锅置大火上，倒入清汤烧至八成热，将鲜贝蓉制成直径约1.5厘米的丸子下入锅中，然后加入青菜心一同烧沸，用勺撇去浮沫。

3.再加入盐、味精、料酒、葱姜汁调好口味，淋入香油搅匀，起锅盛入汤碗内，撒上火腿片即可。

鲜虾豆苗羹

〔材料〕鲜虾仁200克、豌豆苗150克、牛奶适量。

〔调料〕姜汁、盐、味精、料酒、胡椒粉、白糖、香油、水淀粉。

做　法

1.鲜虾仁洗净，剁成泥；豌豆苗择洗干净，放开水中略烫捞出,过凉后捞出，剁成末。

2.虾泥加入盐、味精调味，把豌豆苗末放入虾泥中，加入姜汁、白糖、胡椒粉拌均。

3.炒锅置大火上，加入牛奶烧开后将拌好的虾泥加入，淋上少许料酒，煮熟后用水淀粉勾薄芡，起锅淋入香油即可。

营养师建议

★★★1 豌豆苗就是豌豆嫩茎和嫩叶，含有极多的钙质、维生素等。2 虾泥入沸水中要拨开，加热时间不宜过长，否则营养容易流失。

香菇虾仁豆腐羹

〔材料〕水发香菇250克、虾仁200克、豆腐1盒、番茄1个、火腿适量。

〔调料〕植物油、葱段、香菜、姜片、盐、胡椒粉、味精。

做　法

1.香菇洗净，浸泡后切成丁，浸泡过香菇的水留用；虾仁洗净；番茄洗净后用开水烫一下去皮去子，切成小块；火腿切菱形片；豆腐洗净切成小方块；虾仁洗净后，加适量盐和胡椒粉拌匀。

2.锅中倒植物油烧热，爆香葱段、姜片，然后将葱、姜捞出不要，再加入香菇煸炒2分钟盛出；虾仁也同样煸炒2分钟。

3.锅中倒入浸泡过香菇的水烧开，加入豆腐块；水沸腾后，加入香菇；水再沸腾后，分别加入番茄、火腿、虾仁，待水再一次沸腾后，加盐、味精调味，加熟油，离火，撒上香菜叶即可。

营养师建议

★★★此汤含有丰富的蛋白质，有益气开胃之功效。香菇具有防癌功效。

鲫鱼豆腐金橘汤

〔材料〕鲫鱼200克、嫩豆腐100克、金橘4个。

〔调料〕盐、葱段、姜片、食用油、香菜叶。

做　法

1.鲫鱼洗净，待用；豆腐切块，焯水待用；金橘洗净，对半切开。

2.油烧至五成热，微煎鱼的两面至鱼身呈金黄色，加适量清水，放入葱段、姜片用大火烧开，炖到汤色浓白。

3.把豆腐块、金橘放入汤中，小火炖约5分钟后调入盐，撒上香菜叶即可。

TIPS 贴心小提示<<<

油不能太热，否则会煎破鱼皮。秋冬进补时还可添加白萝卜丝。

鲜虾白玉汤

〔材料〕鲜虾200克、豆腐100克。

〔调料〕清汤、盐、姜丝、香油。

做 法

1.豆腐洗净后切成条；鲜虾剪去须足，洗净后焯水待用。

2.清汤入锅，加入鲜虾、姜丝，大火烧开后撇去浮沫，把豆腐放入汤中，继续大火烧开。

3.加入盐调味，最后淋上香油即可。

TIPS 贴心小提示<<<

选用老豆腐，切条时不容易碎。大虾一定要新鲜，背部的泥肠注意在食用时去掉即可。

腐竹海鲜汤

〔材料〕水发腐竹200克、大虾肉150克、鲜鱿鱼150克、水发海参150克、鲜贝150克、清汤适量。

〔调料〕盐、味精、料酒、胡椒粉、香油、香菜叶。

做 法

1.腐竹洗净后斜切成约5厘米长的段；大虾肉、水发海参均洗净斜切成片；鲜鱿鱼洗净切十字花刀，再切成长方块。将上述各种海鲜材料一同入沸水中略烫捞出，盛入大汤碗中，加少许盐、味精腌渍备用。

2.炒锅置大火上，加入清汤、腐竹、盐、味精、料酒、胡椒粉和烫海鲜的原汁，烧沸后撇去浮沫，改用小火炖10分钟左右，起锅倒入盛海鲜的碗中，淋入香油，撒上香菜叶即可。

银鱼木樨汤

〔材料〕小银鱼、猪瘦肉各200克、鸡蛋1个、清汤、水发海米、水发木耳、菠菜各适量。

〔调料〕盐、味精、料酒、酱油。

做 法

1.将银鱼清洗干净，入沸水中略烫捞出；猪瘦肉洗净后切成细丝；菠菜择洗干净后切成约3厘米长的段；木耳洗净后切成丝；鸡蛋磕入碗内，用筷子搅散。

2.炒锅置大火上，加入清汤、银鱼、肉丝、海米、木耳、料酒、酱油、盐煮沸后撇去浮沫，将鸡蛋液淋入锅中，放入菠菜、味精，用勺轻轻推动，使蛋花漂浮于汤面，起锅盛入汤碗内即可。

营养师建议

★★★此汤钙质丰富，适合骨质疏松的老人及更年期妇女食用。

芙蓉海鲜羹

〔材料〕虾仁80克、蟹肉棒80克、青豆50克、蛋清50克、水发海参50克、牛奶适量。

〔调料〕盐、味精、料酒、胡椒粉、姜末、水淀粉。

做 法

1.虾仁清洗干净，去除肠线；蟹肉棒切成小丁备用；海参、青豆均洗净。

2.锅中放入适量清水和牛奶，比例约为4∶1，再将虾仁、蟹肉棒、海参、青豆与姜末一起加入煮至沸腾，再加入其他调料，以水淀粉勾芡后将蛋清加入搅匀即可。

营养师建议

★★★①此汤不但低脂肪、低热量，还有滋润皮肤的作用。②注意先勾芡再打入蛋清，这样蛋清能呈雪花状，较为美观。

鲤鱼羊肉汤

〔材料〕瘦羊肉300克、鲤鱼1条、奶汤适量。

〔调料〕盐、味精、料酒、醋、胡椒粉、香油、植物油、香菜、葱丝、姜丝。

做　法

1.将羊肉清洗干净，切成片，鲤鱼收拾干净，剁去头尾，批下鱼肉，入沸水中略烫捞出；香菜择洗干净，切成段。

2.炒锅置大火上，倒入植物油烧至五成热，放入葱丝、姜丝炝锅，加入奶汤、羊肉、鱼块和适量清水，大火烧沸后撇净浮沫，改用小火炖约1小时，加入醋、盐、味精、胡椒粉炖至入味后放入香菜段，淋上香油搅匀即可。

茇芷鱼片汤

〔材料〕新鲜鳜鱼500克、白芷200克、白芨200克。

〔调料〕姜丝、葱段、盐。

做　法

1.鳜鱼洗净切片。

2.锅内放适量清水，将白芷、白芨放入锅中以大火煮开，改小火炖约20分钟做成高汤。

3.把鳜鱼片、姜丝、葱段放入锅中，改中火煮约3分钟，加盐调味即可。

营养师建议

★★★白芷可缓解头痛、痘疹、面疱、皮肤湿疹、瘙痒、感冒症状，并有助伤口收敛，生肌平疤痕，改善手足干裂，还能柔化肌肤，具有美容作用。

三丝银鱼羹

〔材料〕银鱼300克、鲜香菇100克、荠菜150克、胡萝卜50克。

〔调料〕盐、料酒、味精、胡椒粉、水淀粉、植物油。

做　法

1.银鱼洗净沥干，放入碗中加入料酒、盐、味精、胡椒粉拌匀；香菇、胡萝卜分别洗净，切成细丝；荠菜洗净切成段。

2.炒锅置大火上烧热，倒入适量清水、料酒煮沸后投入银鱼焯熟，捞出备用。

3.另坐锅倒油，烧至五成热，放入胡萝卜丝、香菇丝翻炒3分钟，倒入料酒，加入适量清水、盐、味精炖5分钟后将银鱼、荠菜加入汤中拌匀，用水淀粉勾芡即可。

鲢鱼头汤

〔材料〕鲢鱼头1个、菜心200克、骨头汤适量。

〔调料〕盐、料酒、味精、胡椒粉、植物油、葱段、姜片、葱末、姜末、水淀粉。

做　法

1.将鲢鱼头收拾干净，切成两半；将菜心洗净。

2.锅内加清水淹没鱼头，放入葱段、姜片、料酒，大火烧开，改小火慢炖10分钟。

3.炒锅置大火上，倒入植物油烧至五成热，加入菜心、骨头汤、盐、味精稍炖，捞出菜心，放在汤盆中衬底。

4.炒锅再置大火上，加油烧至五成热，倒入葱末、姜末炒出香味，放鱼头、料酒、骨头汤，大火烧开后加盐、味精，改小火煮约10分钟，放胡椒粉，用水淀粉勾薄芡，出锅倒在菜心上即可。

虾游瀑布汤

〔材料〕鲜大虾200克、白萝卜100克。

〔调料〕清汤、盐、鸡精、葱花。

做　法

1.白萝卜洗净后去皮，切成细丝；大虾洗净后，剪去须足，焯水待用。

清骨汤入锅，加入白萝卜丝，用大火烧开。

2.放入大虾，再次开锅后加入盐、鸡精调味，最后撒上葱花即可。

鱼丸翡翠汤

〔材料〕鱼丸100克、小油菜50克、粉丝50克、枸杞10克。

〔调料〕清汤、盐、鸡精、葱姜末。

做 法

1.粉丝剪成长度适中的段，用清水洗净；小油菜洗净，用手撕成大块；枸杞洗净后待用。

2.清汤下锅，大火烧开后加入鱼丸，轻轻搅动，撇去浮沫，煮至鱼丸全部浮上水面。

3.加入小油菜、粉丝、枸杞，大火煮开后加入盐、鸡精、葱姜末调味即可。

鱿鱼丝瓜汤

〔材料〕水发鱿鱼半只、小丝瓜1条、笋100克、榨菜1小块。

〔调料〕植物油、料酒、盐、酱油、葱段、淀粉。

做 法

1.鱿鱼洗净，横竖轻划刀痕，再切成小块，加盐、料酒、淀粉拌匀；笋洗净切薄片；榨菜冲洗干净，切片；丝瓜去皮去蒂，洗净切片。

2.锅中倒植物油，烧至五成热，爆香葱段，倒入鱿鱼略炒，放入适量酱油炒匀，盛起。

3.炒锅内倒入适量清水，加入笋片、盐，煮开后，加入榨菜片煮沸，将鱿鱼回锅，加丝瓜片煮沸即可。

营养师建议

★★★此汤有润肺清热、调节血压的作用。

淮杞炖鱼汤

〔材料〕净鱼肉200克、淮山药片10克、枸杞10克。

〔调料〕姜片、料酒、盐、植物油。

做 法

1.将枸杞、淮山药片洗净，用清水浸泡片刻。

2.锅置火上，放植物油烧热，爆香姜片，下鱼肉煎至两面呈金黄色，倒入料酒略煎，捞起放入汤锅内，加入淮山药片、枸杞、适量沸水、盐，加盖炖约1小时即可。

营养师建议

★★★淮山药具有补脾益胃、补肺益肾的功效，既是食用的佳蔬，又是一种名贵的中药材。

苦瓜鱼片汤

〔材料〕鲤鱼肉300克、苦瓜1根。

〔调料〕姜片、盐。

做 法

1.鲤鱼肉清洗干净，切成片；苦瓜去瓤，去子，用清水洗净，切成片。

2.沙锅内放入足量的清水和姜片，先用大火将水煮开，放入苦瓜片略煮片刻，再放入鲤鱼肉片、盐，煮至鱼片熟透即可。

营养师建议

★★★1.此汤清热解毒，适用于春季体内积热所致的皮肤瘙痒等症。2.鲤鱼肉片煮熟即可，否则影响其鲜嫩的口味。

三鲜鱼丸汤

〔材料〕豆腐皮1张、油面筋50克、笋片50克、鱼丸150克、绿叶菜50克、番茄40克、高汤适量。

〔调料〕盐、味精、植物油、香油、料酒。

做 法

1.豆腐皮用清水浸泡至软，切成长片；面筋切成片；番茄去皮、去子，切成片；鱼丸放入清水中漂洗后，沥干水分；绿叶菜洗净。

2.汤锅置火上，倒入植物油，烧至七成热时，放入高汤、豆腐皮、笋片、番茄片、面筋片和鱼丸，然后加料酒、盐、味精继续煮，待滚开后，放入绿叶菜略煮，淋上香油即可。

奶汤海参

〔材料〕水发海参300克、鸡蓉100克、熟火腿片、冬笋片各30克、油菜心30克、鸡蛋清1个、奶汤适量、清汤适量。

〔调料〕植物油、盐、味精、料酒、葱姜汁、鸡油、水淀粉。

做法

1.将海参洗净，斜切成长片入汤锅中烫熟，捞出；将火腿片、冬笋片、油菜心放沸水中略烫捞出；鸡蓉放入碗中，加入盐、味精、料酒、葱姜汁、鸡蛋清和少许清汤搅匀。

2.取一大碗，先将海参摆入碗底，再抹一层鸡油，如此反复摆放至碗口，加清汤、盐后入笼蒸熟，取出翻扣入汤盆内。

3.炒锅置大火上，倒入植物油烧至五成热，依次加入葱姜汁、料酒、盐、熟火腿、冬笋、油菜心、已放入鸡蓉的清汤、奶汤，至汤沸后撇去浮沫，倒入盛有海参的汤盆中加入味精调味即可。

清汤鱼圆

〔材料〕鱼肉泥250克、熟火腿30克、笋片30克、豌豆苗30克、清汤适量。

〔调料〕盐、味精、香油。

做法

1.鱼肉泥放入盐、味精，加入适量的清汤，顺一个方向搅拌至鱼肉泥起小泡。

2.锅内加清水烧至五成热，将鱼肉泥挤成鱼圆入锅，氽熟后捞出。

3.沙锅内加入适量清汤，大火烧开，把鱼圆放入锅中，加入盐，味精、豌豆苗、熟火腿片、笋片煮5分钟，淋入香油即可。

营养师建议

1 此汤有补充人体所需蛋白质及氨基酸的作用。2 如果反复摔打鱼肉就会加强鱼丸的弹性。

海带煲瘦肉

〔材料〕排骨250克、干海带100克、白萝卜50克。

〔调料〕高汤、姜片、料酒、白醋、盐、葱丝。

做法

1.排骨洗净，剁成小块后焯水；干海带用温水浸泡，洗干净后切成菱形小块；白萝卜洗净去皮，切成细丝。

2.汤锅加入高汤，倒入排骨、姜片和料酒，煮开后倒入海带和少许白醋，炖至排骨熟透。

3.开锅后撇去浮沫，加入白萝卜丝，再煮5分钟，调入适量的盐，撒上葱丝即可。

TIPS 贴心小提示<<<

干海带泡软后表面有一层黏液，一定要冲洗干净。

百合玫瑰墨鱼仔汤

〔材料〕冰鲜墨鱼仔200克、百合50克、干玫瑰花5克。

〔调料〕清汤、盐、鸡精、香油。

做法

1.墨鱼仔洗净焯水；百合、玫瑰分别洗净，用温水泡开。

2.清汤放入锅中，加入墨鱼仔和百合用大火同煮至汤沸。

3.加入玫瑰花瓣，用小火略煮1分钟，加鸡精调味，淋香油即可。

绿波鲜味汤

〔材料〕老豆腐100克、菠菜100克、虾仁50克。

〔调料〕高汤、盐、鸡精、食用油。

做　法

1.豆腐洗净后切成三角形薄片；菠菜洗净，取嫩叶，焯水后浸在凉水中；虾仁洗净。

2.油烧至五成热，将豆腐两面煎成为黄色，捞出沥干油待用。

3.高汤加热，放入豆腐、虾仁，大火烧开，放入菠菜，加盐、鸡精调味即可。

营养师建议

★★★①菠菜含铁和B族维生素，经常食用可防治贫血和口角炎等症。但一定要先焯水，防止菠菜中的草酸抑制钙质的吸收。②可以选购现成煎好的豆腐。

五彩绘鱼丝

〔材料〕净黑鱼肉300克、冬笋30克、胡萝卜30克、黄瓜30克、豆腐皮30克、鲜香菇30克。

〔调料〕蛋清、水淀粉、盐、料酒、高汤、胡椒粉。

做　法

1.鱼肉洗净，去骨切丝，用蛋清、水淀粉、盐和料酒抓匀；冬笋、胡萝卜和黄瓜洗净，去皮切成细丝；豆腐皮和香菇洗净切丝。

2.汤锅加高汤煮开，放入胡椒粉、豆腐皮和蔬菜丝，煮至蔬菜熟透。

3.倒入鱼肉丝，边煮边用锅勺搅动，见鱼丝变白即停火，倒入水淀粉勾芡，出锅即可。

家常烧鱼头

〔材料〕鲜鱼头1个、老豆腐100克、冬笋50克、香菇50克、雪菜50克。

〔调料〕食用油、料酒、老姜片、盐、青蒜丝、高汤。

做　法

1.鱼头洗净，用刀劈开两半；豆腐切厚片，焯水；冬笋和香菇洗净切片；雪菜切碎。

2.炒锅加油烧热，放入鱼头，煎至两面微黄，倒少许料酒续煎片刻。

3.沙锅底部铺好冬笋片、香菇片和老姜片，放入鱼头，围好豆腐片，盖上雪菜，添加足量高汤，小火炖至汤色发白，调入适量的盐，撒上青蒜丝，连锅上桌即可。

酸菜鱼片汤

〔材料〕草鱼段250克、酸菜200克、朝天椒罐头1瓶。

〔调料〕盐、鸡精、料酒、蛋清、食用油、葱姜丝。

做　法

1.鱼段洗净，去骨切成片，用盐、鸡精、料酒和蛋清拌匀，煨10分钟；酸菜洗净后切丝；适量的朝天椒剁碎，用食用油爆炒。

2.炒锅加油烧热，爆炒葱姜丝，再倒入酸菜丝翻炒5分钟后，加适量清水煮开。

3.换成中火倒入鱼片，轻轻搅拌，汤开后停火，调入适量的盐和鸡精，盛入汤碗后浇上炒好的剁椒，即可。

茴香炖鲫鱼

〔材料〕鲫鱼300克、鲜茴香150克。

〔调料〕盐、鸡精、料酒、姜粉、食用油、大蒜片、红辣椒丝、高汤、胡椒粉。

做法

1.鲫鱼去鳞、鳃和内脏，洗净后用刀轻轻划开几处，再用盐、鸡精、料酒和姜粉涂抹，煨10分钟后用热油煎至金黄色，取出；茴香洗净，切成3厘米段。

2.炒锅洗净擦干，加油爆炒蒜片和红辣椒丝，倒入适量高汤，再放入鲫鱼、胡椒粉和料酒同煮20分钟。

3.开锅后撇去浮沫，倒入茴香，煮开即可。

TIPS 贴心小提示<<<

茴香一定要最后放入，否则绿色褪去，整道汤都会失色。

姜丝鲈鱼汤

〔材料〕鲈鱼250克、豆腐100克、枸杞20克、鲜姜10克。

〔调料〕高汤、盐、胡椒粉、香芹叶。

做法

1.鲈鱼洗净，剁成段后焯水；豆腐切成2指宽、3厘米长的厚片，焯水；鲜姜洗净，去皮切成长长的细丝；枸杞洗净。

2.汤锅加高汤煮开，倒入豆腐煮10分钟，再放入鱼段、姜丝和枸杞同煮10分钟。

3.开锅后调入适量的盐和胡椒粉，撒上香芹叶即可。

TIPS 贴心小提示<<<

鱼腹内侧脊骨附近有一层血管，清洗时一定要去除干净，否则会影响汤汁的鲜味。

鲜蔬滚鱼片

〔材料〕白鲢鱼段250克、胡萝卜100克、青笋100克。

〔调料〕盐、料酒、蛋清、姜粉、虾皮、香菜叶。

做法

1.鱼段洗净，去骨切成片，用盐、料酒、蛋清和姜粉抓匀；胡萝卜和青笋洗净，分别切成菱形片。

2.汤锅加清水，煮开后放入鱼片、胡萝卜和青笋片同煮10分钟。

3.调入适量的盐，撒上虾皮和香菜叶即可。

营养师建议

★★★①鱼片一定要新鲜，才能突出这道汤最大的特色：鲜。②其他的时令蔬菜均可用作替代，搭配营养和颜色后切片同煮。

莲子冬瓜牛蛙汤

〔材料〕牛蛙150克、冬瓜100克、新鲜莲子50克、冬菇50克。

〔调料〕高汤、料酒、胡椒粉、盐、香芹叶。

做法

1.牛蛙洗净，剁成小块后焯水；冬瓜洗净，去皮去子后切成块；莲子和冬菇洗净。

2.汤锅加入高汤，烧开后放入冬瓜、莲子和冬菇煮开，再倒入牛蛙、料酒和胡椒粉同煮5分钟。

3.开锅撇去浮沫，加适量盐调味，撒上香芹叶即可。

鲜虾美极羹

〔材料〕鲜虾仁200克、香菇20克、鲜豌豆仁50克。

〔调料〕食用油、葱花、姜丝、水淀粉、盐、香油。

做法

1.虾仁洗净；香菇泡软，去蒂，切成细丝；鲜豌豆仁焯水。

2.食用油加热，爆炒葱花和姜丝后剔出，放入香菇丝，中火翻炒片刻，加清水烧开。

3.倒入虾仁和鲜豌豆仁，煮开后用水淀粉勾芡，调入适量的盐和香油即可。

海味酸辣羹

〔材料〕虾仁50克、鱿鱼50克、豆腐50克、干贝20克、香菇20克、海带丝20克。

〔调料〕盐、鸡精、葱丝、水淀粉、醋、胡椒粉。

做 法

1.虾仁、鱿鱼、干贝洗净，焯水待用；香菇泡发，洗净后切丝待用；海带丝、豆腐分别洗净。

2.汤锅加清水，放入所有原料，大火烧开后转小火炖约15分钟。

3.加入盐、鸡精和葱丝略煮，用水淀粉勾芡，出锅后调入适量的醋和胡椒粉即可。

TIPS 贴心小提示<<<

1 准备原料时，可根据口味和现状调配，多几样少几样均可。
2 也可用干辣椒粉替代胡椒粉，但要提前几分钟撒入，搅拌均匀。

五丁鱼圆

〔材料〕鱼丸250克、五香豆腐干50克、熟火腿20克、香菇20克、笋干20克。

〔调料〕猪油、葱姜丝、高汤、料酒、水淀粉、盐、鸡精。

做 法

1.鱼丸洗净；五香豆腐干和熟火腿洗净切丁；香菇和笋干泡发后切丁；鸡蛋剥出蛋白，切成丁。

2.炒锅加热，融化猪油后爆炒葱姜丝，加高汤，倒入料酒、鱼丸和五色丁，煮至鱼丸熟透，停火。

3.用水淀粉勾芡，调入盐和鸡精，撒上葱丝即可。

干贝小白菜汤

〔材料〕小白菜300克、干贝30克、火腿50克。

〔调料〕葱段、姜片、料酒、盐、鸡精、胡椒粉、食用油。

做 法

1.将小白菜摘好洗净、逐片掰开焯水过凉沥干；干贝洗净用温水泡软；火腿洗去油腻切薄片备用。

2.锅内倒油烧至六成热，放入葱段、姜片煸出香味，放入干贝、火腿，烹入料酒煸炒片刻，倒入适量清汤，大火烧开，放入白菜，小火煮5分钟，加入适量的盐和鸡精、胡椒粉即可。

营养师建议

★★★小白菜含有胡萝卜素及多种维生素和无机盐，粗纤维能促进消化，帮助人体排除毒素，以及多余的脂肪。

紫菜鱼丸汤

〔材料〕鱼丸200克、猪肉馅100克、紫菜50克、香菇20克、熟鸡蛋1个。

〔调料〕酱油、料酒、胡椒粉、水淀粉、盐、高汤、香菜末。

做 法

1.鱼丸用清水冲洗干净；香菇用温水泡发，去蒂剁成末;肉馅加酱油、料酒、胡椒粉、水淀粉、盐和香菇末煨10分钟；紫菜撕碎洗净。

2.汤锅加适量高汤煮开，倒入鱼丸和肉馅搅匀，大火煮开，换成中火炖煮至鱼丸熟透，停火。

3.倒入紫菜，用水淀粉勾芡，撒上香菜末，出锅即可。

TIPS 贴心小提示<<<

紫菜撕碎前可用手轻拍，抖掉浮尘和渣滓，方便清洗。

四季银鱼羹

〔材料〕银鱼100克、四季豆80克、胡萝卜50克。

〔调料〕葱花、姜丝、高汤、水淀粉、盐、胡椒粉、植物油。

做 法

1.银鱼洗净焯水；四季豆洗净，择去老茎，切成细丝后焯水；胡萝卜洗净，去皮切成细丝，用油炒熟。

2.汤锅加高汤，倒入银鱼、葱花、姜丝、四季豆和胡萝卜丝，大火煮开后换成小火，继续煮2～3分钟。

3.开锅用水淀粉勾芡，调入适量的盐和胡椒粉，出锅即可。

胡萝卜海带汤

〔材料〕胡萝卜100克、海带丝100克、大葱50克。

〔调料〕食用油、盐、鸡精、香油。

做 法

1.将胡萝卜洗净去皮，切成细丝；海带丝用温水泡发反复清洗干净，焯水煮软后捞出沥干；大葱洗净切成长丝备用。

2.锅内倒油烧至六成热，放入胡萝卜煸炒片刻，倒入清汤，放入海带丝大火煮开后撒葱丝，加入适量的盐和鸡精，淋入香油即可。

营养师建议

★★★①胡萝卜中含有大量的维生素A，有保护黏膜的作用，春季是呼吸道疾病流行期，多吃胡萝卜对呼吸道疾病有预防作用。②海带能给人体补充微量元素碘，并能帮助肠道清除毒素。

五彩鱼羹

〔材料〕鱼块200克、香菇50克、四季豆50克、火腿丝50克、玉兰片50克、红柿子椒20克、胡萝卜20克、鸡蛋1个。

〔调料〕清汤、盐、鸡精、料酒、姜末、水淀粉。

做 法

1.鱼块去骨，切成小块，加盐、鸡精、料酒和姜末拌匀后煨10分钟；香菇、四季豆、胡萝卜和玉兰片洗净后切丝，焯水待用；鸡蛋打散待用。

2.汤锅加清水，放入鱼块，大火烧开后放入香菇、四季豆、火腿、胡萝卜、玉兰片和红柿子椒，稍稍微炖煮后用水淀粉勾芡。

3.浇入鸡蛋液，调入适量的盐和鸡精即可。

酸辣鱿鱼汤

〔材料〕鱿鱼150克、猪里脊肉50克、冬笋20克、香菇20克。

〔调料〕植物油、盐、葱、姜、料酒、胡椒粉、醋、香油。

做 法

1.将鱿鱼洗净，切丝；猪里脊肉洗净，切丝；冬笋洗净切丝；香菇洗净，用温水泡发开，切丝。

2.将鱿鱼丝放入开水中焯一下至卷曲后捞出备用。

3.锅中放入植物油烧至五成热，将猪里脊肉丝、冬笋丝、香菇丝放入锅中翻炒，直至肉丝变成白色。

4.加入鱿鱼丝、盐、料酒、葱、姜、胡椒粉、醋，再加入适量开水炖5分钟，起锅将汤盛入汤碗中，淋上香油即可。

营养师建议

★★★此汤可开胃去湿、滋补强身。

虾球翠叶汤

〔材料〕虾肉200克、油菜心6个。

〔调料〕料酒、淀粉、盐、鸡精、清汤、香油。

做法

1.将油菜心洗净，焯水过凉，捞出后控干水分备用。

2.将虾肉洗净，用刀背捶成蓉，放在碗中，加料酒、淀粉、盐、鸡精、清汤少许，顺着一个方向用力搅匀上劲，制成丸子，放入冷水锅中，煮熟捞出备用。

3.沙锅内放入适量清汤，放入油菜心，大火烧开后转小火煮5分钟，再放入虾丸，开锅后加入适量的盐和鸡精，淋入香油即可。

绿豆海带汤

〔材料〕绿豆200克、海带50克、莲子30克。

〔调料〕白糖。

做法

1.绿豆洗净，在温水中浸泡2小时；海带洗净在温水中浸泡40分钟后切成小块；莲子在温开水中浸泡1小时，去除中间的莲子心。

2.锅内加入适量清水，将浸泡好的绿豆、海带块、莲子一起用小火慢炖1小时，炖至绿豆及海带软烂，然后加入白糖调味即可。

营养师建议

★★★①此汤清热解毒，去暑去火。②冰镇后食用，效果更佳。

荠菜鱼片汤

〔材料〕荠菜100克、大黄鱼中段200克、鸡蛋1个。

〔调料〕高汤、葱丝、水淀粉、料酒、盐、鸡精、香油。

做法

1.将荠菜摘根洗净焯水过凉沥干；鸡蛋磕入碗中取出蛋黄；大黄鱼中段剔除鱼刺，斜刀片成鱼片，放入蛋清碗中，加水淀粉、料酒拌匀腌渍备用。

2.锅内倒入高汤，放入荠菜，大火烧开后放入鱼片，用筷子迅速打散，大火开锅后加入适量的盐和鸡精，淋入香油、撒上葱丝即可。

营养师建议

★★★荠菜营养丰富，被誉为菜中甘草。民间有谚语：阳春三月三，荠菜当灵丹。荠菜味甘性寒，有助于养肝补脾。

紫菜虾皮蛋花汤

〔材料〕紫菜10克、虾皮5克，鸡蛋2个。

〔调料〕葱丝、盐、鸡精、水淀粉、香油。

做法

1.将紫菜撕成小片；虾皮洗净；鸡蛋打散放入碗中搅匀备用。

2.锅内放入清汤，大火烧开后放入紫菜，开锅后泼入蛋液顺一个方向搅匀，放入虾皮、盐和鸡精，用水淀粉勾薄芡，淋上香油即可。

营养师建议

★★★①紫菜含有丰富的维生素和矿物质，富含易被人体吸收的碘，非常有益于人体健康。②虾皮大量含钙，夏季钙流失量大，常喝此汤，可补充体内缺失的钙。

鲫鱼水蛋羹

〔材料〕鲫鱼1条（约250克）、鸡蛋4个、香菜1根。

〔调料〕料酒、姜丝、盐、鸡精、水淀粉、高汤、食用油、香油。

做法

1.将鲫鱼刮鳞、去鳃、去内脏洗净沥干，抹上盐、料酒、姜丝腌渍半小时；鸡蛋磕入碗中加入适量的盐和鸡精，搅拌均匀，加入水淀粉、适量高汤搅匀；香菜去根洗净切成末备用。

2.锅内倒油烧至六成热，放入鲫鱼，稍微煎一下出锅。将煎好的鲫鱼放入容器中，倒入蛋液上蒸锅大火蒸熟出笼，撒上香菜末，淋香油即可。

营养师建议

★★★鲫鱼营养全面，有健脾利湿、和中开胃、活血通络的作用。

苦瓜鲫鱼汤

〔材料〕鲫鱼2条、苦瓜2根。

〔调料〕盐、醋、白糖、鸡精。

做 法

1.将鲫鱼肉清洗干净，切成片；苦瓜去瓤，去子，用清水洗净，切成片。

2.沙锅内放入足量的清水，加鲫鱼和苦瓜片，用大火煮开后，加入醋、白糖等调料，转小火煮5分钟，加入适量的盐和鸡精即可。

TIPS 贴心小提示<<<

甜、酸、苦、咸、鲜五味结合，特别适宜于夏季食用。

莼菜虾仁汤

〔材料〕莼菜100克、虾仁100克、鸡蛋1个、香菜1根。

〔调料〕高汤、水淀粉、料酒、盐、鸡精、香油。

做 法

1.将莼菜摘根洗净焯水过凉沥干；虾仁洗净摘除沙线，加入鸡蛋清、水淀粉、料酒拌匀；鸡蛋除少量蛋清给虾仁上浆用，其余的蛋液搅拌均匀，摊成蛋皮，切丝；香菜摘根洗净切成1.5厘米段备用。

2.锅内倒入高汤，放入莼菜、蛋皮丝，大火烧开后放入虾仁，用筷子迅速打散，开锅后加入适量的盐和鸡精，用水淀粉勾薄芡，撒上香菜段，淋上香油即可。

木瓜鲫鱼莲子汤

〔材料〕木瓜400克、鲫鱼2条、莲子20克。

〔调料〕食用油、姜块、料酒、盐、鸡精。

做 法

1.将鲫鱼刮鳞、去鳃、去内脏洗净沥干；木瓜洗净去皮，切块；莲子洗净，用温水泡软抽去莲心；姜块用刀拍松备用。

2.锅内倒油烧至六成热，放入鲫鱼，煎至两面金黄出锅。

3.沙锅内放入适量清汤、鲫鱼、莲子、姜块、料酒，大火烧开后改小火焖煮1小时，放入木瓜，大火开锅后继续用小火焖煮半小时，加入适量的盐和鸡精即可。

青蒜鱼头汤

〔材料〕鱼头1个（500克左右）、青蒜100克。

〔调料〕葱段、姜片、料酒、盐、鸡精、食用油。

做 法

1.将鱼头刮鳞、去鳃洗净，沥干；青蒜摘根洗净切成3厘米段备用。

2.锅内倒油烧至六成热，放入姜片、葱段煸香，再放入鱼头两面煸黄。

3.沙锅内倒入适量清汤，放入鱼头、葱段、姜片、料酒，大火烧开，改小火熬1小时至汤色奶白，撒入青蒜段，大火滚熟后加入适量的盐和鸡精即可。

TIPS 贴心小提示<<<

① 鲢鱼肉细味鲜，能温中补气。
② 鱼头选用花鲢最佳，头大肉细。

海米冬瓜汤

〔材料〕老冬瓜400克、粉丝30克、海米10粒。

〔调料〕香菜、葱花、姜丝、盐、食用油、鸡精、胡椒粉、香油。

做 法

1.将冬瓜洗净去皮、去瓤，切成大片；粉丝洗净剪成段；海米用温水泡软；香菜洗净切成1.5厘米段备用。

2.锅内倒油烧至六成热，放入葱花、姜丝煸出香味，倒入适量清汤，大火烧开后放入冬瓜、海米，中火煮至冬瓜熟透。

3.将粉丝放入锅中，继续用中火煮3分钟，放盐、鸡精、胡椒粉，淋入香油，撒上香菜段即可。

清凉瓜块鱼丸汤

〔材料〕黄瓜1根、鱼肉200克、香菜1根。

〔调料〕葱花、水淀粉、料酒、盐、鸡精、香油、食用油。

做 法

1.将黄瓜洗净切成斜片；鱼肉剔除刺，用刀背斩成蓉装入容器，加水淀粉、料酒、盐顺着一个方向搅拌上劲；香菜摘根洗净切成1.5厘米段备用。

2.锅内倒油烧至六成热，放入葱花煸香，倒入清汤，大火烧开后转小火，把鱼蓉挤成小丸子下锅汆熟后，放入黄瓜片，大火滚开后，放盐、鸡精，撒上香菜段，淋香油即可。

TIPS 贴心小提示<<<

①夏季天热，胃肠功能明显降低，体内所需的营养成分难以补充，因此要多吃易消化的高质量蛋白质比较合适。

②鱼肉可选用大草鱼，河鱼肉质鲜嫩，且大鱼刺少容易剔除，适合做鱼丸。

大虾萝卜汤

〔材料〕大虾6只、白萝卜1根。

〔调料〕食用油、葱花、高汤、盐、鸡精。

做 法

1.大虾洗净，挑去沙线后用沸水焯一下；白萝卜洗净去皮，切成丝焯水待用。

2.锅内倒油烧至六成热，下入葱花煸香，倒入高汤，放入大虾、萝卜丝大火煮3分钟后，放入适量的盐和鸡精即可。

营养师建议

★★★①白萝卜性平味甘辛，入肺脾经，有除痰润肺、消食下气之功效。②洗虾时要将虾背上的沙线挑出，否则食用时会影响口感。

鸡丝蜇皮汤

〔材料〕鸡胸脯肉200克、水发海蜇200克。

〔调料〕高汤、姜丝、葱丝、蒜瓣、香油、水淀粉、鸡精、醋、胡椒粉、香菜、盐。

做　法

1.将鸡胸脯肉洗净，切成细丝，放入碗内，加水淀粉抓匀腌渍10分钟；海蜇皮洗净去掉泥沙，切成细丝，焯水待用；香菜洗净切成3厘米段、蒜切成片。

2.锅内倒入高汤，烧至六成热时放入浆好的鸡丝，打散至熟，捞出。

3.锅内倒油烧至六成热，放入蒜片炝锅、烹醋，加入高汤、鸡丝、海蜇、盐、鸡精、姜丝、葱丝，开锅后撇去浮沫，放入胡椒粉、香菜段，淋入香油即可。

香菇鱼片汤

〔材料〕香菇6朵、鱼肉200克、青笋100克。

〔调料〕水淀粉、料酒、食用油、葱花、盐、鸡精。

做　法

1.将香菇洗净去根蒂，斜刀切成片焯水过凉；鱼肉洗净沥干切成片装入容器，加入水淀粉、料酒；青笋去皮，洗净切成菱形片焯水备用。

2.锅内倒油烧至六成热，放入葱花煸香，倒入适量清汤，大火烧开后放入香菇、青笋，滑入鱼片迅速打散，加入适量的盐和鸡精即可。

营养师建议

★★★鱼肉不仅味道鲜美，还含有大量优质蛋白，人体吸收率高。秋天刚从酷热中转凉，人体的胃肠功能还很差，多喝鱼汤清润平补。

萝卜鲜蟹汤

〔材料〕白萝卜400克、河蟹1只。

〔调料〕鸡汤、姜片、盐、胡椒粉。

做　法

1.白萝卜去皮洗净切大片，焯水过凉；河蟹去肺鳃刷洗干净，斩成四块备用。

2.锅内倒入鸡汤，放入白萝卜、姜片，大火烧开后改小火炖1小时，放入河蟹煮至蟹熟，加入适量的盐、鸡精和胡椒粉即可。

TIPS 贴心小提示<<<

河蟹一定要吃活的，河蟹喜食动物尸体，在它的胃、肠、鳃中都寄生着大量的细菌，吃了死螃蟹很容易中毒。

鲫鱼冬瓜汤

〔材料〕鲫鱼1条、冬瓜300克。

〔调料〕食用油、葱段、姜片、料酒、盐、胡椒粉、香菜末。

做　法

1.将鲫鱼刮鳞、除鳃、去内脏，洗净沥干；冬瓜去皮、去瓤，切成大片备用。

2.锅内倒油烧至五成热，放入鲫鱼煎至两面金黄出锅。

3.锅内留底油烧至六成热，放入姜片、葱段煸香，放入鲫鱼、料酒，倒入适量清汤大火烧开。

4.开锅后改小火焖煮30分钟，加冬瓜片煮熟后，加盐、胡椒粉，撒入香菜末即可。

木瓜鲤鱼汤

〔材料〕鲤鱼1条(约500克)、木瓜300克、红枣6颗。

〔调料〕食用油、姜片、料酒、盐、鸡精。

做法

1.将鲤鱼刮鳞、去鳃、开膛去内脏洗净，沥干水分；木瓜洗净去皮、去子，切成滚刀块；红枣洗净去核备用。

2.锅内倒油烧至六成热，放入姜片煸香，放入鲤鱼煎至两面微黄断火。

3.沙锅内放入适量清汤，大火烧开，放入鱼、木瓜、红枣、料酒，开锅后改转小火煲2小时，加入适量的盐和鸡精即可。

参贝海鲜汤

〔材料〕牛眼贝300克、水发海参150克、玉兰片100克。

〔调料〕葱丝、青红辣椒丝、葱油、水淀粉、料酒、盐、胡椒粉。

做法

1.将牛眼贝洗净，焯水过凉；海参洗净切成块；玉兰片洗净切片焯水备用。

2.锅内倒入适量清汤，放入牛眼贝、海参、玉兰片、料酒，大火煮5分钟后，用水淀粉勾薄芡，撒上葱丝、青红辣椒丝，加盐、淋葱油即可。

营养师建议

★★★①海参、牛眼贝中含有蛋白质、微量元素、氨基酸及生理活性物质，能增强人体的免疫机能。②海参口感滑爽，本身没有特殊的味道，跟什么材料一起做就是什么味道。

豆腐海带煲

〔材料〕豆腐300克、海带100克、海米15克。

〔调料〕姜丝、葱段、盐、植物油。

做法

1.豆腐切成3厘米见方、1.5厘米厚的片，焯水过凉；海带用温水浸泡，洗净，切成菱形片焯水；海米用温水泡软备用。

2.锅内倒油烧至六成热，煸香姜丝、葱段。

3.沙锅内放入适量清水，大火烧开后放入海带、豆腐、海米，开锅后小火煮半小时加入盐、葱、姜，10分钟后关火即可。

营养师建议

★★★大豆能预防动脉粥样硬化，但也会导致碘缺乏，和含碘量高的海带一起食用，可以有效防治碘缺乏症。

牡蛎豆腐羹

〔材料〕牡蛎300克、豆腐1块、猪瘦肉100克、竹笋100克、香菇2朵、清汤适量。

〔调料〕酱油、香油、盐、味精、植物油、葱段、水淀粉。

做法

1.瘦肉清洗干净；笋洗净切薄片；香菇洗净切片；牡蛎洗净沥干；豆腐洗净切片。

2.锅内倒入植物油烧至四成热，放入葱段、肉片、香菇、笋片略炒，加酱油、盐炒匀，倒入清汤煮开，再将豆腐下锅，用水淀粉勾芡，再放入牡蛎煮1分钟，加入香油、味精搅匀即可。

营养师建议

★★★此汤有化痰润燥的功效。口味鲜美，营养丰富。

沙锅鱼头汤

〔材料〕大鱼头1个、粉皮100克、油菜心6个。

〔调料〕食用油、葱段、盐、姜片、大蒜、料酒、鸡精、胡椒粉、香菜。

做　法

1.将鱼头去鳃、刮鳞洗净沥干；粉皮用温水泡软；油菜心洗净焯水过凉；香菜摘根洗净，切成小段备用。

2.锅内倒油烧至六成热，放入鱼头两面煎黄，烹入料酒。

3.沙锅放入煎好的鱼头，倒入清汤，放入葱段、姜片、蒜瓣改中火煮30分钟，放入粉皮、油菜心，加入适量的盐、鸡精和胡椒粉，撒上香菜段即可。

营养师建议

★★★1 此汤有益中补气、消食健胃之功效。2 花鲢鱼头肉厚肥嫩，是做汤的上好原料。

黄芽海带汤

〔材料〕黄豆芽200克、水发海带200克、香菜1根。

〔调料〕食用油、葱段、姜片、料酒、盐、鸡精、胡椒粉。

做　法

1.将黄豆芽摘根洗净焯水过凉；海带洗净切丝焯水煮熟过凉沥干；香菜摘根洗净，切成小段备用。

2.锅内倒油烧至六成热，放入葱段、姜片煸香，倒入清汤，大火烧开后放入黄豆芽、海带丝、料酒，开锅后加入适量的盐、鸡精和胡椒粉，撒上香菜段即可。

排骨海带汤

〔材料〕排骨300克、水发海带300克。

〔调料〕姜片、葱段、料酒、盐、胡椒粉。

做　法

1.排骨洗净斩成寸段，焯水捞出洗净血沫沥干；水发海带洗净切宽丝备用。

2.沙锅内放入适量清水，加入排骨、姜片、葱段、料酒大火煮烧开改后小火，半小时后加入海带丝继续小火煲1小时，加入盐、胡椒粉即可。

TIPS 贴心小提示<<<

1 因海带性碱，比较吃油，宜选用较肥的排骨，使海带口味更佳。
2 海带碘含量高，能促进甲状腺分泌，帮助人体产生热量。

生蚝紫菜汤

〔材料〕生蚝500克、紫菜1片。

〔调料〕葱粒、姜丝、料酒、淀粉、胡椒粉、盐、香油。

做　法

1.将生蚝洗净，开壳取出生蚝肉，用盐、淀粉抓匀揉搓，用清水洗净，焯水捞出沥干；紫菜撕片备用。

2.沙锅内倒入适量清汤，大火烧开后放入生蚝、紫菜、料酒，开锅后放入葱粒、盐、胡椒粉、姜丝，淋入香油即可。

营养师建议

★★★生蚝因其含有丰富的矿物质、蛋白质和微量元素，营养价值很高，素有“海中牛奶”之美誉，是补肝肾的佳品。

鲜虾丝瓜汤

〔材料〕大虾200克、丝瓜1条。

〔调料〕食用油、高汤、葱花、盐、鸡精。

做　法

1.大虾洗净，剪去长须，挑去沙线后用沸水焯一下；丝瓜去皮切成滚刀块备用。

2.锅内倒油烧至六成热，下入葱花煸香后放入丝瓜块煸软，倒入高汤，烧开后，放入大虾，滚开片刻后，再放入盐和鸡精即可。

鲫鱼莲藕煲

〔材料〕鲫鱼400克(约2条)、莲藕200克、胡萝卜1/2根。

〔调料〕姜片、料酒、盐、味精、植物油、清汤。

做　法

1.将鲫鱼刮鳞、去鳃、去内脏洗净沥干;莲藕、胡萝卜洗净切成滚刀块待用。

2.锅内倒油烧至六成热，放入鲫鱼两面煎黄出锅。

3.沙锅内倒适量清汤，放鲫鱼、莲藕、姜片、料酒，大火烧开，改小火煲2小时，放入胡萝卜，小火煲30分钟，加盐、味精即可。

营养师建议

★★★鲫鱼性平味甘，有健脾补虚之功效;莲藕能补心宜肾，具有滋阴养血的作用。

鲤鱼冬瓜汤

〔材料〕鲤鱼1条、冬瓜300克。

〔调料〕葱段、姜片、香菜末、料酒、盐、胡椒粉、植物油、清汤。

做　法

1.将鲤鱼刮鳞、除鳃、去内脏，洗净沥干;冬瓜去皮、去瓤切成大片备用。

2.锅内倒油烧至五成热，放入鲤鱼煎至两面金黄出锅。

3.锅内留底油烧至六成热，放入姜片、葱段煸香，放入鲤鱼、冬瓜、料酒，倒入适量清汤，大火烧开，改小火焖煮40分钟，加盐、胡椒粉，撒入香菜末即可。

鲢鱼冻豆腐煲

〔材料〕花鲢鱼1条、冻豆腐1块、笋干20克、薏米30克。

〔调料〕葱段、姜片、料酒、白糖、胡椒粉、盐、植物油、清汤。

做　法

1.将鲢鱼刮鳞、去腮、开膛去内脏洗净、沥干;冻豆腐化冻切成大片，挤去水分备用。笋干洗净用温水泡软，切成小丁;薏米洗净用温水泡软备用。

2.锅内倒油烧至六成热，放入葱段、姜片煸出香味，放入鲢鱼煎黄两面，烹入料酒，下笋干、薏米煸炒一下。倒入适量清汤，放入冻豆腐，大火烧开改小火煲1小时，加白糖、盐、胡椒粉即可。

竹荪海菜汤

〔材料〕竹荪25克、土豆200克、海白菜30克、韭黄20克。

〔调料〕葱花、水淀粉、盐、味精、香油、植物油、清汤。

做　法

1.竹荪用温水泡发，反复洗挤至水无色，挤干水分切片;土豆洗净去皮，切成筷子粗的条;韭黄洗净切段备用。

2.锅内倒油烧至五成热，放入土豆条炸至金黄色捞出。

3.锅内留少许底油烧至六成热，放入葱花煸香，倒入适量清汤，下入竹荪、土豆条、海白菜，中火煮3分钟后，倒入水淀粉勾薄芡，加盐、味精，淋入香油，撒上韭黄即可。

鲤鱼青蒜汤

〔材料〕鲤鱼1条（约500克）、青蒜2根。

〔调料〕姜丝、料酒、盐、味精、清汤。

做法

1.将鲤鱼刮鳞、去鳃、去内脏，洗净切成四段；青蒜洗净切成斜刀寸条备用。

2.锅内放入适量清汤，大火烧开，放入鲤鱼、姜丝、料酒，开锅后改中火煮10分钟，加盐、味精，撒上青蒜即可。

木瓜鲤鱼煲

〔材料〕鲤鱼1条（约400克）、木瓜1/4个、红枣6颗。

〔调料〕姜片、料酒、盐、味精、植物油、清汤。

做法

1.将鲤鱼刮鳞、去鳃、开膛去内脏洗净，沥干水分；木瓜洗净去皮、去子切成滚刀块；红枣洗净去核待用。

2.锅内倒油烧至六成热，放入姜片煸香，再放入鲤鱼煎至两面微黄断火。

3.沙锅内倒适量清汤，大火烧开，放入鲤鱼、木瓜、红枣、料酒，开锅后改转小火煲2小时，加盐、味精即可。

海带豆腐绝配汤

〔材料〕水发海带100克、豆腐200克、海米10克。

〔调料〕食用油、姜丝、葱段、盐。

做法

1.将海带洗净沥干，切成菱形片煮软过凉；豆腐切成3厘米见方、1.5厘米厚的片，焯水过凉；海米洗净用温水泡软备用。

2.锅内倒油烧至六成热，放入姜丝、葱段煸香。

3.沙锅内放入适量清水，大火烧开后放入姜丝、葱段、海带、豆腐、海米，开锅后小火煮半小时，再加入适量的盐即可。

营养师建议

★★★ 1 豆腐蛋白质含量丰富，是传统的营养素食品。大豆里的皂角苷能预防动脉粥样硬化，但是也能促进碘 2 排泄，宜和海带一起食用。3 海带味咸性寒，能吸收血管中的胆固醇，润肠通便，秋季多吃海带还能治疗便秘。

冬笋芥蓝黄鱼汤

〔材料〕黄鱼500克、冬笋30克、芥蓝30克、肥肉30克。

〔调料〕葱段、姜片、料酒、盐、味精、胡椒粉、清汤、香油。

做 法

1.将黄鱼刮鳞，开膛去内脏、去鳃，洗净沥干；冬笋洗净用温水泡软切片；芥蓝洗净切段；肥肉洗净切片待用。

2.锅内倒油烧至六成热，放黄鱼两面各煎片刻，再放葱段、姜片煸香后烹入料酒。

3.将适量清汤倒入鱼锅内，放冬笋、芥蓝、肉片，大火烧开，再用小火煮20分钟，加盐、味精、胡椒粉，淋上香油即可。

鱼尾银耳金针汤

〔材料〕草鱼尾500克、银耳40克、金针20克。

〔材料〕姜块、料酒、盐、味精、胡椒粉、植物油、清汤。

做 法

1.将鱼尾刮鳞，洗净沥干水分；银耳、金针用温水泡软、洗净；姜块用刀拍松备用。

2.锅内倒油烧至六成热，放入鱼尾略煎片刻。

3.沙锅内倒入适量清汤，放入鱼尾、银耳、金针、姜块、料酒，大火烧开，改小火煲1小时，加盐、味精、胡椒粉即可。

鲜虾萝卜丝汤

〔材料〕大虾6只、白萝卜半根。

〔材料〕高汤、葱花、盐、味精、食用油。

做 法

1.大虾洗净，挑去沙线后用沸水焯一下；白萝卜洗净去皮，切成丝焯水待用。

2.锅内倒油烧至六成热，下入葱花煸香，倒入高汤，放入大虾、萝卜丝大火煮3分钟后，放入盐、味精即可。

TIPS 贴心小提示<<<

1 选用鲜活的大虾，不新鲜的大虾肉没有弹性，味道不鲜。

2 洗虾时要将虾背上的沙线挑出，否则食用时非常磣牙。

头尾萝卜汤

〔材料〕鱼头1个、鱼尾1条、白萝卜200克。

〔材料〕葱段、姜片、香菜末、醋、味精、盐、胡椒粉、植物油、清汤、香油。

做 法

1.将鱼头去鳃、刮鳞洗净，从鱼鳃处劈开（中间相连）；鱼尾刮鳞洗净，两面剞十字花刀，焯水过凉沥干；白萝卜去皮，切丝备用。

2.锅内倒油烧至六成热，放入姜片、葱段煸香，倒入清汤，放入鱼头、鱼尾，用大火烧开，改小火煮20分钟，捞出姜片、葱段，放入萝卜丝，煮5分钟，加盐、味精、胡椒粉、淋入醋、香油，撒上香菜末即可。

番茄鱼丸豆腐汤

〔材料〕鱼肉300克、番茄2个、豆腐1块。

〔调料〕高汤、葱姜水、料酒、淀粉、盐、味精、胡椒粉。

做　法

1.将番茄洗净剥皮，切成八瓣；豆腐切成大片，焯水、过凉备用。

2.将鱼肉洗净，去鱼刺，用刀背捶成鱼蓉，放入碗中，加入葱姜水、料酒、淀粉、盐顺着一个方向搅拌上劲后挤成鱼丸，放入开水锅中煮熟。

3.沙锅内放入高汤、鱼丸、番茄、豆腐，大火开锅后，中火煮5分钟后放入盐、味精、胡椒粉即可。

营养师建议

★★★此汤暑天饮用，能解暑止渴，但胃寒、胃酸过多者不宜饮用。

咸鱼头菜干豆腐煲

〔材料〕咸鱼头400克（约2个）、豆腐1块、白菜干80克。

〔调料〕葱段、姜片、料酒、盐、食用油、清汤。

做　法

1.将咸鱼头用温水泡软，刮鳞、去鳃洗净；豆腐切块，焯水过凉沥干；白菜干用温水泡软洗净，挤干水分，切段备用。

2.锅内倒油烧至六成热，放入姜片、葱段煸香，再放入咸鱼头煸片刻，烹入料酒，倒入适量清汤，大火烧开，放入白菜干、豆腐，开锅后改小火煲3小时加盐即可。

营养师建议

★★★咸鱼头本身含盐分，可不放盐。如果咸味不足，也可加适量的盐。

鱼骨豆苗尖椒汤

〔材料〕鲜鱼骨400克、豆苗100克、红色尖椒5个。

〔调料〕葱段、白糖、盐、味精、食用油、清汤。

做　法

1.将鱼骨洗净，剁成3厘米长的大块，焯水捞出沥干；豆苗去老梗洗净；尖椒洗净备用。

2.锅内倒油烧至六成热，放入葱段、尖椒煸出香味，倒入适量清汤，放入鱼骨，大火烧开后煮5分钟，再放入豆苗，滚开后放入白糖、盐、味精即可。

TIPS 贴心小提示<<<

最好用250克重鲫鱼的鱼骨，刺小肉嫩，味道佳美。

虾仁冬瓜汤

〔材料〕冬瓜200克、鲜虾100克、香菇10克、笋干10克。

〔材料〕高汤、盐、鸡精、香葱丝。

做　法

1.冬瓜洗净，去子去皮，切成3厘米见方的块；鲜虾去头去壳，挑出泥线，洗净焯水；香菇和笋干分别用温水泡发，香菇去蒂切丝，笋干切去老茎，切成细丝。

2.汤锅添加适量高汤，倒入冬瓜块、虾仁和香菇丝同煮，冬瓜熟透后停火。

3.调入适量的盐和鸡精，撒上葱丝，出锅即可。

文蛤玉兰汤

〔材料〕文蛤200克、玉兰片50克、火腿20克、香菜1根。

〔调料〕姜丝、白糖、盐、味精、葱油、清汤。

做　法

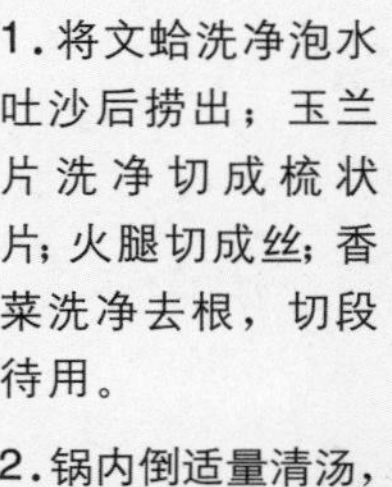

1.将文蛤洗净泡水吐沙后捞出；玉兰片洗净切成梳状片；火腿切成丝；香菜洗净去根，切段待用。

2.锅内倒适量清汤，放文蛤、玉兰片、火腿丝、姜丝，大火烧开煮3分钟，加白糖、盐、味精，淋入葱油，撒上香菜段即可。

虾球银耳汤

〔材料〕虾肉200克、银耳3朵。

〔调料〕料酒、淀粉、盐、味精、清汤。

做法

1.将银耳洗净用温水泡发，捞出后控干水分待用。

2.将虾肉洗净，用刀背捶成蓉，放在碗中，加料酒、淀粉、盐、味精、清汤少许，顺着一个方向用力搅匀上劲，制成丸子，放入冷水锅中，煮至八成熟捞出待用。

3.沙锅内放入适量清汤，放入银耳，大火烧开后改小火煮20分钟，再放入虾丸，开锅后加盐、味精即可。

虫草甲鱼煲

〔材料〕甲鱼1只（约500克）、虫草8颗。

〔调料〕盐、味精、清汤。

做法

1.将甲鱼活杀后去内脏，放入滚水中煮至变色后捞出沥干；虫草用温水洗净备用。

2.沙锅内倒入适量清汤，放入甲鱼、虫草，大火烧开，改小火煲3小时，加盐、味精即可。

营养师建议

★★★虫草是传统的补药，可以治疗肺肾阴虚引起的疲劳、盗汗、潮热等症，还可止血止咳，和甲鱼同食可消除疲劳，增进活力，提高人体免疫力。

一品鲜虾汤

〔材料〕大虾200克、熟猪肚100克、鱿鱼100克、蟹棒50克、小油菜2棵。

〔调料〕盐、白糖、葱油、清汤。

做法

1.将大虾摘除沙线后洗净，焯水；油菜洗净焯水过凉待用。

2.熟猪肚切条；鱿鱼剞花刀切成长条；蟹棒切成段焯水过凉。

3.锅内倒适量清汤，放大虾、猪肚、鱿鱼、蟹棒，大火煮5分钟，撇去浮沫，放入小油菜煮熟，加盐、白糖调味，淋入葱油即可。

TIPS 贴心小提示<<<

1 熟猪肚不要买煮得太烂的，稍微硬一点适合二次加工做汤。

2 鱿鱼的花刀不要剞在背面，切在正面遇热后鱿鱼才能翻成卷。

鲢鱼头豆腐汤

〔材料〕冻豆腐100克、鲢鱼头1个。

〔调料〕植物油、葱段、姜片、酱油、米酒、盐、白糖。

做 法

1.鲢鱼头洗净，控干水分；把冻豆腐洗净，控出水分，切成块备用。

2.锅中倒油烧热，放鲢鱼头煎至金黄，盛出备用。

3.将煎过的鲢鱼头放入锅中、加入冻豆腐、葱段、姜片和其他调料用中火炖10分钟，盛出即可。

营养师建议

★★★新鲜的嫩豆腐放在寒冷的室外过一夜，第二天就成了冻豆腐。由于豆腐内部的水分在低温条件下发生膨胀，形成一个个的小孔，使得冻豆腐比普通豆腐更能入味，也更有咬劲。用鲢鱼头煮的汤滋味甘美，软韧的冻豆腐很容易吸附由鲢鱼头熬出来的汤汁，放在一起是十分合适的搭配组合。

干贝白菜汤

〔材料〕白菜心300克、干贝30克、火腿50克、海米20克。

〔调料〕盐、葱段、姜片、料酒、盐、味精、胡椒粉、植物油、清汤。

做 法

1.将白菜心洗净、沥干，切成大片；干贝、海米洗净用温水泡软；火腿切片备用。

2.锅内倒油烧至六成热，放入葱段、姜片煸出香味，放入干贝、火腿、海米，烹入料酒煸炒片刻，倒入适量清汤，大火烧开，放入白菜，小火煮30分钟，加盐、味精、胡椒粉即可。

营养师建议

★★★干贝肉质细嫩，具有独特的鲜香味道，烧出的汤汁鲜香味浓，营养丰富。

家常鲜蟹汤

〔材料〕鲜蟹1只、五花肉150克、酸菜150克、蛎黄50克、粉丝50克、北极贝50克、小油菜1根。

〔调料〕高汤、姜丝、盐、鸡精、香油、植物油。

做 法

1.将鲜蟹除去肺鳃及杂物洗净沥干，切成四块；五花肉洗净，刮除油腻，煮熟捞出晾凉，切成大片；酸菜切丝；粉丝剪断焯水；北极贝、蛎黄、蟹块、油菜焯水备用。

2.锅内倒油烧至六成热，放入姜丝、酸菜丝煸香断火。

3.沙锅内倒入高汤，加入蟹块、五花肉、酸菜丝、北极贝、蛎黄、粉丝大火烧开，改中火煮10分钟，加盐、鸡精、小油菜，淋入香油即可。

蛎黄白菜汤

〔材料〕蛎黄200克、白菜心100克、黄豆芽50克。

〔调料〕葱花、姜丝、盐、鸡精、植物油、清汤。

做 法

1.将蛎黄洗净焯水；白菜心洗净从中劈开；黄豆芽洗净去根须，焯水过凉备用。

2.锅内倒油烧至六成热，放入姜丝、葱花煸香，倒入适量清汤，放入蛎黄、黄豆芽大火煮开后撇去浮沫，放入白菜心，再中火煮2分钟，加盐、鸡精即可。

营养师建议

★★★①菜香味美，有解毒醒酒之功效。②蛎黄要多洗几遍，方可彻底清除泥沙，以免食用时碜牙，影响味道。

河蟹兰花汤

〔材料〕河蟹2只、西兰花200克。

〔调料〕高汤、盐、味精。

做 法

1.将河蟹洗净，除去腹部软壳和肺鳃，切成四块；西兰花洗净，切大朵焯水过凉沥干备用。

2.锅内倒入高汤，放入河蟹，大火烧开后撇去浮沫，放入西兰花煮3分钟，加盐、味精即可。

营养师建议

★★★①此汤有清热养血、益气养筋之功效。②做汤的河蟹宜选用活鲜的母蟹，蟹黄能提升汤的鲜味，死河蟹不能食用。

肉蟹番茄豆腐煲

〔材料〕肉蟹2只、番茄2个、豆腐1块、笋干50克。

〔调料〕姜片、盐、味精、清汤、植物油。

做　法

1.番茄洗净，去蒂切块；肉蟹去肺鳃，刷洗干净待用。

2.豆腐切块焯水过凉；笋干用温水泡软洗净，切片待用。

3.锅内倒油烧至六成热，放入姜片、蟹煸至姜香蟹红，放入番茄、笋片，倒入适量清汤，大火翻煮10分钟，放入豆腐，小火炖20分钟后放入盐、味精即可。

川芎鱼头煲

〔材料〕鱼头1个、粉皮100克、川芎6克、白芷8克。

〔调料〕葱丝、葱段、姜片、料酒、盐、植物油、清汤。

做　法

1.将鱼头洗净，刮鳞、去鳃，沥干；粉皮掰成大块，放入温水泡软备用。

2.锅内倒油烧至六成热，放鱼头两面煎黄，下葱段、姜片煸香，烹入料酒，倒适量清汤，放川芎、白芷，大火烧开，小火慢煲2小时，放粉皮煮10分钟，加盐、撒葱丝即可。

TIPS 贴心小提示<<<

鱼头最好选用花鲢鱼头，它味甘性温无毒，肉质细腻鲜美，是上好的汤料。

生蚝清汤

〔材料〕生蚝500克、紫菜1片。

〔调料〕葱花、姜丝、料酒、淀粉、盐、胡椒粉、香油、清汤。

做　法

1.将生蚝洗净，开壳取出生蚝肉，用盐、淀粉抓匀揉搓，再用清水洗净，焯水捞出沥干；紫菜撕片备用。

2.沙锅内倒入适量清汤，大火烧开后放入生蚝、紫菜、料酒，开锅后放入葱花、盐、胡椒粉、姜丝，淋入香油即可。

营养师建议

★★★生蚝因其含有丰富的矿物质、蛋白质、微量元素，营养价值很高，素有“海中牛奶”之美誉，是补肝肾之佳品。

蛤蜊蒸蛋汤

〔材料〕鸡蛋2个、蛤蜊10个、草菇2朵、银杏4个。

〔调料〕高汤、盐、鸡精、香油。

做　法

1.将银杏、草菇分别洗净；蛤蜊泡水吐沙。

2.鸡蛋磕入蒸碗中搅匀，放入盐、鸡精和适量的水拌匀，再加银杏、草菇、蛤蜊，移入蒸锅中小火蒸约10分钟取出。

3.锅中倒高汤、盐、鸡精煮开，淋上香油，盛入蒸好的蛋碗中即可。

TIPS 贴心小提示<<<

蛤蜊下锅前一定要泡水吐沙洗净，否则蒸蛋后会有沙子破坏口感。蛋汁中加入水可使蛋蒸出来更加滑嫩，但水的分量不可太多，以免蛋汁不易凝固。

八鲜滋补汤

〔材料〕水发海参100克、鸡肉100克、猪肉100克、玉兰片50克、干贝20克、火腿20克、海米10克、人参3克。

〔调料〕葱段、姜片、料酒、盐、味精、猪油、清汤。

做 法

1.将人参洗净切薄片；猪肉、鸡肉洗净切成小块焯水；玉兰片、火腿、切片；海参切丁，干贝、海米用温水泡软。

2.锅内放猪油烧至六成热，放葱段、姜片煸香，烹入料酒，倒适量清汤，放人参、猪肉、鸡肉、玉兰片、干贝、火腿、海米大火烧开，小火煲1小时，放海参丁煮10分钟，加盐、味精即可。

天麻鲫鱼汤

〔材料〕鲫鱼2条、天麻10克、白芷10克、蜜枣4颗。

〔调料〕姜片、料酒、盐、味精、胡椒粉、植物油、清汤。

做 法

1.将鲫鱼洗净刮鳞、去鳃，沥干；天麻、白芷洗净装入纱布袋扎紧备用。

2.锅内倒油烧至六成热，放鲫鱼，两面煸黄，再放姜片煸香，烹入料酒，倒适量清汤，放药袋，大火烧开，小火煮1小时，加盐、味精、胡椒粉即可。

营养师建议

★★★①此汤有行气活血、祛风止痛、止晕止眩之功效。②鱼头宜选用花鲢鱼头，肉细味美，是合适的汤料。

河鳗白果煲

〔材料〕河鳗500克、白果80克、香菇5朵、青蒜1根。

〔调料〕葱段、姜末、蒜、料酒、酱油、盐、胡椒粉、香油、植物油、清汤。

做 法

1.将河鳗洗净开膛去内脏，放入60℃的热水中烫过，洗去黏液，切成3厘米段；白果用温水浸泡数小时，剥去外皮，煮熟；香菇用温水泡软，洗去泥沙，去除根蒂，切片；青蒜洗净切成丝备用。

2.锅内倒油烧至六成热，放入姜末、葱段、蒜瓣煸香，再放香菇翻炒一下；倒入清汤，放入白果、料酒、酱油、河鳗，大火烧开，改小火焖煮30分钟，加盐、胡椒粉，淋入香油，撒上青蒜丝即可。

萝卜鱼丸汤

〔材料〕白萝卜1根、鱼丸100克、芹菜2根。

〔调料〕高汤、盐、姜末、胡椒粉、香油。

做 法

1.芹菜去叶洗净切成末；白萝卜洗净去皮，切成小块备用。

2.鱼丸洗净，在表面划上十字花刀。

3.锅中倒入高汤烧开，放入白萝卜煮熟、改用小火加入鱼丸和盐、胡椒粉拌匀。

4.再放入姜末、芹菜末，淋上香油即可。

TIPS 贴心小提示<<<

简单又美味的汤品，各种丸子甚至饺子都可以放在里面，再加入芹菜末或香菜末，清爽又可口。

黄芪鲫鱼汤

〔材料〕鲫鱼2条、黄芪10克、莲藕200克、胡萝卜1/2根、红枣6颗。

〔调料〕姜片、料酒、盐、味精、清汤、植物油。

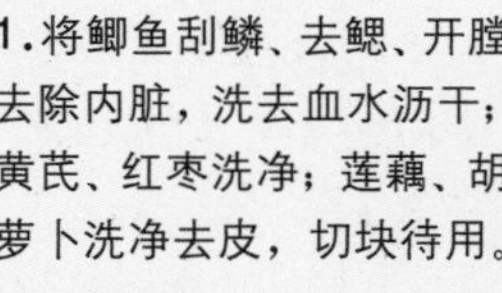

做 法

1.将鲫鱼刮鳞、去鳃、开膛去除内脏，洗去血水沥干；黄芪、红枣洗净；莲藕、胡萝卜洗净去皮，切块待用。

2.锅内倒油烧至六成热，放鲫鱼煎至两面黄，再放姜片煸香，烹入料酒，倒适量清汤，放黄芪、红枣、莲藕，大火烧开，再小火慢煲1小时。

3.将胡萝卜放入锅中，继续用小火煲30分钟，加盐、味精调味即可。

冬笋鱿鱼汤

〔材料〕鱿鱼干350克、冬笋200克。

〔调料〕盐、胡椒粉。

做　法

1.将鱿鱼干放入温水中泡发，洗净、切片；冬笋洗净、切片。

2.锅内倒适量清水，加入冬笋片、鱿鱼片一起煮熟，再调入盐、胡椒粉即可。

TIPS 贴心小提示<<<

鱿鱼一定要泡透、冲洗干净，否则会有干鱿鱼的腥味，影响汤的味道。也可在汤中加适量的香菜，调味调色。

木瓜鱼汤

〔材料〕草鱼中段1块、青木瓜半个、莲子20克、番茄1个。

〔调料〕植物油、盐。

做　法

1.将草鱼洗净，放入油锅中煎至两面微黄，捞出备用；木瓜去皮及子，切块；莲子泡好洗净；番茄去蒂，洗净切块。

2.锅中倒入适量开水，放入莲子、鱼块，大火煮滚后改小火煲2小时至汤色变白，加入木瓜块、番茄块、盐，煮开再煲30分钟即可。

营养师建议

★★★①木瓜可以帮助分解人体肠道内的动物性蛋白，可以清肠胃、助消化，平时最好多多食用。②煮鱼前先煎一下，煮出的鱼汤会是奶白色的，而且鱼也不易碎。

蛋丝海带汤

〔材料〕海带20克、蛋汁10克。

〔调料〕高汤、盐。

做　法

1.把海带先用水泡过，捞出控干水分，切成丝放入碗中备用。

2.蛋汁放入小碗中打匀，放入热锅中煎成蛋皮，再将其切成细丝。

3.另起锅烧热倒入高汤烧开，加入蛋皮丝、海带丝及盐再煮3分钟即可。

TIPS 贴心小提示<<<

用海带做汤是比较习惯的吃法，早餐的汤以材料不要太烦琐，味道不宜太重为佳。

鱼片汤

〔材料〕草鱼中段300克、皮蛋（松花蛋）1个、香菜2棵。

〔调料〕姜丝、盐、胡椒粉、香油。

做　法

1.将草鱼中段去皮，剔骨，洗净，切片；皮蛋去皮，切瓣；香菜洗净，切段。

2.锅中倒入适量水烧开，改小火，放入姜丝、皮蛋煮出味后，放入鱼片，出锅前加入盐、胡椒粉、香油搅匀，撒上香菜段即可。

营养师建议

★★★制作鱼片汤的材料可以根据个人喜好来选择鱼种，比如用鲤鱼、鲢鱼等等，海鱼也可以。

海鲜鸡蛋羹

〔材料〕鸡蛋2个、香菇2朵、虾仁4只、蛤蜊2个、豌豆15粒。

〔调料〕盐、香油。

做　法

1.香菇洗净、泡发；虾仁、蛤蜊、豌豆洗净切碎备用。

2.把鸡蛋打散加水及盐调成稀蛋液，盛入碗中。把碗放进微波炉，用中波加热5分钟，至蛋汁凝固。

3.再将香菇、虾仁、蛤蜊、豌豆放在蒸蛋上，用中波加热2分钟，淋上香油即可。

TIPS 贴心小提示<<<

一定要将蛋液先加热至凝固，再放入其他材料，另外，如果偏好奶味的话，可以用牛奶替代纯净水，蒸蛋会更加香滑。

虾皮紫菜汤

〔材料〕紫菜10克、虾皮5克、香菜少许。

〔调料〕盐、香油、味精。

做　法

1.将虾皮洗净；紫菜撕碎；香菜择洗干净，切段。

2.锅中倒入适量清水煮开，放入虾皮、紫菜、盐，出锅前加入香油、味精、香菜搅匀即可。

营养师建议

★★★紫菜的营养十分丰富，每100克紫菜里含蛋白质29～35.6克，是海带的4倍，与大豆的含量相近，并且蛋白质容易消化吸收。它有清热、利尿、化痰的功效，特别适宜盛夏季节食用。

鲜贝冬瓜汤

〔材料〕鲜贝30克、冬瓜200克、香菇3朵、里脊肉50克。

〔调料〕盐、酱油、淀粉、香油、味精、料酒。

做　法

1.将鲜贝洗净，切成丝；香菇泡软洗净，去蒂，切丝；冬瓜削皮、去瓤，切片；里脊肉洗净切成片，用酱油、料酒、淀粉拌匀。

2.汤锅中放入适量清水，煮开后，放入冬瓜、香菇，大火煮沸后改用小火。

3.锅内放入肉片再煮5分钟，加入鲜贝、盐和味精，出锅时淋入香油即可。

营养师建议

★★★鲜贝不仅味道鲜美，蛋白质含量很高，而且脂肪含量极低，是瘦身的好食材。

萝卜丝鲫鱼汤

〔材料〕活鲫鱼2条、白萝卜200克。

〔调料〕植物油、葱段、姜片、胡椒粉、清汤、盐、料酒、味精、香油。

做　法

1.将鲫鱼收拾干净，在鱼身两侧平行划上刀纹，放入沸水中略烫，捞出；白萝卜洗净，去皮，切丝，放入沸水中焯一下。

2.锅中倒油烧到六成热，下入鲫鱼略煎，然后放入葱段、姜片、清汤、料酒烧沸，撇去浮沫，盖上锅盖用中火煮至汤呈乳白色，拣出葱、姜不要，加入盐、萝卜丝再煮5分钟左右，加入味精、香油、胡椒粉即可。

营养师建议

★★★鱼的蛋白质含量高，脂肪含量很低，尤其白色肉质的鱼，瘦身效果更好。

菠菜虾皮粉丝汤

〔材料〕菠菜150克、虾皮20克、粉丝50克。

〔调料〕盐、胡椒粉、味精。

做　法

1．将菠菜择洗干净，切成3厘米段；粉丝用温水发好，洗净，备用。

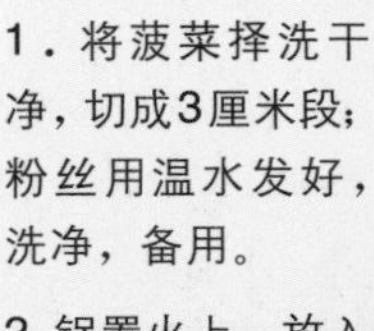

2.锅置火上，放入适量清水，加盐烧开，放入粉丝、虾皮，烧开后转中火煮3分钟，放入菠菜，撒入胡椒粉、味精，搅匀即可。

腐竹蛤蜊汤

〔材料〕蛤蜊300克、腐竹150克、芹菜80克。

〔调料〕高汤、香油、盐。

做 法

1.腐竹洗净，用温水泡软后切段；芹菜洗净，摘去叶切末备用。

2.蛤蜊泡水，淘出沙子及污垢，再加盐浸泡3小时。

3.把高汤倒入锅中煮开，先放腐竹进去煮滚，然后放入蛤蜊煮到壳开。

4.最后放盐、香油及芹菜末，豆腐皮搅拌均匀，盛出即可。

TIPS 贴心小提示<<<

蛤蜊烹调前一定要先泡清水，把沙子及污物泡出，这样能保持卫生与美味。

木瓜鱼煲

〔材料〕草鱼肉100克、木瓜150克。

〔调料〕番茄酱、盐。

做 法

1.将草鱼肉清洗干净，切成片；木瓜去皮，去瓤，洗净，切成块，备用。

2.锅置火上，倒油烧热，放入草鱼肉略炸，捞出沥油。

3.煲锅置火上，放入适量清水烧开，再放入草鱼肉，大火烧开，转中火煲1小时，放入木瓜、番茄酱、盐，继续煲30分钟即可。

鲫鱼香菇汤

〔材料〕鲫鱼1条、香菇5朵、小油菜30克、冬笋30克。

〔调料〕盐。

做 法

1.鲫鱼去鳃、内脏，洗净，入油锅中炸成金黄色。

2.香菇洗净泡软；冬笋剥去外壳、切片；小油菜洗净。

3.将鲫鱼、香菇、小油菜加水熬汤，大火开后转小火煮约20分钟，加盐调味即可。

营养师建议

★★★鲫鱼味甘性温，有利水消肿、通脉下乳等功效。此道菜品补气、利水、消肿、改善妊娠小便不顺畅。

海鲜酸辣羹

〔材料〕虾仁50克、鱿鱼50克、干贝20克、香菇20克、竹笋20克、木耳20克、海带20克、豆腐150克。

〔调料〕盐、味精、醋、胡椒粉、葱丝、香菜叶、青、红柿子椒丝、水淀粉。

做 法

1.将干贝、香菇、木耳均用凉水泡发，择净切丝备用；鱿鱼、竹笋、海带、豆腐洗净，切丝，备用。

2.锅置火上，放入适量清水，放入盐、味精、醋、胡椒粉、葱丝、虾仁，煮开后转小火炖约15分钟，加入青、红柿子椒丝，用水淀粉勾芡，出锅后撒上香菜叶即可。

竹笋响螺汤

〔材料〕竹笋50克、响螺肉100克。

〔调料〕姜片、盐、味精。

做法

1.将响螺肉清洗干净，放入沸水中焯一下，捞出沥干，切片；竹笋洗净，斜切成3厘米长的段，备用。

2.锅置火上，放入适量清水烧开，放入竹笋，加盐、姜片，煮5分钟，再放入响螺肉稍煮，撒入味精，搅匀即可。

TIPS 贴心小提示<<<

响螺肉具有很高的营养价值。据科学实验测定，每100克螺肉中就含有11.8克蛋白质、0.5克脂肪以及丰富的碳水化合物，营养丰富，在滋阴补肾方面尤其有良好的功效。

豆腐酱汁汤

〔材料〕豆腐1块、裙带菜20克。

〔调料〕葱末、高汤、豆瓣酱。

做法

1.将裙带菜泡水10分钟洗净，挤干水分后切成约2厘米宽的小段；豆腐洗净切块。

2.锅中加入高汤煮沸，放入裙带菜稍微煮一会儿。

3.倒入豆瓣酱，轻轻搅拌。

4.将豆腐放入锅中，略微煮熟后撒上葱末即可。

三鲜豆腐

〔材料〕豆腐300克、虾仁100克、冬笋50克、鸡蛋35克、水发海参20克、鸡蛋清20克、香菜10克、面粉15克。

〔调料〕鸡汤、花生油、水淀粉、葱花、姜丝、酱油、盐、味精、香油。

做法

1.将海参、冬笋拣好，洗净，切成蚕豆丁大，用开水氽过，放入碗中。

2.将虾仁洗净，切丁，用适量鸡蛋清、水淀粉及适量盐拌好，用温油滑透，捞出待用。

3.将豆腐切成长方块，炸成金黄色后捞出，剖成两片，将海参、冬笋及虾仁丁加入适量盐、味精、姜末、香油拌匀，填入豆腐内，再用掺入蛋黄的少许面粉抹在豆腐片上封好，上笼蒸10分钟取出。

4.在炒锅中加入鸡汤，煮沸加入水淀粉勾成薄芡，淋在豆腐上，加香油，撒上香菜即可食用。

鱼汤金针肥牛卷

〔材料〕肥牛片150克、金针菇250克、鲫鱼1条、油菜少许。

〔调料〕植物油、盐、味精、芝麻酱、香辣酱。

做法

1.金针菇切去根部，洗净，取一肥牛片，卷入适量金针菇；油菜洗净备用。

2.鲫鱼洗净，放入热油锅中略煎，加水，熬至汤汁乳白。

3.加入盐、味精调味，下入肥牛卷、油菜略煮，配芝麻酱、香辣酱同食即可。

山药鱼头汤

〔材料〕草鱼或胖头鱼1条、山药150克、豌豆苗50克、海带结10克。

〔调料〕植物油、盐、味精、胡椒粉、姜片。

做 法

1.将鱼洗净，去鳃，只要鱼头；山药去皮，洗净切块。

2.锅内倒油烧热后，放入鱼头煎至两面微黄时取出。另起一锅放入水和鱼头、山药、海带结、姜片，大火煮开后转小火慢熬30分钟。

3.再放入豌豆苗煮2分钟，放入盐、味精、胡椒粉调味即可。

营养师建议

★★★鱼头除蛋白质含量较高外，还富含铝、磷、铁等元素；山药有帮助消化、滋养脾胃等功效，食用此菜能有效帮助产妇恢复体能，促进乳汁的分泌。

泡菜鳕鱼汤

〔材料〕鳕鱼200克、豆腐1/2块、朝鲜泡菜150克。

〔调料〕蒜末、盐、酱油、鸡精。

做 法

1.将鳕鱼肉去骨、切片，放在滤筛上撒少许盐，腌渍10分钟，淋上热水，备用。

2.豆腐切块，泡菜切成2厘米长的段。

3.锅里放2杯水，放入鸡精和适量的盐。煮沸后放入鳕鱼、豆腐煮开，再加入泡菜、蒜末。

4.出锅前，用酱油调味即可。

TIPS 贴心小提示<<<

在用勺子搅动汤时，要从锅壁慢慢滑动，以免用力过大，把豆腐搅碎。

海带排骨青椒汤

〔材料〕猪排骨400克、青椒150克、海带适量。

〔调料〕葱段、姜片、盐、料酒、香油。

做 法

1.将海带浸泡后，放笼屉内蒸约半小时，取出再用清水浸泡4小时，彻底泡发后，洗净控水，切成长方块。

2.排骨洗净，用刀顺骨切开，横剁成约4厘米长的段，入沸水锅中煮一下，捞出用温水泡洗干净。

3.青椒洗净，去籽，切成菱形片。

4.净锅内加入1000克清水，放入排骨、葱段、姜片、料酒，用旺火烧沸，撇去浮沫，再次烧沸，用中火焖烧约20分钟，倒入海带块，再用大火烧沸10分钟，放入青椒片，拣去姜片、葱段，加盐调味，淋入香油即可。

泰式红油汤

〔材料〕草虾1只、草菇50克、柠檬叶5克。

〔调料〕高汤、红油、椰奶、柠檬汁、醋、南姜。

做 法

1.将草虾、草菇洗净，草虾挑去沙线，草菇切成丁。

2.将高汤倒入汤锅煮开，放入草虾和草菇。

3.锅内高汤翻滚时加椰奶、南姜、柠檬汁、醋一同煮。

4.大约煮5分钟，盛入盅里加适量红油，放上柠檬叶，即可食用。

营养师建议

★★★最后放入红油，红油会漂浮在汤上，在喝汤的时候，不会感觉很油腻，因为柠檬叶也可以缓解这种油腻感。

糟鱼肉圆汤

〔材料〕青鱼中段150克、肥瘦猪肉75克、鸡蛋清1个、豆苗12克、冬笋10克、水发冬菇10克。

〔调料〕香糟、料酒、葱汁、姜汁、鸡油、盐、味精、干姜粉。

做法

1.青鱼洗净，切成长方块，加少量盐拌匀，腌半小时，随即将香糟用料酒调稀，与鱼块拌和，腌2小时。

2.冬笋切成片状;冬菇去蒂。猪肉剁成肉末，加盐、味精、葱姜汁、蛋清、干姜粉拌和，待用。

3.沙锅倒入清水，鱼块、笋片、冬菇一起下锅，加入盐、味精，烧开后离火。拌好的肉泥做成肉圆放入锅内，用小火滚烧约5分钟，放入豆苗烫热后，淋入鸡油即可。

海参汤

〔材料〕水发海参750克、香菜适量。

〔调料〕鸡汤、植物油、葱丝、料酒、姜水、味精、盐、胡椒粉、酱油、香油。

做法

1.把发好的海参放于清水中，逐个仔细抠去腹内黑膜，洗净泥沙，批成大片，在开水中汆透，捞出控干水分；香菜择好洗净切成3厘米长的段，备用。

2.炒锅大火烧热，倒入油烧热后放入葱丝煸炒，烹入料酒，加入鸡汤、味精、姜水、酱油、盐和胡椒粉，将海参片也放入汤内，汤开后将浮沫撇去。

3.最后淋入香油，盛入大汤碗中，撒上葱丝和香菜段即可食用。

莼菜鱼羹

〔材料〕莼菜250克、青鱼肉200克、火腿50克。

〔调料〕植物油、高汤、水淀粉、料酒、葱段、葱丝、姜片、姜丝、盐、味精。

做法

1.青鱼肉洗净放入盘内，加少许料酒、葱段、姜片，上笼蒸至断生，去刺、皮，留肉、汤待用。

2.莼菜洗净，放入沸水中汆一下；火腿切丝备用。

3.锅内放油烧热，放葱段、姜片，炒出香味后拣去不用。放高汤烧沸后下鱼肉、莼菜、姜丝、盐、味精。

4.再煮沸时，加水淀粉勾芡，撒入葱丝、火腿丝搅匀即可。

花生鱿鱼汤

〔材料〕鱿鱼1只、排骨300克、花生200克、红枣10粒。

〔调料〕姜片、葱花、盐。

做法

1.将排骨洗净剁成块；红枣洗净去核；花生用清水浸泡40分钟后驱除。

2.将鱿鱼去掉外衣及内脏，洗净，放在滚水内煮5分钟，取出再洗一次。

3.排骨放在滚水中，煮5分钟，取出。

4.锅内倒适量水烧开，放入鱿鱼、花生、排骨、姜片、红枣烧滚、用小火煲3个小时，放入盐、葱花即可。

青菜蛤蜊汤

〔材料〕蛤蜊300克、豌豆苗适量。

〔调料〕姜丝、胡椒粉、盐、味精。

做法

1.将蛤蜊放在清水中浸泡，使其吐出泥沙后洗净；豌豆苗摘净洗净待用。

2.锅内倒清水，将蛤蜊、姜丝、盐放入锅中一起烧开至水滚沸半分钟。

3.将豌豆苗放入锅中稍微煮一下，加味精、胡椒粉调味盛出即可。

TIPS 贴心小提示<<<

1 豌豆苗不能煮太久，烫熟即盛出才能保持色泽与清香。

2 如果选用速冻蛤蜊，无需泡水吐沙，最好用高汤来煮味道更浓。

鱿鱼汤

〔材料〕鱿鱼干200克、熟火腿片500克、冬菇500克、青菜心100克。

〔调料〕碱水、味精、盐、植物油、香油、高汤、酱油。

做法

1.将鱿鱼干洗干净，放入碱水内浸泡一夜，捞出，切成约5厘米见方的块备用；冬菇洗净，切片；青菜心洗净。

2.将高汤倒入锅内，下鱿鱼块、火腿片、冬菇片、青菜心及酱油、味精、盐、植物油，用大火煮沸，起锅装入大碗中，淋入香油即可。

营养师建议

★★★鱿鱼具有调节血压、保护神经纤维、活化细胞的作用。

雪花鲫鱼羹

〔材料〕鲫鱼1条、鸡蛋2个、火腿5克。

〔调料〕植物油、姜丝、盐、味精、白糖、料酒、水淀粉。

做法

1.将鲫鱼洗干净切成块；鸡蛋留下蛋清打匀；火腿切成粒。

2.锅内倒油烧热，放入姜丝、鲫鱼块，煎成两面金黄，烹入料酒，倒上清水用大火煮滚至汤白。

3.把鱼骨和鱼刺去掉，调入盐、味精、白糖煮透。用水淀粉勾芡，淋上鸡蛋清推匀，撒上火腿粒即可。

TIPS 贴心小提示<<<

鱼要煎透，煮时用大火，盐不能早放，否则汤不白味道还腥。鲫鱼的动物蛋白和不饱和脂肪酸可润肤养颜。

南瓜海带减脂汤

〔材料〕南瓜1个、瘦肉200克、干海带2条。

〔调料〕盐、味精。

做法

1.将干海带洗净，泡入水中至软，把海带切成2厘米的段。

2.南瓜去皮、去子后洗净，切成小块；瘦肉洗净切块。

3.将海带、南瓜、瘦肉放入汤锅中，加入适量的水，先用大火煮滚，再改用小火煮3小时，放入盐、味精调味即可。

营养师建议

★★★此汤是减肥消脂又美味的好汤品，让你轻松平坦小腹。

桂枣山药汤

【材料】山药 300 克、红枣 12 粒、桂圆肉 4 粒。

【调料】白糖。

做法

1.红枣泡软，山药去皮、切丁后，一同放入清水中烧开，煮至熟软，放入桂圆肉及白糖调味。

2.待桂圆肉煮至散开，即可关火盛出食用。

红糖姜汁蛋包汤

〔材料〕鸡蛋2个、老姜5克。

〔调料〕红糖50克。

做 法

1.将老姜洗净，放入500毫升清水中用小火煮20分钟。

2.将火关小，将鸡蛋磕入姜水中呈荷包蛋，煮至鸡蛋浮起。

3.加入红糖搅拌，盛入碗中即可。

营养师建议

★★★红糖性温味甘，入脾，具有益气、缓中、化食之功能，能健脾暖胃，还有止疼、行血、活血散寒的效用。此汤具有温胃、祛寒、增加蛋白质的功效。

冰糖百合鲫鱼汤

〔材料〕活鲫鱼2条、鲜百合25克。

〔调料〕料酒、冰糖、盐。

做 法

1.将百合洗净，用清水浸泡一会；鲫鱼收拾干净，控水。

2.将鲫鱼放入沙锅内，加入足量凉水浸没，中火烧开后，放料酒，随即倒入百合片、冰糖，再改用小火慢炖约1个小时，至汤色发白、鱼肉烂熟时，加盐调味即可。

营养师建议

★★★百合有着细腻的肉质，以及清香醇甜的味道，与冰糖一起食用，有丰富的营养价值。

蜜梨汤

〔材料〕雪梨500克、笋200克、蜜枣20克、杏20克、陈皮1片。

〔调料〕盐。

做 法

1.雪梨去皮、核，洗净，切块；笋洗净，去皮切块；陈皮泡软，洗净。

2.锅内倒入适量清水，烧开后，放入全部材料，以大火炖15分钟后，改小火炖约60分钟。

3.食用前用盐调味即可。

营养师建议

★★★此汤颜色鲜艳，甜中略带一点咸味，还有消暑降温的作用。

腐竹白果薏米糖水

〔材料〕腐竹15克、白果15克、薏米70克、鸡蛋2个。

〔调料〕姜、冰糖。

做 法

1.薏米洗干净；腐竹浸软；白果去壳，用热水浸片刻，撕去衣，去心。

2.煲滚加适量水，将白果、薏米放入煲，煮沸。然后加入腐竹、冰糖，煲至冰糖溶化，将鸡蛋磕入糖水中，煮至薏米刚熟即成。

TIPS 贴心小提示<<<

1.夏季天气燥热时喝一些糖水能清除燥热，使身体舒畅。

2.白果和薏米有清热去湿的功效。

奶油菜花汤

〔材料〕嫩菜花200克、豆腐干50克、油菜心50克、清汤适量。

〔调料〕盐、味精。

做　法

1.胡萝卜将菜花洗净后掰成小朵，放入沸水中略烫捞出，放入冷水中过凉；将豆腐干切成长片；油菜心洗净顺长切片。

2.炒锅置火上，加入清汤、菜花、盐、味精，烧沸后撇去汤面浮沫，加入油菜心、豆腐干片改用小火炖几分钟即可。

银耳木瓜汤

〔材料〕榆耳15克、银耳15克、竹荪15克、木瓜1个(700克)、莲子30克、百合30克、蜜枣4粒、陈皮小半个。

〔调料〕盐。

做　法

1.将榆耳、银耳和竹荪用清水浸2小时，剪去梗蒂，洗净后用开水略焯，再冲干净后沥干水分；木瓜洗净去皮、去核，切大块；莲子和百合洗净，然后浸1小时；蜜枣洗净；陈皮浸软刮去瓤。

2.锅内加适量清水，放入陈皮，以大火煮开，再将榆耳、银耳、竹荪、莲子、百合、蜜枣加入炖1小时后，加入木瓜再煲1小时，加入适量盐调味即可。

营养师建议

★★★木瓜有降低血压的作用，同时也是女性养颜丰胸的佳品。

百合绿豆汤

〔材料〕百合50克、绿豆300克。

〔调料〕冰糖。

做　法

1.绿豆洗净，浸泡2小时后沥干；百合泡好后洗净。

2.绿豆放入锅中，加适量水以大火煮开，转小火慢煮约30分钟，至绿豆变软、稍微裂开，放入百合，以中火煮至百合呈透明状时，加入冰糖，续煮5分钟至冰糖融化，即可熄火起锅。

营养师建议

★★★①百合有改善心情、帮助睡眠、保护呼吸系统的功效。绿豆能清热解毒、利水消肿。②这款清热解毒的甜品，最适合爱尝甜味的“战痘”美女食用,冷热饮用皆宜。

鲜奶冬瓜汤

〔材料〕冬瓜400克、牛奶30克、清汤400克。

〔调料〕盐、味精、葱末、姜汁、植物油。

做　法

1.将冬瓜去皮、去瓤，洗净，用挖球器挖成葡萄大小的球状备用。

2.炒锅置大火上，加入植物油烧至五成热，加入葱末、姜汁、盐、清汤和冬瓜球炖煮。

3.炖至材料入味后加入牛奶，改用小火炖几分钟，加味精调味，起锅盛入汤碗中即可。

TIPS 贴心小提示<<<

冬瓜软嫩柔滑，汤味咸鲜适口，带有牛奶浓香味，别具风味。

核桃薏米汤

〔材料〕核桃仁70克、薏米70克、枸杞15克、红枣适量。

〔调料〕白糖。

做　法

1.将核桃仁浸泡洗净；红枣洗净，去核；薏米及枸杞分别洗净备用。锅中放入适量清水，把核桃、薏米放入，大火煮沸。

2.改中火煮约40分钟左右，倒入红枣、枸杞，再改小火煮约30分钟关火。加入适量白糖即可。

营养师建议

★★★①核桃性温、味甘、无毒，有健胃、补血、润肺、养神等功效。②薏米的蛋白质含量很高，与核桃结合具有降低胆固醇、防止心血管疾病、防止尿频、提高免疫力的功效。

花生桂圆红枣汤

〔材料〕花生仁50克、桂圆150克、红枣适量。

〔调料〕白糖。

做　法

1. 花生仁用温水泡2小时后去红衣；桂圆去壳洗净；红枣洗净，去核。

2. 锅中放适量清水，并加入泡好的花生仁煮20分钟左右。

3. 再放入红枣、桂圆继续煮约20分钟，关火，加适量白糖即可。

营养师建议

★★★此汤补心脾、益安神，有加强血液循环的作用。也可将白糖改为冰糖。

枸杞鸡汁玉米羹

〔材料〕嫩玉米粒200克、枸杞50克、鸡蛋1个。

〔调料〕盐、水淀粉、胡椒粉、鸡汤。

做　法

1. 嫩玉米粒洗净，上笼屉用大火蒸熟，略微放凉后取出，用刀背轻轻压破表皮；鸡蛋打散；枸杞洗净。

2. 汤锅加适量鸡汤煮开，倒入玉米粒和枸杞同煮5分钟。

3. 换成小火徐徐倒入蛋液，用水淀粉勾芡，调入适量的盐和胡椒粉即可。

营养师建议

★★★①玉米的营养主要集中于胚芽，剥取玉米粒时应注意保留。②没有鸡汤时可用鸡胸肉切成细丝，腌渍后一同放入汤内炖煮。

三色玉米甜羹

〔材料〕嫩玉米粒200克、青豆50克、枸杞20克、菠萝罐头1罐。

〔调料〕冰糖、水淀粉。

做　法

1. 嫩玉米粒洗净，上笼屉用大火蒸熟，略微放凉后取出，用擀面杖捣碎；青豆和枸杞洗净；取适量的罐装菠萝，切成小丁。

2. 汤锅加清水，倒入冰糖、玉米、枸杞、菠萝和青豆同煮5分钟。

3. 用水淀粉勾芡成稠浓的羹汤，出锅即可。

TIPS 贴心小提示<<<

青豆不宜煮熟，可先剁碎后煮汤，也可选用冷冻青豆。

桂花鲜栗羹

〔材料〕鲜栗子250克、糖桂花50克。

〔调料〕绵白糖、藕粉、盐、新鲜的玫瑰花瓣。

做　法

1. 栗子去壳洗净，切成两半，用开水煮10分钟后过冷水，剥去内膜后上笼屉蒸熟，再切成碎丁；藕粉加适量绵白糖和清水调成芡汁；玫瑰花瓣洗净，用淡盐水浸泡。

2. 汤锅加清水，倒入栗子丁煮开，撇去浮沫后放入糖桂花搅匀，煮开。

3. 换成小火徐徐倒入调好的芡汁，一边搅拌一边烧煮，成稠浓的羹汤后停火，倒入汤碗中，撒上玫瑰花瓣，即可。

山药豆腐羹

〔材料〕豆腐200克、山药150克、香菇20克。

〔调料〕高汤、鸡精、水淀粉、盐、胡椒粉、枸杞。

做 法

1.豆腐洗净，焯水后切成2厘米见方的丁；山药洗净去皮，切成同样大小的丁，用清水浸泡；香菇用温水泡发，去蒂后切成细丝。

2.汤锅加入高汤煮开，倒入豆腐、山药和香菇，大火煮开后用小火煨炖10分钟。开锅用水淀粉勾芡，调入盐、鸡精和胡椒粉，撒上几粒枸杞，即可。

奶油鳕鱼汤

〔材料〕鳕鱼250克、土豆100克、胡萝卜100克、洋葱50克、西兰花50克。

〔调料〕盐、胡椒粉、食用油、白葡萄酒、黄油、牛奶、面粉。

做 法

1.鳕鱼洗净，切成小块，加盐和胡椒粉拌匀，煨10分钟；各种蔬菜洗净，去皮切块；西兰花洗净，分成朵。

2.炒锅加油烧热，爆炒各种蔬菜，至蔬菜半熟后添加清水，放入鱼块、盐和白葡萄酒，中火煮开。

3.另坐锅溶化黄油，倒入牛奶和面粉，不停搅拌成糊状，然后倒入鱼汤，搅匀后出锅。

TIPS 贴心小提示<<<

煮鱼块的同时就调制面糊，搅匀熟透时鱼汤也恰好开锅。

人参莲子羹

〔材料〕干人参10克、去心莲子100克、山楂糕50克、菠萝罐头1罐。

〔调料〕水淀粉、冰糖。

做 法

1.人参用温水泡软后切片；莲子用温水泡软，用清水冲洗后倒入汤碗，加清水、人参片和适量冰糖，上笼蒸熟；山楂糕大部分切成小丁，少量切成细丝；取适量罐装菠萝块，切成小丁。

2.汤锅加清水烧开，倒入蒸好的莲子和蒸碗内的料汁，加适量冰糖溶化，然后再倒入山楂糕和菠萝，一同煮开。

3.开锅后撇去浮沫，用水淀粉勾芡，撒上山楂糕细丝，即可。

柠檬豆花羹

〔材料〕内脂豆腐1盒、鲜柠檬1个。

〔调料〕盐、绵白糖。

做 法

1.内脂豆腐整块取出；鲜柠檬洗净，拦腰切成两半，半个榨汁，另半个取皮切成细丝。

2.炒锅用小火加热，放入适量绵白糖溶化，添少许清水和柠檬汁，不停搅拌，煮3分钟停火。

3.汤锅加清水和少许盐煮开，再放入整块豆腐，用开水煮5分钟，用锅铲把豆腐随意劈成片，舀入汤碗，浇上熬好的糖汁，撒上柠檬皮丝，即可。

冰糖莲子羹

〔材料〕莲子50克、水淀粉适量。

〔调料〕冰糖。

做 法

1.将莲子去心洗净，泡涨。

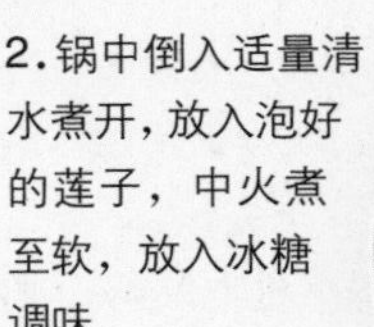

2.锅中倒入适量清水煮开，放入泡好的莲子，中火煮至软，放入冰糖调味。

3.用水淀粉勾芡成羹即可。

营养师建议

★★★莲子味甘、涩，性平，含有丰富的钙、磷、铁，具有清心醒脾、补气养神、健脾开胃的作用，对治疗心烦失眠、神经衰弱有一定疗效，并能止呕开胃。

百合莲杞汤

〔材料〕百合50克、去心莲子50克、干黄花20克、枸杞10克。

〔调料〕冰糖。

做 法

1. 莲子洗净，用高压锅焖熟；百合与干黄花用温水泡发后洗净；枸杞洗净待用。

2. 清汤放入锅中，加入莲子、百合、黄花，用大火烧开，转中火煮10分钟。

3. 加入适量冰糖调味即可。

TIPS 贴心小提示<<<

1 枸杞不宜多泡，否则煮的时候会烂掉。
2 尽量选用当季原料，如新鲜百合或莲子，但黄花除外。

梨花豆腐羹

〔材料〕豆腐200克、猪肉馅200克、雪梨2个、新鲜玫瑰花瓣2瓣。

〔调料〕猪肉松、蛋清、盐、鸡精、牛奶、高汤。

做 法

1. 豆腐洗净捣碎，加盐、鸡精、蛋清和牛奶，搅拌均匀；雪梨洗净，去皮去核，切成薄片；猪肉馅用盐、鸡精和蛋清拌匀；玫瑰花瓣洗净切丝，用淡盐水浸泡。

2. 汤锅加高汤煮开，换成中火，倒入猪肉馅，搅拌均匀后煮开，再倒入豆腐泥和梨片搅匀煮开。

3. 调入适量的盐，盛入汤碗后，均匀地撒上猪肉松和玫瑰花瓣丝，即可。

枇杷百合汤

〔材料〕枇杷12个、百合100克、川贝2克。

〔调料〕冰糖。

做 法

1. 将枇杷洗净去皮去核；百合洗净剥成瓣；川贝洗净后用温水泡软备用。

2. 锅内加水，放入枇杷、百合、川贝，大火烧开后转小火炖半小时，加入冰糖即可。

营养师建议

★★★ 1 枇杷含有大量的维生素和碳水化合物，有润肺滑肠、化痰降气、排除毒素的功能。2 如果没有新鲜的枇杷，可用罐头糖水枇杷代替。

橘酿银耳羹

〔材料〕银耳30克、红枣5颗、橘子半个。

〔调料〕冰糖、水淀粉。

做 法

1. 将银耳清洗干净，在水中浸泡至软，捞出去蒂，切小片；橘子剥开，分瓣状；红枣洗净，在水中浸泡5分钟备用。

2. 锅中倒入适量水，放入银耳、红枣大火煮开，改小火煮约30分钟。

3. 待红枣炖出甜味，加入冰糖煮匀，再加入水淀粉勾薄芡，最后放入橘子略煮即可。

营养师建议

★★★ 橘子富含维生素C，银耳有生津滋阴作用。

枸杞秋梨银耳汤

〔材料〕枸杞5克、秋梨200克、银耳10克。

〔调料〕冰糖100克。

做　法

1.将枸杞洗净用温水泡软；秋梨去皮、去核切成小块；银耳用温水泡软，洗净摘去根蒂掰成小朵备用。

2.锅内倒适量清水，放银耳大火烧开，小火焖煮1小时，放秋梨块、枸杞煮10分钟，加冰糖，待冰糖煮化即可。

营养师建议

★★★梨味甘性微寒，能清润化痰、生津止渴、润肠通便，对秋燥症状有独特的疗效。

银耳莲子汤

〔材料〕银耳50克、莲子100克、枸杞20粒。

〔调料〕水淀粉、冰糖。

做　法

1.银耳用温水泡发，摘除根蒂洗净撕开；莲子用温水泡软，抽去莲心；枸杞洗净用温水泡软备用。

2.沙锅内放入清水，加入银耳、莲子，大火烧开后转小火慢煨1小时后放入枸杞，继续煨半小时，用水淀粉勾薄芡，断火，加入冰糖即可。

营养师建议

★★★①银耳含有丰富的胶质、维生素、微量元素、多种氨基酸，能提高人体免疫力。②莲子心苦味较重，用于甜食宜抽去莲心，以免影响汤品的口感。

奶味浓香玉米羹

〔材料〕玉米粒罐头1罐、熟鸡胸肉100克、洋葱50克、鲜奶油100克。

〔调料〕食用油、水淀粉、盐、鸡精、香菜叶。

做　法

1.超市采购的鸡胸肉撕碎，剁成末；洋葱洗净后切碎。

2.油加热，爆香洋葱丁，然后加入清水、鸡肉末和玉米粒同煮至汤滚沸。

3.用水淀粉勾芡，倒入鲜奶油搅匀，调入适量的盐和鸡精，撒上香菜叶即可。

香蕉百合银耳羹

〔材料〕银耳20克、百合20克、香蕉2根、枸杞10粒。

〔调料〕冰糖。

做　法

1.银耳用清水泡2个小时，去除根蒂洗净；百合洗净，泡发；香蕉剥皮后切成小薄片；枸杞洗净。

2.把浸泡后的银耳撕成小块，装入炖盅，加适量清水上锅蒸30分钟左右。

3.将百合及香蕉片放入炖盅中，加冰糖再入锅蒸30分钟后加入枸杞稍焖即可。

营养师建议

★★★此汤具有养阴润肺、生津整肠之效。银耳有补肾、润肺、生津、止咳、降火、润肠、养胃、补气、和血、补脑、提神等作用。百合醇甜清香、甘美爽口，含有蛋白质、脂肪、淀粉、钙、磷及胡萝卜素等多种营养物质，具有润肺止咳、平喘、清热、养心、安神的功效。

川贝鸭梨汤

〔材料〕鸭梨2个、川贝10克。

〔调料〕冰糖。

做 法

1. 将鸭梨洗净切成四瓣去蒂挖核；川贝洗净用温水泡软备用。

2. 将鸭梨、川贝放入容器，上笼大火蒸，烧开后蒸20分钟，加入冰糖即可。

营养师建议

★★★①汤清味香，有润肺理气，调整胃肠功能的作用，能保护气管，止咳化痰。②贝母分为浙贝和川贝，最好选用川贝。

龙眼莲子羹

〔材料〕龙眼肉100克、鲜莲子200克。

〔调料〕冰糖、白糖、水淀粉。

做 法

1. 将龙眼肉放入凉水中洗净（块大的撕成两半），捞出控干水分；鲜莲子剥去绿皮、嫩皮、莲子心，洗净，放在开水锅中氽透，捞出倒入凉水中。

2. 锅置火上，在锅内放入750克清水，加入白糖和冰糖，烧开撇去浮沫。把龙眼肉和莲子放入锅内，用水淀粉勾薄芡，开锅盛入大碗中即可。

营养师建议

★★★此羹可以健脾安神，补益气血，最适合女性调理使用。

出水芙蓉羹

〔材料〕鸡蛋2个、豆浆4碗、莲子100克、红甜椒1个。

〔调料〕冰糖。

做 法

1. 将莲子以一碗半的水蒸熟备用，约蒸40分钟。

2. 豆浆用小火煮至稍滚后，放入莲子，再加冰糖煮10分钟。

3. 鸡蛋打匀，要完全混合后倒入豆浆中，边倒边用勺子轻轻地搅拌，使蛋花呈现云状。

4. 红甜椒洗净，切成碎末，撒在鸡蛋羹上，即可。

营养师建议

★★★莲子味甘、性温、益血气，有安神养心的作用，含有大量的磷质，有养颜美容的功效。

蜜烧红薯羹

〔材料〕红薯500克、红枣100克、蜂蜜100克。

〔调料〕植物油、冰糖。

做 法

1. 红薯洗净，去皮，先切成长方块，再分别削成鸽蛋形；红枣洗净去核，切成碎末。

2. 炒锅置火上，放油烧热，下红薯炸熟，捞出沥油。

3. 炒锅去油置大火上，加入适量清水，放冰糖熬化，放入过油的红薯，煮至汁黏，加入蜂蜜，撒入红枣末推匀，再煮5分钟，盛入盘内即可。

营养师建议

★★★蜂蜜有补中、润燥、缓急、解毒功效，营养丰富，是防老抗衰的佳品。

清凉西瓜盅

〔材料〕小西瓜1个、菠萝肉50克、荔枝5个、苹果1个、雪梨1个。

〔调料〕冰糖。

做 法

1.将菠萝肉切块；荔枝去壳、去核备用；苹果、雪梨洗净去皮、核，切块备用。

2.小西瓜洗净，在离瓜蒂1/6的地方锯齿形削开；将西瓜肉取出，去子、切块备用；将西瓜盅洗净备用。

3.锅内放水煮沸，放入冰糖煮化，再加入水果块略煮，晾凉后倒入西瓜盅中，再放入冰箱冷藏，食用时取出即可。

蛋黄莲子汤

〔材料〕莲子15克、鸡蛋1个。

〔调料〕冰糖。

做 法

1.莲子洗净加3碗水煮，大火煮开后转小火煮约20分钟，加冰糖调味。

2.鸡蛋磕入碗中，将鸡蛋黄挖出，加入莲子汤中煮滚一下即可食用。

百合银耳汤

〔材料〕银耳30克、百合30克、枸杞10克、红枣5粒。

〔调料〕冰糖。

做 法

1.将银耳放入凉水中泡发，取出撕成小块；枸杞用凉水泡发；红枣用热水泡10分钟，捞出去核，备用。

2.锅置火上，放入适量清水烧开，加入银耳略煮，再依次放入红枣、百合、枸杞、冰糖，搅匀，煮约10～15分钟即可。

苹果饮

〔材料〕苹果1个，枸杞少许。

〔调料〕白糖。

做 法

1.将苹果洗净，去皮，去核儿，切成均匀的条；枸杞洗净。

2.锅置火上，锅中倒入适量水，放入苹果条煮开，转小火煮约20分钟，加枸杞、白糖，待白糖溶化后搅匀即可。

营养师建议

★★★苹果是水果中含有营养成分最齐全的品种。苹果中含有的果胶、钾离子、酒石酸等成分，可以中和酸性液体，降低人体体液的酸性，达到缓解疲劳的作用。

红点粟米羹

〔材料〕粟米罐头200克、枸杞10克、鸡蛋1个。

〔调料〕水淀粉、白糖、盐、味精、清汤。

做　法

1.将粟米罐头启开，倒出粟米；枸杞洗净，用温水泡软；鸡蛋磕入碗中搅拌均匀待用。

2.锅内倒入适量清汤，放入枸杞，大火烧开，改小火煮5分钟后放入粟米，开锅后撇去浮沫，略煮3分钟。

3.放入白糖、盐，用水淀粉勾薄芡，泼入蛋液，顺势搅拌一下，加味精调味即可。

TIPS 贴心小提示<<<

用勺子将鸡蛋液拨均匀，不要煮成一团。

伏莲大枣羹

〔材料〕伏莲50克、大枣50克、冰糖适量。

做　法

1.将伏莲涨发去皮用竹签捅去莲心备用。

2. 将伏莲、大枣与冰糖放在一起，加水适量，用微火长时间加热熬制至软烂即成。

木耳红枣羹

〔材料〕木耳15克、红枣10粒。

〔调料〕红糖。

做　法

1.木耳泡开洗净去蒂，红枣去核。

2.一起放入沙锅，加水，文火炖煮1小时，加红糖即成。

桃仁丹参汤

〔材料〕佛手片6克、丹参15克、核桃仁5个。

〔调料〕白糖。

做　法

先将佛手、丹参煎汤去渣，核桃仁、白糖捣烂成泥，入汤药中，再用文火煮10分钟服食。

枸杞菠萝银耳汤

〔材料〕枸杞20粒、菠萝1/4个、银耳2朵。

〔调料〕冰糖。

做　法

1.将枸杞洗净，用温水泡软；菠萝去皮挖去丁眼，洗净后切成小块。

2.银耳用温水泡软涨发，洗净后摘去根蒂，撕成小朵待用。

3.锅内倒适量清水，放银耳用大火烧开，改小火焖煮1小时，再放入菠萝块、枸杞煮10分钟，加冰糖，待冰糖煮化即可。

营养师建议

★★★此汤有养颜美容，去除体内毒素之功效。冷却后放入冰箱内冷藏，更能生津止渴。

鲜美咸味粥

茶粥

〔材料〕大米150克、茶叶10克。

〔调料〕盐。

做 法

1.将茶叶用纱布包好；大米淘洗干净，备用。

2.锅置火上，放入适量清水，烧开，将茶包放入锅中，当茶色煮出，泛出茶香，将茶包取出。

3.将洗净的大米倒入锅中，用大火煮开，再转小火煮30分钟，米烂时撒入盐，搅匀即可。

翠衣海带骨头粥

〔材料〕鲜海带丝50克、腔骨50克、大米1杯、高汤5杯。

〔调料〕葱花、盐、白糖、味精。

做 法

1.鲜海带丝洗净，腔骨用沸水焯2分钟后取出；大米洗净后，用凉水浸泡30分钟。

2.锅置火上，放入高汤与大米，中火煮开，放入腔骨煮沸后再改小火，慢慢熬煮至粥黏稠，放入海带丝、盐，煮约20分钟，加白糖、味精调味后，撒入葱花即可。

营养师建议

★★★①如果做粥时没有高汤，可以在沸水焯腔骨后，用净锅放入清水和腔骨，大火煮开，小火慢炖约1小时，熬出骨头香味就可以。②腔骨要横剁成小块才适合做粥，根据口味用小排骨也可以。

海松子鸽蛋粥

〔材料〕海松子50克、香菇1朵、鸽蛋2个、木耳1朵、菜心30克、大米1杯、鸡汤5杯。

〔调料〕盐、胡椒粉、味精。

做 法

1.香菇洗净，切薄片；木耳洗净后撕成小朵；菜心洗净，掰成小块。在沸水中将三种材料焯一下。海松子择洗干净；大米洗净后用水浸泡30分钟。

2.锅置火上，放入鸡汤、大米，大火煮开后转小火，加海松子煮40分钟，再加香菇、木耳、菜心、鸽蛋、盐、胡椒粉，中火煮开后转小火煮熟，加味精即可。

玉竹滋润鸡粥

〔材料〕鸡胸肉50克、玉竹10克、枸杞10粒、大米1杯、鸡汤4杯。

〔调料〕盐、水淀粉、白糖、味精。

做 法

1.玉竹用冷水浸泡后沥干水分，切成小段；大米洗净后用水浸泡30分钟。

2.鸡胸肉洗净，切片，用水淀粉拌匀后，在沸水中焯一下；枸杞洗净。

3.锅置火上，放入鸡汤、大米，大火煮开后转小火，加入玉竹熬煮40分钟，再加入鸡片、枸杞、盐、白糖煮10分钟，加味精调味即可。

营养师建议

★★★玉竹属于“润燥”类的中药，春天食用，滋阴养肺，皮肤看上去也是润润的。

荠菜咸蛋粥

〔材料〕嫩荠菜1棵、熟咸鸭蛋半个、大米1杯、鸡汤5杯。

〔调料〕姜丝、味精。

做 法

1.荠菜洗净，切段；将熟咸鸭蛋的蛋黄取出，蛋白用冷水浸泡后切丁；大米洗净后用水浸泡30分钟。

2.锅置火上，放入鸡汤、大米，大火煮开后转小火，放入蛋白丁，熬煮30分钟。

3.将荠菜、姜丝放入粥中，略煮5分钟，加入味精调味，将蛋黄放在粥面上即可。

营养师建议

★★★①根据个人口味可以把咸蛋黄也打散放入粥中，每一勺粥中，都有蛋黄的咸香。②做粥的时候根据咸鸭蛋咸味轻重，可适量添加盐调味。

香菇鸡腿粥

〔材料〕鸡腿半只、香菇1朵、大米1杯、鸡汤5杯、香菜少许。

〔调料〕水淀粉、色拉油、盐、味精。

做　法

1.香菇洗净，切片，拌入水淀粉、色拉油；大米洗净后用水浸泡30分钟。

2.鸡腿洗净，去骨，切小块后拌入水淀粉、盐腌渍10分钟。

3.锅置火上，放入鸡汤、大米，大火煮开后转小火，熬煮黏稠后加入鸡块与香菇、盐，再煮15分钟，加味精调味后，撒香菜点缀即可。

营养师建议

★★★春天多食香菜，对食欲不振、风寒等都有疗效，所以可以在粥面上多撒些香菜。

鸡味糙米粥

〔材料〕鸡腿半只、糙米1杯、香菜少许。

〔调料〕葱花、盐、味精。

做　法

1.鸡腿洗净、去骨，切成小块后在沸水中焯一下；糙米洗净后用水浸泡3小时。

2.锅置火上，放入鸡汤、糙米，大火煮开后转小火熬煮1小时。

3.将鸡块、盐放入粥中，继续用小火煮至鸡肉酥烂，加入味精调味，撒上葱花、香菜即可。

营养师建议

★★★①糙米的口感不好，可是其中纤维素含量是大米的3倍，能有效刺激肠胃蠕动。②鸡汁中的胶质能消减糙米口感的粗糙，使粥味道鲜美。

莴笋肉丸粥

〔材料〕莴笋30克、猪肉馅30克、大米1杯、高汤4杯。

〔调料〕水淀粉、盐、酱油、料酒、味精。

做　法

1.莴笋洗净，切一指宽的片；大米洗净后用水浸泡30分钟。

2.猪肉馅剁成肉泥，加盐、酱油、料酒、水淀粉、味精拌匀腌10分钟，做成小丸子状。

3.锅置火上，放入高汤、大米，大火煮开后转小火，熬煮40分钟，放入莴笋、盐，煮熟肉丸即可。

TIPS 贴心小提示<<<

① 猪肉馅的肥瘦比例控制在2：8，口感不腻不柴。
② 如果用牛肉丸，记得加一些荸荠肉，提香提味。

鲍鱼鲜鸡粥

〔材料〕鲍鱼罐头50克、鸡腿半只、大米1杯、鸡汤4杯。

〔调料〕姜丝、葱花、盐、水淀粉、香油、味精。

做　法

1.从罐头中取出鲍鱼，直接切片；大米洗净，用水浸泡30分钟。

2.鸡腿洗净、去骨，切成小块，用盐、水淀粉腌渍10分钟。

3.锅置火上，放入鸡汤、大米，大火煮开后转小火，熬煮30分钟后加入鲍鱼片、鸡块、盐、姜丝，继续小火煮20分钟，加香油、味精、葱花调味即可。

营养师建议

★★★鲍鱼与鸡肉搭配是绝配，能创造无比鲜美的味道，做菜时也可以试试。

韭菜虾仁粥

〔材料〕韭菜30克、虾仁5粒、大米1杯、鸡汤6杯。

〔调料〕盐、味精、白糖。

做　法

1.韭菜洗净，用沸水焯一下，捞出过凉水后，切小段；虾仁洗净，去掉虾线后用沸水焯一下，切碎；大米洗净，浸泡30分钟。

2.锅置火上，放入鸡汤与大米，大火煮开后改小火，熬煮至黏稠。

3.把虾仁放入粥中，略煮片刻后加入韭菜段、盐，煮约5分钟，加味精、白糖调味即可。

桂圆鸡丁紫米粥

〔材料〕桂圆数颗、鸡胸肉50克、紫糯米1杯、鸡汤6杯。

〔调料〕盐、味精、白糖。

做法

1.桂圆剥皮洗净；鸡胸肉洗净后切丁；紫糯米洗净后用水浸泡2小时。

2.锅置火上，放入鸡汤与紫糯米，大火煮开后转小火。

3.放入桂圆，用小火熬煮30分钟。

4.放入鸡肉丁、盐、白糖，继续熬煮20分钟，加味精调味即可。

TIPS 贴心小提示<<<

1 如果用新鲜桂圆，可以和鸡肉丁一起入锅。
2 鸡肉丁可以事先用盐、料酒腌渍10分钟，这样会更加入味。

三鲜春粥

〔材料〕鸡胸肉30克、鱼肉30克、猪里脊肉30克、香菜2棵、大米2杯、鸡汤4杯。

〔调料〕葱花、姜丝、盐、料酒、水淀粉、味精。

做法

1.将三种肉洗净后切丝，用盐、水淀粉、料酒拌匀后腌渍10分钟；香菜洗净切段；大米洗净后用水浸泡30分钟。

2.锅置火上，放入鸡汤、大米，大火煮开后转小火熬煮40分钟。

3.将腌渍好的肉丝、盐放入粥中，继续熬煮30分钟后，加味精调味，点缀香菜即可。

冬瓜乌鸡糯米粥

〔材料〕乌鸡60克、冬瓜30克、陈皮5克、绿豆1/3杯、圆糯米1杯、鸡汤5杯。

〔调料〕盐、白糖、味精。

做法

1.冬瓜洗净，切小块；陈皮洗净，切丝后用水浸软；圆糯米、绿豆洗净后用水浸泡2小时。

2.乌鸡洗净，在沸水中煮5分钟，取出后用温水冲洗一下。

3.锅置火上，放入鸡汤、圆糯米、绿豆、乌鸡，大火煮开后转小火，熬煮2小时后，加盐、冬瓜、陈皮后熬煮40分钟，用味精、白糖调味即可。

海参益肾粥

〔材料〕干海参20克、大米1杯、鸡汤4杯。

〔调料〕葱花、盐。

做法

1.干海参用水泡发，洗净后切成小块；大米洗净后用水浸泡30分钟。

2.锅置火上，放入鸡汤、大米，大火煮开后转小火，熬煮30分钟。

3.加入海参块、盐，继续煮30分钟，撒上葱花即可。

营养师建议

★★★1 海参益肾润燥，对改善皮肤干燥有很好的作用。2 这道粥适宜早晨食用，有利吸收。

山药扁豆粥

〔材料〕山药40克、扁豆40克、大米1杯、高汤5杯。

〔调料〕盐。

做 法

1.山药去皮、洗净，切成小块；扁豆洗净，切小段；大米洗净后用水浸泡30分钟。

2.锅置火上，放入高汤、大米，大火煮开后转小火熬煮30分钟。

3.将山药块、扁豆、盐放入粥中，开锅后熬煮至粥黏稠即可。

营养师建议

★★★①山药随用随切小块，否则容易氧化变红。②扁豆生食容易中毒，所以一定要多煮一会儿。

绿波鸡蓉粥

〔材料〕鸡胸肉60克、菠菜1棵、鸡蛋1个、大米半杯、鸡汤2杯。

〔调料〕水淀粉、盐、味精。

做 法

1.鸡胸肉洗净，剁成肉蓉，用盐、水淀粉、蛋白腌渍5分钟；大米洗净后用水浸泡30分钟。

2.菠菜洗净，用沸水焯后，过凉，切碎末。

3.锅置火上，加入鸡汤、大米，大火煮开后转小火煮30分钟，将做法1中肉蓉徐徐倒入粥中，轻轻搅拌3分钟，加味精调味，撒菠菜末略煮5分钟即可。

营养师建议

★★★①鸡肉提前腌30分钟，更入味。②倒入鸡蓉时一定要不停搅拌，否则蛋白容易结块。

什锦鸡翅粥

〔材料〕鸡翅2只、香菇1朵、菠菜1棵、香菜1棵、大米1杯、鸡汤1杯。

〔调料〕姜丝、葱丝、蒜末、盐、料酒、水淀粉、味精。

做 法

1.香菇洗净，切块；菠菜、香菜洗净后用沸水焯一下，切段，用冷水浸泡；大米洗净后用水浸泡30分钟。

2.鸡翅洗净，用盐、水淀粉、料酒、姜丝腌渍10分钟，用沸水焯一下。

3.锅置火上，放入鸡汤、大米，大火煮开后转小火，放入鸡翅、香菇熬煮1小时，加菠菜、香菜、盐、味精、葱丝、蒜末，略煮5分钟即可。

生蚝芹菜粥

〔材料〕生蚝60克、芹菜30克、鸡蛋1个、大米1杯、鸡汤4杯。

〔调料〕盐、料酒、水淀粉、姜末、香油。

做 法

1.生蚝洗净，沥干水分后用盐、料酒、水淀粉、姜末、鸡蛋拌匀腌10分钟。

2.芹菜择叶，洗净，切丝；大米洗净后用水浸泡30分钟。

3.锅置火上，放入鸡汤、大米，大火煮开后转小火，熬煮50分钟后加入生蚝，滚开后加芹菜、盐、香油，中火煮开后转小火，煮10分钟即可。

营养师建议

★★★①这道粥滑肠润胃，是晚餐的好选择。②如果对生蚝的腥味敏感，可以添加几滴鲜柠檬汁腌渍。

乌鸡滋补粥

〔材料〕带骨乌鸡肉100克、红枣6颗、圆糯米1杯、鸡汤6杯。

〔调料〕盐、葱花、味精、白糖。

做 法

1.带骨乌鸡肉洗净，切小块；红枣洗净；圆糯米洗净后用水浸泡1小时。

2.锅置火上，放入鸡汤与圆糯米，大火煮开。

3.放入乌鸡、红枣，再次开锅后改小火熬煮至黏稠。

4.放入盐、白糖、味精调味后，撒上葱花即可。

TIPS 贴心小提示<<<

①可以先慢火炖乌鸡，然后用汤熬粥，鸡肉晚些放入粥中，这样人体能更充分吸收乌鸡的营养。②可以适当加些黑米、黑芝麻，更具有乌发的功效。

绿菜红豆瘦肉粥

〔材料〕小白菜2棵、瘦猪肉20克、红豆1/2杯、大米2/3杯、清水8杯。

〔调料〕白芷5克、盐、味精。

做 法

1.小白菜洗净，切段；红豆洗净后用水浸泡4小时；大米洗净后用水浸泡30分钟。

2.瘦猪肉洗净，切小块，在沸水中焯一下。

3.锅置火上，放入清水、红豆，大火煮开后改小火，熬煮至红豆酥烂，加入瘦猪肉丁、小白菜、白芷、盐，小火煮至猪肉烂熟，加味精调味即可。

营养师建议

★★★这道粥适合油性肤质的人食用，能够使皮肤滋润清爽。

冬瓜夹肉粥

〔材料〕火腿50克、冬瓜50克、大米1杯、高汤4杯。

〔调料〕蒜蓉、香菜、盐、味精。

做 法

1.火腿洗净、切片；冬瓜洗净、去皮后切厚片；大米洗净后用水浸泡30分钟。

2.在冬瓜片中间切一刀，但不要切透，形成冬瓜夹，将火腿片夹在冬瓜夹中，撒些蒜蓉、盐，放入蒸锅中蒸15分钟。

3.锅置火上，放入高汤、大米，大火煮开后转小火熬煮50分钟，加入蒸好的冬瓜夹、味精，略煮5分钟，撒上香菜即可。

TIPS 贴心小提示<<<

冬瓜夹在粥黏稠后才放入粥中，所以不用太多搅拌即可熄火，尽量保持冬瓜夹不被破坏。

银耳苹果瘦肉粥

〔材料〕银耳1朵、红苹果半个、瘦猪肉20克、枸杞10粒、大米1杯、清水4杯。

〔调料〕盐、水淀粉、味精。

做 法

1.银耳洗净，撕成小朵；红苹果洗净后切成月牙瓣；枸杞洗净。

2.瘦猪肉洗净、切片，用盐、水淀粉拌匀；大米洗净后用水浸泡30分钟。

3.锅置火上，放入清水、大米，大火煮开后转小火熬煮20分钟，放入苹果、银耳煮10分钟后再放入瘦猪肉、枸杞、盐，10分钟后用味精调味即可。

TIPS 贴心小提示<<<

苹果一定要带皮切成月牙瓣，否则很容易就煮碎，而且皮中含有丰富果胶。

牛肉萝卜大米粥

〔材料〕牛腩50克、白萝卜50克、大米1杯、高汤8杯。

〔调料〕盐、胡椒粉、淀粉、味精、白糖、姜丝、香菜。

做 法

1.牛腩洗净，切片，拌入盐、胡椒粉、淀粉备用；白萝卜洗净后切片；大米洗净后用水浸泡1小时。

2.锅置火上，放入高汤与大米，大火煮开后转小火熬煮30分钟。

3.加入牛腩片、盐慢火煮熟，再放白萝卜片略煮5分钟。

4.用味精、白糖调味后，撒上姜丝、香菜即可。

羊肉粥

〔材料〕羊腩50克、大米1杯、高汤4杯。

〔调料〕香菜、料酒、盐、味精。

做法

1.羊腩洗净，切片，用盐、料酒腌渍10分钟；大米洗净后用水浸泡30分钟。

2.锅置火上，放入高汤、大米，大火煮开后转小火，熬煮至黏稠。

3.加入羊腩、盐，煮20分钟后加味精调味，撒香菜点缀即可。

TIPS 贴心小提示<<<

用料酒腌羊腩，能去除膻味，保持粥的原有风味。

丝瓜杏仁排骨粥

〔材料〕丝瓜40克、杏仁10粒、猪排骨3小块、大米1杯、清水4杯。

〔调料〕姜片、盐。

做法

1.将丝瓜洗净、去瓤，切成片；杏仁用沸水烫去薄皮；猪排骨洗净，用沸水焯一下；大米洗净后用水浸泡30分钟。

2.锅置火上，放入清水、排骨、姜片，大火煮开后转小火炖1小时，加入大米、杏仁，中火煮开后再转小火，熬煮40分钟。

3.将丝瓜、盐放入粥中，煮10分钟即可。

营养师建议

★★★这道粥能够解除皮肤的湿毒，多食对皮肤健康有益。

猪蹄美容粥

〔材料〕猪蹄1只、红枣2粒、大米1杯、高汤5杯。

〔调料〕盐、料酒、花椒、茴香、味精、葱花、香菜段。

做法

1.猪蹄洗净，切块，用盐、料酒、花椒、茴香、葱花拌匀腌制20分钟。

2.红枣洗净；大米洗净后用水浸泡30分钟。

3.锅置火上，放入高汤、大米、猪蹄，大火煮开后转小火，熬煮1小时，放入红枣再煮15分钟后，加味精调味，撒些香菜即可。

营养师建议

★★★①猪蹄含有丰富胶质，是美容佳品，爱美的人不要错过了。②红枣在这里主要是调味，不用放太多。

鱼香猪骨粥

〔材料〕小银鱼50克、猪骨50克、花生10粒、红枣2粒、大米1杯、高汤4杯。

〔调料〕盐、姜片、葱花、香菜、味精。

做法

1.小银鱼、花生、红枣分别洗净；猪骨洗净后切成小块；大米洗净后用水浸泡30分钟。

2.锅置火上，放入高汤、猪骨、姜片、花生，大火煮开后转小火熬煮1小时，放入大米，中火煮开后转小火煮30分钟。

3.将小银鱼在锅中炒香，与红枣、盐放入粥中，熬煮15分钟后加味精调味，撒香菜、葱花即可。

营养师建议

★★★这道粥含丰富钙质，需要补钙者最好坚持食用。

香菜米粥

〔材料〕大米2把、香菜3棵。

〔调料〕盐、味精。

做 法

1.大米淘洗干净，用水浸泡30分钟；香菜洗净，切碎。锅置火上，倒入3杯水、大米，大火煮开后转小火，熬煮30分钟。

2.将香菜末、盐放入粥中，略煮5分钟，加味精调味即可。

鲜鱼葱白粥

〔材料〕鲜鱼200克、葱白10根、糯米2把。

〔调料〕盐、醋。

做 法

1.将鲜鱼洗净切片；葱白切葱花；糯米淘洗干净。

2.锅置火上，放入4杯清水烧开，放入糯米，先以大火煮沸，再转用小火熬煮成粥，放入鲜鱼片煮熟，加入葱花，再煮几分钟，调入盐、醋搅匀即可。

鱼丸粥

〔材料〕鱼丸数个、韭菜50克、大米2把。

〔调料〕盐、味精、胡椒粉。

做 法

1.韭菜择洗干净，切成末；大米淘洗干净。锅置火上，倒入4杯清水烧开，放入大米，先以大火煮沸，再转用小火熬煮成粥。

2.加入鱼丸煮熟，加入韭菜、盐和味精调味，撒上胡椒粉即可。

小银鱼鲜美粥

〔材料〕小银鱼50克、大米1杯、鸡汤4杯。

〔调料〕盐、葱花、胡椒粉、味精。

做 法

1.小银鱼洗净；大米洗净后用水浸泡30分钟。

2.锅置火上，放入鸡汤、大米与小银鱼，大火煮开后转小火，熬煮至黏稠。

3.放盐、胡椒粉、味精调味后，撒些葱花即可。

营养师建议

★★★①小银鱼含有丰富的钙质，最适合体弱者或小朋友补充营养。②胡椒粉的量要掌握好，刚好去掉腥味足矣，太多易遮盖小银鱼的鲜美。

黄花鱼骨粥

〔材料〕黄花鱼1条、圆糯米1杯、清水8杯。

〔调料〕盐、酱油、葱丝、姜丝、香菜、味精、色拉油。

做 法

1.黄花鱼洗净，用盐腌渍10分钟；圆糯米洗净后用水浸泡1小时。

2.锅置火上，放入适量油，中火烧至五成热，将黄花鱼放入锅中，两面煎黄，取出后剔骨，鱼肉用酱油拌匀，鱼骨与清水熬成汤。

3.鱼汤煮沸后，加入圆糯米大火煮开，转小火熬煮1小时，加入鱼肉、盐、葱丝、姜丝，煮15分钟后，加味精、香菜调味即可。

营养师建议

★★★黄花鱼对脾胃虚弱者有补益作用。

鱼蓉枸杞粥

〔材料〕黄花鱼1条、枸杞10粒、圆糯米1杯、清水8杯。

〔调料〕盐、姜丝、葱丝、酱油、味精、色拉油。

做法

1.枸杞洗净；圆糯米洗净后用水浸泡1小时。

2.黄花鱼洗净，用盐腌渍后在锅中将两面煎黄，取出剔骨，鱼肉用酱油腌渍10分钟，剁成鱼蓉。

3.锅置火上，放入清水、鱼骨，大火煮开后转中火炖至汤白，加入圆糯米熬煮至黏稠，再加入鱼蓉、枸杞以及其余调料，中火煮沸即可。

TIPS 贴心小提示<<<

如果有足够耐心剔除鱼刺，秋天的鲈鱼也是非常好的选择。

海鲜至尊大米粥

〔材料〕虾仁30克、蟹肉30克、墨鱼肉30克、鱼肉30克、大米1杯、清水6杯、高汤1杯。

〔调料〕姜丝、葱末、盐、胡椒粉。

做法

1.虾仁与蟹肉、墨鱼肉、鱼肉洗净后切丁；大米洗净后浸泡1小时。

2.锅置火上，放入清水、高汤与大米，大火煮沸后改小火，熬煮至黏稠，放入其余材料以及盐、胡椒粉，再煮5分钟。

3.起锅后撒入姜丝与葱末即可。

TIPS 贴心小提示<<<

1 用高汤一杯旨在提味，过多会掩盖海鲜的鲜味。

2 预先用沸水将海鲜烫半熟再下锅，可以减少海鲜的腥味。

鱼蓉瘦肉粥

〔材料〕草鱼50克、瘦猪肉30克、红枣6粒、大米1杯、清水5杯。

〔调料〕香菜、盐、胡椒粉、水淀粉、味精。

做法

1.草鱼洗净，去刺后细细剁成蓉，加盐、胡椒粉拌匀；瘦猪肉洗净后切丁，用水淀粉、盐腌10分钟；红枣洗净；大米洗净后用水浸泡30分钟。

2.锅置火上，放入清水、大米，大火煮开后转小火，熬煮20分钟，加入瘦猪肉、红枣、盐，熬煮20分钟。

3.将鱼蓉放入粥中，匀速搅拌，煮沸后加味精、香菜调味即可。

营养师建议

★★★鱼蓉放入粥中时不要搅动太快，最好结成一小块一小块的鱼蓉，口感较好。

松仁鱼丸粥

〔材料〕松仁20克、鱼丸5颗、大米1杯、鸡汤4杯。

〔调料〕盐、味精。

做法

1.松仁、鱼丸分别洗净；大米洗净后用水浸泡30分钟。

2.锅置火上，放入鸡汤、大米，大火煮开后转小火熬煮20分钟，加入鱼丸继续煮15分钟。

3.将松仁、盐放入粥中，用小火煮20分钟。

4.出锅前加味精调味即可。

皮蛋瘦肉粥

〔材料〕皮蛋1个、瘦猪肉50克、大米2把。

〔调料〕葱花、盐、味精。

做 法

1.皮蛋剥皮，切丁；瘦猪肉洗净后切丁，用盐腌渍30分钟；大米淘洗干净。

2.锅置火上，倒入3杯水、大米，大火煮开后转小火煮20分钟。

3.加入猪肉丁、皮蛋丁、盐，煮沸后转小火煮20分钟，加味精、葱花调味即可。

TIPS 贴心小提示<<<

切皮蛋时用干净卫生的丝线勒开，这样皮蛋不易碎。

肉末粥

〔材料〕肉馅150克、水发木耳1朵、冬菜末少许、芹菜末少许、鸡蛋1个、大米2把。

〔调料〕葱末、姜末、蒜末、盐、淀粉、香油。

做 法

1.肉馅加少许盐、鸡蛋液、淀粉、葱末、姜末和蒜末拌匀，用手捏挤成小肉丸，放入沸水中煮熟；木耳洗净，切丝；大米淘洗干净。

2.锅中倒4杯清水烧开，放入大米，先以大火煮沸，再转用小火熬煮成粥，加入做好的肉丸和木耳丝，用大火煮沸。

3.加入盐、香油、冬菜末、芹菜末，熬煮至粥味溢出浓香即可。

花生猪骨粥

〔材料〕花生仁100克、猪骨500克、大米2把。

〔调料〕香菜、葱花、胡椒粉、盐。

做 法

1.猪骨洗净，斩小块；大米淘洗干净。

2.锅置火上，放入清水和猪骨，煮成骨头浓汤，滤去骨渣，加入大米、花生仁，再熬煮成粥，加入盐略煮，撒上香菜、葱花和胡椒粉即可。

TIPS 贴心小提示<<<

猪骨粥中的猪骨可用脊骨，也可用排骨，视个人喜好选择。

火腿冬瓜粥

〔材料〕火腿100克、冬瓜250克、排骨汤500克、大米2把。

〔调料〕盐。

做 法

1.火腿切成薄片；冬瓜洗净，去瓤，切成小片；将火腿、冬瓜放入装有排骨汤的锅中，炖约20分钟，沥出排骨汤；大米淘洗干净。

2.锅置火上，放入3杯清水烧开，放入大米，先以大火煮沸，再转用小火熬煮成粥，在稠粥中酌量倒入浸过冬瓜火腿的排骨汤，轻轻拌匀，稍煮沸即可起锅。

3.将火腿、冬瓜片排在粥面上即可。

牛肉粥

〔材料〕牛肉100克、青蒜少许、大米2把。

〔调料〕五香粉、盐、味精、植物油。

做 法

1.牛肉洗净，切成薄片；青蒜择洗干净，切段；大米淘洗干净。

2.锅置火上，放油烧热，将青蒜段下油锅炸香，加入4杯清水，用大火煮沸，加入大米和牛肉片，先用大火煮沸，再转用小火煮至粥快要熟时，加入盐、五香粉继续煮至粥熟，出锅前加入味精搅匀即可。

腊肉蔬菜粥

〔材料〕腊肉50克、香菇2朵、芹菜30克、洋葱20克、大米2把。

〔调料〕葱花、香菜、胡椒粉、香油、盐、味精。

做 法

1.大米淘洗干净；其余材料洗净后切丁待用。

2.锅置火上，放入4杯清水烧开，放入大米，先以大火煮沸，再转用小火熬煮成粥。

3.加入其余材料及盐、胡椒粉，小火煮15分钟后再加入味精、香油、香菜、葱花调味即可。

香菇脆笋粥

〔材料〕水发香菇数朵、脆笋100克、骨汤2杯、大米2把。

〔调料〕葱、蒜末、盐、香油、植物油。

做 法

1.香菇洗净，去蒂，加少许盐、油，蒸熟备用；脆笋泡水、洗净，控干，用葱、蒜末爆香，炒至脆笋入味；大米淘净。

2.锅中放入4杯清水烧开，放入大米，先以大火煮沸，加入骨汤，再转用小火熬煮成粥。

3.将香菇、脆笋加入粥中，再煮片刻，加入盐和香油，拌匀即可。

羊肉胡萝卜粥

〔材料〕羊肉50克、胡萝卜半根、大米2把。

〔调料〕葱末、姜末、陈皮、盐、胡椒粉。

做 法

1.羊肉洗净，切成丁；胡萝卜洗净，切丁；大米淘净；陈皮洗干净。

2.锅置火上，放入3杯清水烧开，放入大米，先以大火煮沸片刻，加入羊肉、陈皮、胡萝卜，继续煮至成粥，加入葱末、姜末和盐，略煮沸，加入胡椒粉即可。

芹菜香菇粥

〔材料〕芹菜50克、水发香菇2朵、枸杞10粒、大米2把。

〔调料〕盐、味精、植物油。

做 法

1.芹菜择洗干净，切小丁；香菇洗净，去蒂，切小丁；枸杞洗净，大米淘洗干净。

2.锅置火上，倒入3杯水、大米，大火煮开后转小火，熬煮30分钟。

3.另取炒锅置火上，倒入油烧至六成热后放入芹菜、香菇翻炒出香味后，加入大米粥中，加盐继续煮10分钟，放味精调味即可。

胡萝卜芥蓝粥

〔材料〕胡萝卜30克、芥蓝1棵、枸杞10粒、大米1杯、鸡汤4杯。

〔调料〕盐。

做　法

1.胡萝卜洗净，去皮后切丝；芥蓝洗净后切段；枸杞洗净；大米洗净后用水浸泡30分钟。

2.锅置火上，放入鸡汤、大米，大火煮开后转小火，熬煮20分钟。

3.将胡萝卜丝、盐放入粥中，熬煮30分钟后加入芥蓝，煮沸即可。

营养师建议

★★★①多吃胡萝卜，对面部雀斑有祛除作用。②芥蓝煮的时间不要太长，保持翠绿色泽为最好。

鹌鹑杏仁粥

〔材料〕鹌鹑2只、瘦猪肉250克、杏仁40克、桂圆肉15克、大米3把。

〔调料〕姜末、料酒、酱油、盐、味精。

做　法

1.将鹌鹑收拾干净，每只斩成四块，放入碗内，加料酒、酱油腌渍入味；瘦肉洗净，切小块；把杏仁用开水烫15分钟，去外衣，与桂圆肉一齐用清水冲洗干净；大米淘洗干净。

2.锅置火上，放入4杯清水烧开，放入大米、鹌鹑肉、猪肉块、杏仁，先以旺火煮沸，再转用小火熬煮成粥，加入桂圆肉和姜末，出锅前用盐、味精调味即可。

陈皮腊鸭粥

〔材料〕板鸭150克、陈皮1小片、青蒜少许、高汤适量、大米2把。

〔调料〕盐。

做　法

1.陈皮泡水，再蒸约30分钟，取出切细丝，蒸汁留下备用。

2.板鸭切胸肉数片；青蒜切丝；大米淘洗干净。

3.锅置火上，放入4杯清水烧开，放入大米，先以大火煮沸，再转用小火熬煮成粥，粥中放入高汤和一大匙陈皮汁，煮沸后，再加入鸭胸肉稍煮，加入盐、青蒜丝、陈皮丝调味即可。

麦片牛肉丸粥

〔材料〕牛肉馅200克、麦片1把、鸡蛋1个、番茄丁少许、芹菜末少许、大米2把。

〔调料〕香菜末、葱末、姜末、盐、淀粉、香油、胡椒粉、味精。

做　法

1.牛肉馅放入碗中，加盐、鸡蛋、淀粉、香油、胡椒粉、葱末、姜末、味精，清水一大匙，拌打成牛肉浆备用；大米淘洗干净。

2.取锅，倒入5杯水煮开，放入大米，煮开后转用小火熬煮至成稀粥状，用手将牛肉馅挤捏成小牛肉丸，放入煮好的粥中加入麦片煮滚。

3.在煮成的粥中，加入番茄丁、芹菜末、葱末、姜末、香菜末、盐，一起用小火煮沸即可。

番茄鸡蛋粥

〔材料〕番茄半个、鸡蛋1个、菠菜2棵、大米2把。

〔调料〕葱花、盐、胡椒粉、味精。

做法

1.番茄洗净，切小块；菠菜洗净，切段；大米淘洗干净。

2.锅置火上，倒入3杯水煮开，放入大米，大火煮开后转小火煮10分钟，再放入番茄熬煮20分钟。

3.将鸡蛋打入粥中，形成荷包蛋后加菠菜、盐、胡椒粉，加入味精、葱花调味即可。

牛奶麦皮粥

〔材料〕牛奶2杯、麦皮1/2杯、圆糯米1/2杯、清水2杯。

〔调料〕盐、白糖、黄油。

做法

1.将麦皮洗净，用水浸泡30分钟；圆糯米洗净后用水浸泡2小时。

2.锅置火上，放入清水、圆糯米，大火煮开后转小火煮30分钟。

3.将麦皮放入粥中，大火煮沸后加入牛奶，再煮10分钟，加入黄油、白糖、盐，煮到麦皮软烂即可。

TIPS 贴心小提示<<<

1 早晨如果时间紧张的话，可直接煮麦皮加牛奶、黄油、盐、白糖即可。
2 选用脱脂牛奶，不影响营养吸收，还能瘦身。

杏仁肉丝粥

〔材料〕嫩杏仁20颗、瘦猪肉丝50克、大米1杯、高汤5杯。

〔调料〕水淀粉、盐、味精、白糖、香菜。

做法

1.嫩杏仁洗净；瘦猪肉丝洗净，用水淀粉、盐略腌渍10分钟；大米洗净后用水浸泡30分钟。

2.锅置火上，放入高汤与大米、瘦猪肉丝、嫩杏仁，大火煮开后转小火，慢慢熬煮至黏稠，加入盐、味精、白糖调味后，撒些香菜即可。

营养师建议

★★★ 1 杏仁润肺平燥，尤其对咳嗽有舒缓作用。根据口味，加一些干杏仁碎屑也可以。2 瘦猪肉丝可以改用火腿丝或腊肉丝，各具风味。

菠菜太极粥

〔材料〕菠菜3根、大米2把。

〔调料〕盐。

做法

1.菠菜择洗干净，在沸水中焯一下，捞起备用；大米淘洗干净，备用。

2.锅置火上，倒入3杯水烧开，放入大米，大火煮开后转小火，熬煮30分钟煮至黏稠，将煮熟的粥分为两份备用；用纱布将菠菜挤出汁，将汁水与一份米粥调匀并加入盐，备用。

3.在碗中放上S型隔板，将两份备好的粥分别倒入隔板两侧，待粥稍凝便可以去除隔板。最后在菠菜粥的1/3处点一滴白粥，在白粥2/3处点一滴菠菜粥即可。

虾皮香芹燕麦粥

〔材料〕燕麦150克、虾皮20克、芹菜50克。

〔调料〕盐、香油。

做法

1.将燕麦淘洗干净；芹菜择洗干净，切小丁。

2.锅中倒入适量清水，放入燕麦煮开后，放入虾皮，以小火煮至软烂，加盐调味，撒上芹菜丁后，再淋上香油即可。

营养师建议

★★★①燕麦里含有能抑制胆固醇升高的亚油酸。相关研究证实，每天吃60克燕麦，可使人体胆固醇含量平均降低3%。②虾皮营养价值高，油脂含量少，搭配燕麦食用，可通血脉、调理肠道、消除肠热与便秘等症状，同时具有瘦身、增加体力的作用。

什锦糙米粥

〔材料〕胡萝卜20克、扁豆20克、菜花20克、猪肉丝20克、香菇1朵、糙米1/2杯、圆糯米1/2杯、高汤5杯。

〔调料〕盐、胡椒粉、味精。

做法

1.将所有材料洗净，胡萝卜、扁豆、香菇切小丁；菜花掰碎；猪肉丝用盐、胡椒粉拌匀；糙米、圆糯米分别用水浸泡1小时。

2.锅置火上，放入高汤、糙米、圆糯米，大火煮开后转小火煮40分钟。

3.将余下材料与盐放入粥中，煮至粥烂菜软，加味精调味即可。

羊肉红枣粥

〔材料〕羊肉50克、红枣6粒、大米1杯、清水10杯。

〔调料〕盐、味精、香菜段。

做法

1.羊肉洗净，去除筋膜后切小块，用沸水焯一下；红枣洗净；大米洗净后用水浸泡30分钟。

2.锅置火上，放入清水、羊肉，大火煮开后转小火炖1小时。

3.将大米、红枣、盐加入羊肉汤中。

4.煮沸后转小火煮至粥黏稠，加味精、香菜调味即可。

羊肝明目粥

〔材料〕羊肝50克、枸杞10粒、松子仁30克、大米1杯、高汤5杯。

〔调料〕盐、味精、香菜、葱花。

做法

1.羊肝洗净，去除表面筋膜，切片，用盐腌渍10分钟。

2.枸杞洗净；大米洗净后用水浸泡30分钟。

3.锅置火上，放入高汤、大米，大火煮开后转小火熬煮20分钟。

4.将羊肝、松子仁、盐放入粥中，熬煮30分钟后加味精、葱花、香菜调味即可。

芋头香粥

〔材料〕芋头1个、虾皮5克、五花肉50克、大米1杯、高汤5杯。

〔调料〕盐、葱花、香菜段、胡椒粉、味精、色拉油。

做法

1.芋头去皮，洗净后切丁；虾皮洗净；五花肉洗净后切丝，大米洗净后用水浸泡30分钟。

2.锅置火上，放入植物油，烧至六成热后，放入葱花爆香，然后放入所有材料翻炒3分钟。

3.再放入高汤、盐、胡椒粉，大火煮开后改小火煮至黏稠，加味精、香菜调味即可。

TIPS 贴心小提示<<<

芋头去皮时保持干燥，接触芋头的手就不会痒。

牛蒡香菇粥

〔材料〕牛蒡50克、香菇1朵、芹菜1克、大米1杯、鸡汤5杯。

〔调料〕盐、胡椒粉、味精。

做法

1.将各种材料洗净，牛蒡去皮后切丝；香菇切丝；芹菜切成细末；大米用水浸泡30分钟。

2.锅置火上，放入鸡汤、大米，大火煮开后转小火熬煮30分钟。

3.将牛蒡丝、香菇丝、芹菜末、盐放入粥中，继续煮20分钟后加味精、胡椒粉调味即可。

营养师建议

★★★牛蒡是抗癌防癌的养生食品，选购时以粗大无须根为好，但一次不要买太多,容易坏。

羊骨滋补粥

〔材料〕羊骨1根、红枣6粒、大米1杯、清水8杯。

〔调料〕盐、葱花、香菜段。

做法

1.羊骨洗净，斩成两半；红枣洗净，大米洗净后用水浸泡30分钟。

2.锅置火上，放入清水、羊骨，大火煮开后转小火炖1小时。

3.将羊骨中骨髓取出，留在汤中，骨头捞出，把大米、红枣放入汤中，大火煮开后转小火煮30分钟，加盐、葱花、香菜调味即可。

营养师建议

★★★①羊骨选用大骨棒，骨髓比较多的部分。②这道粥对治疗贫血有比较好的功效。

田园时蔬粥

〔材料〕花椰菜半个、香菇2朵、草菇2朵、胡萝卜半根、大米1杯、鸡汤5杯。

〔调料〕盐、胡椒粉、香油、味精、白糖。

做法

1.将蔬菜洗净，均用沸水焯一下，花椰菜掰碎，香菇、草菇、胡萝卜分别切丁；大米洗净后用水浸泡1小时。

2.锅置火上，放入鸡汤与大米，旺火煮开，加入香菇、草菇与胡萝卜丁，煮开后慢火熬煮至黏稠。

3.加入花椰菜、盐、胡椒粉、白糖，中火煮开锅，放入味精与香油调味即可。

皮蛋排骨粥

〔材料〕排骨100克、皮蛋1个、花生仁少许、大米1杯、高汤4杯。

〔调料〕葱花、盐、白糖、味精。

做　法

1.排骨洗净，用盐腌渍2小时；大米洗净后，用水浸泡1小时；皮蛋洗净，切成小块备用。

2.将腌好的排骨再次洗净，在沸水中焯一下，捞出。

3.锅置火上，放入高汤，用大火煮沸，加入排骨，开锅后放入大米、皮蛋和花生仁。

4.再次开锅后改小火熬煮1个小时，加入盐、白糖、味精搅匀，撒上葱花调味即可。

TIPS 贴心小提示<<<

1 排骨在沸水中焯过之后，做出的粥不浑浊。
2 皮蛋要在粥中煮烂，味道才会完全融入粥中。

乌鸡糯米葱白粥

〔材料〕乌鸡腿1只、圆糯米45克。

〔调料〕葱白、盐。

做　法

1.乌鸡腿洗净、切成块，氽烫洗净、沥干。

2.将乌鸡腿加4碗水熬汤，大火烧开后转小火，约煮15分钟，再倒入圆糯米煮，开锅后转小火煮。

3.葱白去头须，切细丝，待糯米煮熟后，再加入盐调味，最后入葱丝焖一下即可。

牛肉滑蛋粥

〔材料〕牛肉150克、米饭100克、香菇2朵、芹菜少许、鸡蛋1个。

〔调料〕盐、味精、酱油、高汤、胡椒粉、植物油。

做　法

1.香菇洗净切丝，芹菜洗净剁碎；将蛋清和蛋黄分离出来；牛肉洗净切丝，用蛋清、盐、味精腌渍20分钟。

2.牛肉丝、香菇丝和植物油一同放入微波炉内用高火加热3分钟。

3.把盐、味精、酱油和高汤调成汁，用高火加热5分钟，加入米饭和牛肉丝、香菇丝，用高火加热10分钟。

4.加入蛋黄，回炉用高火加热1分钟，撒上胡椒粉、芹菜末即可。

鲜汤煮饭

〔材料〕大米200克、洋葱1/2个、香肠2根、葱1棵。

〔调料〕高汤、盐、味精、胡椒粉。

做　法

1.香肠切丁；洋葱洗净切丁；葱洗净切末备用。

2.大米沥干水分，倒入高汤、洋葱丁、香肠丁，加入盐、味精、胡椒粉拌匀。

3.放入电锅内煮熟，最后撒上葱末即可。

TIPS 贴心小提示<<<

1 香肠也可改为排骨，蔬菜可选择较耐煮的土豆、南瓜，尽量不要使用绿色蔬菜，既不耐煮颜色也不漂亮。
2 为了避免切洋葱时辣眼，可以在切的过程中多用水冲几次刀。

玫瑰香粥

〔材料〕玫瑰花瓣数瓣、大米1杯、清水5杯。

〔调料〕冰糖、蜂蜜 。

做 法

1.玫瑰花瓣洗净，取几瓣细细切碎，剩余的用水浸泡；大米洗净后用水浸泡2小时。

2.锅置火上，放入清水与大米，大火煮开后转小火熬煮30分钟。

3.把玫瑰花瓣碎末、冰糖放入粥中，继续慢火煮20分钟，撒上其余花瓣，花瓣中浇入蜂蜜即可。

苦瓜糯米粥

〔材料〕苦瓜半根、圆糯米1杯、清水4杯。

〔调料〕冰糖。

做 法

1.苦瓜洗净，去瓤后切丁，在盐水中浸泡5分钟；圆糯米洗净，用水浸泡1小时。

2.锅置火上，放入清水与圆糯米，大火煮沸后转小火，慢慢熬煮至黏稠，加入苦瓜丁与冰糖，中火煮开后小火微煮5分钟即可。

双莲紫米粥

〔材料〕莲子1/3杯、莲藕3厘米长段、紫糯米1/3杯、圆糯米1/3杯、清水7杯。

〔调料〕冰糖、蜂蜜。

做 法

1.莲子、紫糯米、圆糯米洗净，分别用水浸泡2小时；莲藕洗净后切丁。

2.锅置火上，放入清水与莲子、紫糯米、圆糯米，大火煮开后改小火慢慢熬煮至莲子口微张，加入莲藕丁、冰糖，继续煮30分钟。

3.将粥稍微晾一晾，浇上蜂蜜即可。

营养师建议

★★★①莲子与莲藕都是养心安神、美容的食品，多食则内外兼修。②不喜欢莲藕爽脆口感的话，把莲藕与莲子一起下锅，便可吃到“面面”的莲藕了。

花生红枣蛋糊粥

〔材料〕嫩花生10粒、红枣6粒、鸡蛋2个、圆糯米1杯、清水5杯。

〔调料〕蜂蜜。

做 法

1.花生米去除红衣，洗净；红枣洗净；圆糯米洗净后，用水浸泡2小时。

2.锅置火上，放入清水、圆糯米，大火煮开后转小火，熬煮30分钟后，放入红枣继续熬煮30分钟。

3.将鸡蛋磕入碗中打散，把蛋液顺时针徐徐搅拌着浇入粥中，熄火后调入蜂蜜即可。

TIPS 贴心小提示<<<

这道粥要熬得稀一点，浇上蛋液，口感色泽才好，太稠的粥容易与蛋液结块。坚持喝这道粥，对胃炎、支气管炎都有疗效。

生姜暖胃粥

〔材料〕嫩生姜10克、大米1杯、清水4杯。

〔调料〕红糖。

做 法

1.生姜洗净，切成薄片；大米洗净后用水浸泡30分钟。

2.锅置火上，放入清水、大米，大火煮开后转小火，加入姜片继续熬煮40分钟。

3.待粥黏稠后，再加入红糖煮开即可。

TIPS 贴心小提示<<<

①春姜秋蜜，春天多食生姜可温养胃寒，但是每次切忌多吃，过多食用生姜会导致姜辣素过敏。②如果养胃，用大米做成稠粥；如果治疗感冒，用糯米做成稀粥。

米沙杏肉粥

〔材料〕鲜杏4颗、大米1杯、清水4杯。

〔调料〕冰糖。

做 法

1.鲜杏洗净，去核，切成丁。

2.大米洗净后用水浸泡2小时，米身膨胀后捞出，放入碗内，用勺子轻轻捻碎米粒，形成米沙。

3.锅置火上，放入清水、米沙，大火煮开后转小火，煮20分钟后加入杏肉、冰糖，煮10分钟即可。

营养师建议

★★★ 1.杏性温，能润肺止喘，晚餐食用效果会更好。2.如果有搅拌机，可直接把米粒放入搅拌机搅拌。

百合小米粥

〔材料〕嫩百合20克、银耳1朵、红枣5粒、花生10粒、小米1杯、清水5杯。

〔调料〕橘皮、薄荷、冰糖。

做 法

1.百合、银耳、红枣、橘皮洗净，银耳撕成小朵，橘皮切成细丝，花生去红衣；小米洗净后用水浸泡30分钟。

2.锅置火上，放入清水、小米、银耳，大火煮开后转小火，熬煮40分钟。

3.将红枣、花生、百合、冰糖、薄荷、橘皮放入粥中，继续小火熬煮30分钟即可。

营养师建议

★★★ ①这道粥养阴生津，有安神功效，能调整春天昼乏夜燥的症状。②小米要选择饱满新鲜的，陈年的小米做出的粥会“清汤寡水”。

梅花白米粥

〔材料〕白梅花5克、大米1杯、清水5杯。

〔调料〕冰糖、柠檬。

做 法

1.白梅花洗净，用冷水浸泡；大米洗净后用水浸泡30分钟。

2.锅置火上，放入清水、大米，大火煮开后转小火，熬煮40分钟。

3.将白梅花、冰糖放入粥中煮2分钟，挤几滴鲜柠檬汁调味即可。

TIPS 贴心小提示<<<

①梅花现用现摘，若摘早了一定放在冷水中浸泡，否则花香易散。②梅花有舒肝理气、健脾和胃的功效，对女性痛经尤其有好处。

核桃果肉紫米粥

〔材料〕核桃50克、葡萄干20粒、紫糯米1杯、清水5杯。

〔调料〕冰糖、蜂蜜。

做 法

1.核桃去壳，把核桃肉切碎，去掉碎皮；葡萄干洗净；紫糯米洗净后用水浸泡2小时。

2.锅置火上，放入清水与紫糯米大火煮开，改小火熬煮至黏稠，加入葡萄干、冰糖继续熬煮15分钟。

3.把熬好的粥晾一晾，撒入核桃肉碎，拌匀即可。

莲子木瓜粥

〔材料〕莲子20粒、木瓜100克、圆糯米1杯、清水5杯。

〔调料〕橘皮、冰糖。

做法

1.莲子与圆糯米洗净，用水浸泡2小时；木瓜洗净去皮后切块；橘皮洗净后切丝。

2.锅置火上，放入清水、圆糯米、莲子，大火煮开后转小火，熬煮1小时。

3.将木瓜、冰糖放入粥中，小火煮40分钟后撒上橘皮丝即可。

营养师建议

★★★木瓜具有丰胸的奇妙功效，而且能够美白。

小米红枣粥

〔材料〕小米1/2杯、圆糯米1/4杯、玉米碎1/4杯、红枣10粒、清水6杯。

〔调料〕红糖。

做法

1.小米、玉米碎分别洗净；圆糯米洗净后用水浸泡1小时；红枣洗净。

2.将1杯清水以及小米、玉米碎装在碗中，放入蒸锅中蒸熟。

3.锅置火上，放入清水、圆糯米，大火煮开后转小火，放入做法2中小米和玉米碎、红枣，熬煮至黏稠，加入红糖调味即可。

营养师建议

★★★腹胀上火的朋友，要少吃些红枣为好。小米是富含蛋白质的谷类，有养肾除热的功效。

莲子小米粥

〔材料〕莲子1/3杯、小米2/3杯、清水5杯。

〔调料〕红糖。

做法

1.莲子、小米分别洗净；莲子用水浸泡2小时。

2.将1杯清水与小米放入碗中，再放入蒸锅中将小米蒸熟。

3.锅置火上，放入清水、莲子，大火煮开后转小火煮1小时，加入蒸好的小米，继续煮30分钟，放入红糖调味即可。

TIPS 贴心小提示<<<

1 选用莲子时记得去心，否则很苦。

2 莲子一定要煮透才放小米，因为小米已经蒸熟，熬煮时间太长会影响口味。

牛奶薏米果仁粥

〔材料〕核桃仁适量、松仁适量、葡萄干适量、薏米1杯、牛奶2杯、清水6杯。

〔调料〕冰糖、蜂蜜、炼乳。

做法

1.葡萄干洗净，薏米洗净后用水浸泡2小时；核桃仁与松仁去皮后洗净。

2.锅置火上，放入清水与薏米，大火煮沸后转小火，熬煮40分钟后，加入牛奶与核桃仁、松仁、冰糖，继续煮10分钟。

3.将粥晾一晾，撒葡萄干，浇上蜂蜜与炼乳即可。

白果浆粥

〔材料〕白果1/3杯、燕麦1/3杯、薏米1/3杯、豆浆4杯。

〔调料〕蜂蜜。

做 法

1.白果、燕麦、薏米分别洗净，燕麦、薏米分别用水浸泡1小时。

2.锅置火上，放入豆浆、燕麦、薏米，大火煮开。

3.将白果加入粥中，改小火熬煮至黏稠，晾一晾后加蜂蜜调味即可。

营养师建议

★★★①白果营养丰富，但生吃会中毒，所以一定要煮熟食用。②豆浆是养生美容佳品，能有效防止动脉硬化。

杂米八宝粥

〔材料〕小米1/6杯、高粱米1/6杯、薏米1/6杯、红豆1/6杯、绿豆1/6杯、莲子1/6杯、龙眼6颗、花生仁10粒、清水6杯。

〔调料〕冰糖、蜂蜜。

做 法

1.将所有材料洗净，小米、高粱米用水浸泡30分钟，薏米、莲子、绿豆用水浸泡2小时，红豆用水浸泡4小时。

2.锅置火上，放入清水、莲子、红豆、薏米、绿豆，大火煮开后转小火熬煮30分钟。

3.将小米、高粱米、花生仁、龙眼、冰糖放入粥中煮30分钟，熄火，晾凉后浇上蜂蜜即可。

营养师建议

★★★秋天多吃杂米，对降低胃火有好处。

蜜果糯米冰粥

〔材料〕豌豆1/3杯、红豆1/3杯、绿豆1/3杯、紫糯米1/4杯、圆糯米1/4杯、水果罐头（菠萝、西瓜、梨）半听、清水12杯。

〔调料〕蜂蜜、冰糖、冰屑。

做 法

1.把豆类与两种糯米都洗净，用水浸泡2小时。

2.锅置火上，放入8杯清水与豆类，大火煮开后转小火，焖至表皮稍微开花后取出，晾凉，拌入蜂蜜，密封放入冰箱24小时。

3.净锅置火上，放入4杯清水与糯米，大火煮开后转小火，煮至稍微黏稠，加入冰糖后继续熬煮20分钟，晾凉后，先把冰屑盛在碗中，浇一勺米粥，撒一些水果，最后淋上蜂蜜腌渍好的豆类即可。

花样果肉薏米粥

〔材料〕西瓜适量、菠萝适量、梨适量、葡萄少许、薏米2/3杯、圆糯米1/3杯、清水7杯。

〔调料〕冰糖、蜂蜜。

做 法

1.薏米与圆糯米洗净，用水浸泡2小时；将各种水果果肉取出，切成大小均等的小丁；葡萄洗净后去皮去子。

2.锅置火上，放入清水与薏米、圆糯米，大火煮沸后转小火，熬至黏稠，加入西瓜丁、菠萝丁、梨丁、冰糖，慢火煮约10分钟。

3.最后把葡萄放在粥面上，浇适量蜂蜜即可。

TIPS 贴心小提示<<<

①果肉可以根据个人喜好替换，注意不要选择易碎的果肉。
②梨肉可以适当早放一会儿，西瓜一定不能煮太长时间，这样才能保持色泽。

燕麦雪梨糯米粥

〔材料〕雪梨1个、红枣5粒、枸杞少许、燕麦片1/2杯、圆糯米1/3杯、清水6杯。

〔调料〕蜂蜜。

做法

1.雪花梨洗净，去皮、去核，切片；红枣、枸杞洗净；圆糯米、燕麦片洗净后，用水浸泡1小时。

2.锅置火上，放入清水、燕麦、圆糯米，大火煮开后转小火，慢慢熬煮至黏稠。

3.在粥中放入红枣、枸杞、梨片，再用小火熬煮15分钟。

4.把煮好的粥晾一晾，浇上适量蜂蜜即可。

绿豆薏米粥

〔材料〕薏米1/2杯、绿豆1/2杯、清水8杯。

〔调料〕白糖。

做法

1.将薏米、绿豆分别淘洗干净，并分别在水中浸泡2小时。

2.锅置火上，放入绿豆以及7杯清水，大火煮开后，加入一杯清水继续熬煮，再次煮开后，转小火慢慢熬煮至绿豆开花，再放入薏米，煮沸后转小火煮1小时。

3.将白糖放入粥中，搅拌均匀即可。

芡实莲子糙米粥

〔材料〕芡实20克、莲子1/3杯、枸杞10粒、糙米2/3杯、清水8杯。

〔调料〕冰糖。

做法

1.芡实、莲子、糙米分别洗净，莲子与糙米分别用水浸泡3小时。

2.锅置火上，放入清水、莲子、糙米、芡实，大火煮开后转小火熬煮1小时。

3.将枸杞、冰糖放入粥中，煮沸即可。

营养师建议

★★★①芡实具有健脾补肾的功效，一般药店有卖，与莲子或山药搭配比较好。②如果不喜欢糙米口感，加些大米或圆糯米也可以。

川贝雪梨粥

〔材料〕川贝20克、雪梨1个、圆糯米1杯、清水5杯。

〔调料〕冰糖。

做法

1.川贝、圆糯米分别洗净后，用水浸泡1小时。

2.雪花梨洗净，削去外皮与内核，切成片。

3.锅置火上，放入清水、圆糯米、川贝，大火煮开后转小火煮40分钟，再加入雪梨煮沸后转小火，熬煮30分钟后加冰糖调味即可。

营养师建议

★★★①宜选用个大并且沉甸甸、水分充足的雪梨。②川贝止咳润肺，对咽喉肿痛有一定治疗效果。

核桃芝麻粥

〔材料〕核桃2个、芝麻10克、圆糯米1杯、清水5杯。

〔调料〕冰糖。

做法

1.核桃敲碎，取仁，将果仁放入塑料袋中，敲碎待用；圆糯米洗净后用水浸泡1小时。

2.芝麻用小火炒熟炒香，在碗中捣碎，呈粉末状。

3.锅置火上，放入清水、圆糯米，大火煮开后转小火熬煮30分钟，加入核桃碎、芝麻粉，大火煮开后加冰糖，改小火熬煮30分钟即可。

TIPS 贴心小提示<<<

如果时间短，可以用超市里成袋的芝麻粉。核桃仁不要敲太碎，那样口感会不好。

山楂粥

〔材料〕鲜山楂5颗、圆糯米1杯、清水4杯。

〔调料〕红糖。

做法

1.鲜山楂洗净，去核，切成两半后用红糖腌渍30分钟，圆糯米洗净后用水浸泡1小时。

2.锅置火上，放入清水、圆糯米，大火煮开后转小火熬煮30分钟。

3.将腌渍好的山楂放入粥中，小火煮30分钟，最后加红糖调味即可。

营养师建议

★★★ 1 山楂性温，加红糖煮的粥适宜体虚的女性朋友多食用。
2 如果时间充足，可将红糖加水熬化，山楂放入其中慢慢熬煮腌渍。

蜜柚菊花粥

〔材料〕柚子1个、菊花2朵、圆糯米1杯、清水3杯。

〔调料〕冰糖。

做法

1.柚子去皮，将白皮撕掉后放入榨汁机中榨出柚子汁；菊花洗净；圆糯米洗净后用水浸泡1小时。

2.锅置火上，放入清水、圆糯米，大火煮开后转小火熬煮30分钟。

3.将柚子汁、菊花、冰糖放入粥中，继续煮20分钟即可。

TIPS 贴心小提示<<<

1 选择柚子的时候，用手掂一掂，沉实为好。
2 菊花用新鲜的，或者菊花茶中的干菊花都可以。

黑芝麻果仁粥

〔材料〕核桃仁15克、杏仁15克、花生仁15克、熟黑芝麻5克、大米1杯、清水5杯。

〔调料〕冰糖。

做法

1.将各种果仁洗净，核桃仁与花生仁去皮；大米洗净后，用水浸泡1小时。

2.锅置火上，放入清水与大米，大火煮开后转小火，熬煮20分钟。

3.加入各种果仁和冰糖，继续用小火熬煮30分钟。

4.粥煮好后，加入熟黑芝麻点缀即可。

金橘糯米粥

〔材料〕金橘5粒、圆糯米1杯、清水5杯。

〔调料〕柠檬半个、冰糖、蜂蜜。

做法

1.金橘洗净，对半切开；圆糯米洗净后用水浸泡1小时。

2.锅置火上，放入清水、圆糯米、金橘，大火煮开后改小火，慢慢熬煮至黏稠。加入冰糖后再煮20分钟。

3.把柠檬挤出汁液来滴入粥中，再浇几道蜂蜜即可。

营养师建议

★★★①金橘有止咳防寒的功效，以皮的效果最好，所以切忌剥皮煮粥。②滴入柠檬汁后，味道会更鲜美。柠檬还有减少色素生成、清洁皮肤，使皮肤白皙的作用，是天然的美容佳品。不仅如此，柠檬还有提神的作用呢，在精神不好时吃上一点柠檬，可使注意力增强，精神大振。

红糯米栗子粥

〔材料〕生栗子6颗、红糯米1杯、清水4杯。

〔调料〕红糖。

做法

1.生栗子洗净；红糯米洗净后用水浸泡4小时。

2.锅置火上，将生栗子与1杯清水放入蒸锅中，隔水蒸熟后切成小丁。

3.另取锅置火上，放入3杯清水、红糯米，大火煮开后转小火熬煮至粥黏稠，加入栗子丁、红糖，再熬煮20分钟即可。

干姜红糖粥

〔材料〕干姜100克、红枣6个、大米1杯、清水5杯。

〔调料〕红糖。

做法

1.干姜洗净，切片；红枣洗净；大米洗净后用水浸泡30分钟。

2.锅置火上，放入清水、干姜片，大火煮开后转小火，熬煮20分钟。

3.将大米、红枣放入姜汤中，大火煮开后改小火煮30分钟。

4.食用时加入红糖调味即可。

营养师建议

★★★①干姜与红糖能够驱寒除湿，冬季适宜多食用，体虚的朋友也可以多吃些。②干姜味辣，可以根据个人口味适当增减干姜的用量。

滋补杂粮粥

〔材料〕紫糯米1/4杯、糙米1/4杯、薏米1/4杯、红豆1/4杯、绿豆1/4杯、黑豆1/4杯、莲子1/4杯、南瓜30克、红薯30克、红枣5粒、桂圆5粒、银耳1朵、枸杞10粒、清水10杯。

〔调料〕白糖。

做 法

1.将米、豆分别洗净后用水浸泡2小时；南瓜、红薯洗净后切小丁；红枣、桂圆、银耳、枸杞分别洗净。

2.锅置火上，放入清水、米类、豆类，大火煮开后转小火，煮至豆类酥软。

3.将余下材料都放入粥中，继续用小火熬煮1小时，然后加白糖调味即可。

红枣栗子米粥

〔材料〕栗子6颗、红枣6粒、熟松子仁30克、圆糯米1/2杯、清水6杯。

〔调料〕冰糖。

做 法

1.将所有材料洗净，圆糯米用水浸泡1小时。

2.将栗子与1杯清水放入蒸锅中，隔水蒸熟后掰碎。

3.锅置火上，放入清水、圆糯米，大火煮开后转小火，熬煮40分钟，加入红枣、栗子、冰糖继续煮20分钟，最后撒上松子仁即可。

TIPS 贴心小提示<<<

1 适当多加些水，用水淀粉勾芡，就是一碗美味的红枣栗子羹了。

2 根据个人喜好，可添加其他果仁来丰富口味。

奶油燕麦粥

〔材料〕燕麦片1/2杯、牛奶2杯、果仁适量、清水2杯。

〔调料〕白糖、黄油、盐。

做 法

1.燕麦片用水冲洗一下，再用温水浸泡30分钟。

2.锅置火上，放入清水、燕麦，大火煮开后转小火熬煮15分钟。

3.加入牛奶、果仁、黄油、盐、白糖，煮沸后转小火煮10分钟即可。

TIPS 贴心小提示<<<

1 奶油也可以用猪油代替。果仁如果是炒熟之后的，在粥煮熟后撒上即可。

2 还可以在粥面上加几道蜂蜜，口味也不错。

桂花白薯米粥

〔材料〕白薯50克、大米1杯、清水5杯。

〔调料〕糖桂花。

做 法

1.白薯洗净；大米洗净后用水浸泡30分钟。

2.将白薯放入蒸锅，隔水蒸熟，去皮后碾成蓉。

3.锅置火上，放入清水、大米，大火煮开后转小火煮20分钟。

4.加入白薯蓉煮沸后撒上糖桂花即可。

营养师建议

★★★白薯一定要蒸熟后剥皮，就能保证所有的瓤都香软可口。

花生牛奶红枣粥

〔材料〕花生仁适量、红枣适量、牛奶1袋、大米2把。

〔调料〕蜂蜜。

做 法

1.花生仁去除红衣，洗净；红枣洗净；大米淘洗干净。

2.锅置火上，倒入4杯水煮开，放入大米，大火煮开后转小火，放入红枣、花生仁继续熬煮约30分钟。

3.待大米花生烂熟后，放入牛奶、蜂蜜调匀即可。

核桃芝麻粥

〔材料〕核桃2个、芝麻10克、大米2把。

〔调料〕冰糖。

做法

1.核桃敲碎，取仁，将果仁放入塑料袋中，压碎待用；大米淘洗干净。

2.锅置火上，倒入3杯水煮开，放入大米，大火煮开后转小火熬煮30分钟，加入核桃碎、芝麻，大火煮开后加冰糖煮至融化后即可。

白果蜜饯糯米粥

〔材料〕白果6颗、圆糯米1杯、青丝、红丝、蜜枣、山楂糕、清水6杯。

〔调料〕冰糖。

做法

1.白果洗净；圆糯米洗净后用水浸泡1小时，蜜枣与山楂糕切成小方丁备用。

2.锅置火上，把清水与圆糯米放入锅中，大火烧开，放入白果改小火熬煮至黏稠。

3.把蜜枣丁、山楂糕丁、冰糖放入粥中，煮约15分钟后，撒上青丝、红丝即可。

营养师建议

★★★白果即银杏，富含多种营养，具有补肺、润肺、化痰止咳，通经利尿等功效。但食用过量会引起中毒。

柑橙甜粥

〔材料〕嫩柑橘1个、脐橙1个、莲子10粒、薏米1/2杯、圆糯米1/2杯、清水6杯。

〔调料〕冰糖。

做法

1.柑橘、脐橙剥皮后放入榨汁机中榨汁；其余材料洗净，并分别用水浸泡2小时。

2.锅置火上，放入清水、莲子、薏米、圆糯米，大火煮开后转小火熬煮1小时。

3.将榨好的果汁、冰糖加入粥中，继续熬煮20分钟即可。

营养师建议

★★★冬天的柑、橙都是应季水果，水分充足，营养丰富。粥做好后，切几片脐橙果肉放在粥面上，又好看又美味。

牛奶麦片粥

〔材料〕牛奶2杯、麦片2把、圆糯米1把。

〔调料〕白糖、黄油。

做法

1.麦片、圆糯米分别淘洗干净，糯米浸泡4小时。

2.锅置火上，倒入4杯水煮开，放入圆糯米大火煮开后转小火煮15分钟，再加入麦片，大火煮沸后加入牛奶，再煮10分钟，加入黄油、白糖煮至麦片软烂即可。

营养师建议

★★★①如果早餐时间紧张，可直接煮麦片加牛奶，或用热牛奶冲泡速溶麦片。最好选用脱脂牛奶，不影响营养吸收，还有减肥作用。②喝牛奶麦片粥，搭配挂霜鸡蛋，可以大大提高蛋白质的营养价值。

南瓜小米粥

〔材料〕南瓜100克、红枣数粒、小米2把。

做 法

1.南瓜洗净，去皮后切小块；红枣洗净；小米淘洗干净。

2.锅置火上，倒入3杯水煮开，放入小米、南瓜、红枣，大火煮开后转小火煮至黏稠即可。

营养师建议

★★★小米的清香，加上南瓜、红枣本身带有的甜味，这道制作简单的粥味道却非常可口，而且对胃的补养还很有好处。还可以适量添加些麦片，营养更丰富。南瓜、红枣、小米已经非常有滋补作用了，如再加上山药的健脾、补肺、固肾、益精的功能，还有属于碱性食品的鸭梨，整套搭配将给人带来更好的调节作用。

香蕉蜜粥

〔材料〕香蕉1根、鸡蛋1个、淀粉适量、大米2把。

〔调料〕蜂蜜、植物油。

做 法

1.香蕉去皮，切条状；鸡蛋打入碗中，加淀粉搅成糊状；大米淘洗干净。

2.锅中烧热油，将香蕉条拌入面糊中裹匀后，下油锅炸至金黄酥脆捞出。

3.另取锅置火上，倒3杯清水烧开，放入大米，以大火煮沸，用小火熬煮成粥，加入蜂蜜拌匀，再加入香蕉酥即可。

桂花红薯白米粥

〔材料〕红薯1块、大米2把。

〔调料〕糖桂花。

做 法

1.红薯洗净；大米淘洗干净。

2.将红薯放入蒸锅，蒸熟去皮后碾成蓉。

3.锅置火上，放入3杯清水烧开，放入大米，先以大火煮沸，再转用小火熬煮成粥，加入红薯蓉，煮沸后撒上糖桂花即可。

桂花南瓜粥

〔材料〕小南瓜1个、大米2把。

〔调料〕桂花酱。

做 法

1.小南瓜洗净，去除头部，挖去瓤、子，置入蒸笼蒸30分钟，取出备用；大米淘洗干净。

2.锅置火上，放入3杯清水烧开，放入大米，先以大火煮沸，再转用小火熬煮成粥，放入桂花酱搅匀，随即装填入蒸熟的南瓜盅内，再蒸约5分钟，至南瓜甜味完全和粥汁相融即可。

奶香燕麦粥

〔材料〕大米100克、燕麦片50克。

〔调料〕鲜牛奶、蜂蜜。

做 法

1.将大米洗净，放入水中浸泡30分钟备用。

2.锅内倒适量的水，放入大米，大火烧开，后改用小火煮40分钟。

3.加入鲜牛奶煮开，最后放入燕麦片、蜂蜜，搅匀即可。

营养师建议

★★★此粥加入牛奶（根据自己口味和需要挑选）和燕麦片（超市购买速溶即可）味道香甜软糯，含有丰富的营养成分，可补虚损、健脾胃、润五脏。早餐食用营养又方便。如果喜欢吃筋道大米，也可以不浸泡，洗净后直接将米放入锅中煮。

黑米红枣粥

〔材料〕红枣数粒、枸杞少许、黑米2把。

〔调料〕白糖。

做 法

1.红枣、枸杞均洗净；黑米淘洗干净。

2.锅置火上，倒入3杯清水烧开，放入黑米，先以大火煮沸，加入红枣，再转用小火熬煮成粥，再加入枸杞煮5分钟，用白糖调味即可。

小米牛奶粥

〔材料〕小米2把、牛奶半袋。

〔调料〕白糖。

做 法

1.小米淘洗干净。

2.锅置火上，倒入3杯清水烧开，放入小米，先以大火煮至小米粒涨开，倒入牛奶继续煮，再沸后，转用小火熬煮，并不停地搅拌，加白糖，一直煮到米粒烂熟即可。

苹果小米粥

〔材料〕苹果1～2个、小米100克。

〔调料〕红糖。

做 法

1.苹果洗净去核；小米洗净。

2.将苹果和小米一起用水煮至糊状，调入红糖即可。

水果甜粥

〔材料〕梨1个、猕猴桃1个、蜜枣适量、红樱桃数个、大米2把。

〔调料〕冰糖。

做　法

1.梨削皮，去核，切片；猕猴桃去皮，切片；樱桃洗净；大米淘洗干净。

2.锅置火上，放入3杯清水烧开，放入大米，先以大火煮沸，再转用小火熬煮成粥，加入冰糖调味。

3.将梨片、猕猴桃片、蜜枣、樱桃置于粥上即可。

绿豆百合粥

〔材料〕绿豆100克、莲子50克、百合30克、大米2把。

〔调料〕冰糖。

做　法

1.绿豆洗净，放清水中浸泡；百合用清水浸泡备用；莲子去心，洗净；大米洗净。

2.锅置火上，放入3杯清水烧开，放入绿豆、莲子、大米，先以大火煮沸，再转用小火熬煮，粥将煮好时放入百合，用小火继续煮成稠状，并用冰糖调味，待再沸时即可。

龙眼红枣粥

〔材料〕龙眼10颗、红枣10粒、糯米2把。

〔调料〕红糖。

做　法

1.将龙眼去壳，与红枣一同洗净，去核；糯米淘洗干净，浸泡4小时。

2.锅置火上，放入3杯清水烧开，放入糯米，先以大火煮沸，加入红枣，再转用小火熬煮成粥，放入桂圆肉，再以小火煮烂。食用时加红糖调味即可。

红豆粥

〔材料〕大米50克、红豆30克。

〔调料〕红糖。

做　法

1.将红豆与大米分别淘洗干净。

2.将红豆放入锅内，加入适量清水，烧开并煮至烂熟，再加入水与大米一起煮。用大火烧开后，转用小火，煮至黏稠为止。

3.粥内加入适量红糖，烧开盛入碗内即成。

营养师建议

★★★此粥色泽红润，香甜爽口，诱人食欲。红豆还含有丰富的蛋白质、赖氨酸。此粥比较清淡可搭配稍用油炸的主食，吃起来不会感觉太油腻。

牛乳粥

〔材料〕糙米500克、鲜牛奶200克。

〔调料〕蜂蜜。

做法

1.将糙米淘洗干净，泡30分钟备用。

2.把米放入锅中加入清水烧开，熬煮成粥。

3.倒入鲜牛奶再继续煮一会儿，待粥黏稠即可关火。

4.最后再加入适量的蜂蜜即可。

营养师建议

★★★鲜牛奶也可用奶粉代替。此粥滋润肌肤，生津止渴，有胃、十二指肠溃疡的朋友不妨在早上喝一碗，有很好的疗效！

冰糖菊花粥

〔材料〕大米100克、菊花10克。

〔调料〕冰糖。

做法

1.锅中先倒入水烧至85℃，放入菊花浸泡出香味，取汤汁备用。

2.大米洗净，放入水中浸泡30分钟。

3.将米放入锅中倒入水，用大火煮开，改用小火煮40分钟。

4.把菊花汁倒入继续煮5分钟，撒上冰糖即可。

TIPS 贴心小提示<<<

在煮的时候最好不要用铁质的锅，否则倒入茶汁后，粥容易变成黑色。带有淡淡菊花味道的粥，你肯定会喜欢！

桂圆莲子粥

〔材料〕大麦100克、莲子20克、桂圆肉20克。

〔调料〕冰糖、桂花酱。

做法

1.将大麦去皮洗净，用清水泡1小时；桂圆肉洗净泡软备用。

2.莲子洗净去核，泡大约30分钟，放入蒸笼中蒸30分钟至熟。

3.将大麦倒入锅中，加入清水用大火煮开，改用小火煮30分钟。

4.放入莲子、桂圆肉继续煮至黏稠时，撒入冰糖即可。

TIPS 贴心小提示<<<

因为莲子不易熟，所以要先将莲子蒸过后再加入粥中煮。味道清新，早餐食用最佳，能调节一天的心情！

麦片粥

〔材料〕燕麦片200克、苹果1个、哈密瓜1/2个、熟腰果15克、葡萄干10克。

〔调料〕蜂蜜。

做法

1.将苹果、哈密瓜洗净去皮切成丁备用。

2.锅内倒水烧开后放入燕麦片煮熟，加入蜂蜜调味。

3.最后将腰果、葡萄干、水果丁加入燕麦片中即可。

营养师建议

★★★燕麦片具有降低血脂及胆固醇的功效。每天早上食用燕麦片可以说是一天中养生保心的开始。

香蕉葡萄粥

〔材料〕香蕉1根、葡萄干20克、熟花生适量、圆糯米1杯。

〔调料〕冰糖。

做 法

1.将香蕉剥皮，切成小丁；葡萄干洗净；熟花生去皮后用刀剁碎；圆糯米洗净后用水浸泡1小时。

2.将锅置火上，放入清水和圆糯米，大火煮开后，转小火熬煮1小时左右。

3.将葡萄干、冰糖放入粥中，熬煮20分钟后加入香蕉丁、花生碎即可。

绿豆莲子荷叶粥

〔材料〕绿豆150克、莲子50克、荷叶1张。

〔调料〕冰糖。

做 法

1.将绿豆淘洗干净后，用清水泡2小时以上；莲子洗净泡好；荷叶洗净，切块。

2.锅中倒入适量清水，放入绿豆煮开，放入莲子，再次煮开后，改用小火熬煮成粥，放入荷叶块烧煮。

4.食用时，加入适量冰糖调味即可。

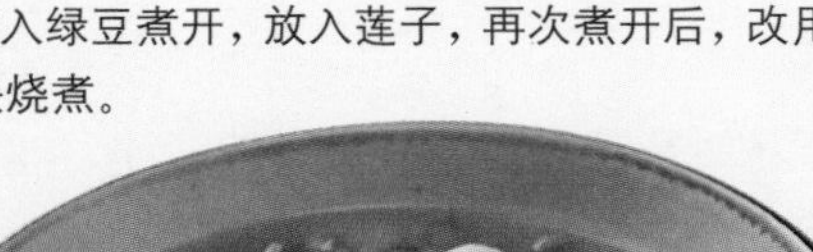

营养师建议

★★★绿豆有消暑止渴、清热解毒的作用，莲子、荷叶都适宜肥胖者食用，用这三种材料制成的粥，自然是夏季极佳的美食。

小米红豆粥

〔材料〕小米30克、红豆30克、糙米30克、大米30克。

〔调料〕冰糖。

做 法

1.大米、小米、糙米分别洗净，放入水中浸泡30分钟。

2.红豆洗净，放入水中浸泡12小时，然后放入蒸笼蒸1小时。

3.把大米、小米糙米放入锅中倒入水用大火煮开，改用小火煮20分钟。

4.加入蒸好的红豆，稍煮再加入冰糖拌匀即可。

营养师建议

★★★红豆不易熟，要先蒸过，由于泡的时间较长，可提前一天把红豆泡上。三色相间，是不是看着就想吃呢！

阿胶粥

〔材料〕阿胶30克、糯米100克。

〔调料〕红糖。

做法

1.阿胶擦洗干净，捣碎。

2.糯米淘洗干净，用清水浸泡约30分钟。

3.锅内放入清水、糯米，先用大火煮沸后，再改用小火熬煮成粥。

4.下阿胶拌匀，再用红糖调味即可。

营养师建议

★★★阿胶可养血止血、滋阴补虚、润肺安胎，尤其适合于孕妇食用。对血虚胎动不安或滑胎的孕妇有预防和调养的作用。

红枣菊花粥

〔材料〕红枣50克、大米100克、菊花15克。

〔调料〕红糖。

做法

1.将红枣洗净；大米淘洗干净用水浸泡2小时；菊花用水冲洗干净。

2.将红枣、大米放入锅内，加清水适量，大火煮开后，改用小火慢慢熬煮，待粥煮至浓稠时，撒入菊花，关火前5分钟，放入适量红糖调味。

营养师建议

★★★①红枣富含营养物质和多种微量元素，具有独特的营养和药用价值。②此粥有健脾补血、清肝明目之功效，长期食用可使面部肤色红润，消除皱纹，还具有保健防病、驻颜美容的作用。

银耳鸽蛋糊

〔材料〕银耳6克、鸽蛋12个、核桃仁15克、荸荠粉60克。

〔调料〕白糖。

做法

1.银耳洗净加清水90克，上蒸笼蒸1个小时；鸽蛋磕入碗中，加少许冷水，连水一起倒入温水锅中，煮成嫩鸽蛋，捞入冷水内；将荸荠粉放入碗内加清水调成粉浆。

2.核桃仁用温水浸泡30分钟，捞出剥皮，沥干，用油炸酥，切碎成米粒状。

3.锅置火上，加适量清水，放入蒸的银耳汁和嫩鸽蛋，倒入荸荠粉浆，加白糖、核桃仁，搅匀成核桃糊即可。

木耳粥

〔材料〕木耳5克、红枣5粒、大米100克。

〔调料〕冰糖。

做法

1.将木耳放入温水中泡发，去蒂、去杂质，洗净撕成瓣状；将大米淘洗干净用水浸泡2小时；红枣洗净，一同放锅内，加适量水。

2.将做法1的材料先用大火烧开，再用小火炖熟。

3.小火炖至木耳烂熟、大米成粥后，加入冰糖调味即可。

TIPS 贴心小提示<<<

在选材上，也可以用银耳，在干燥的秋天常食木耳粥会滋阴润肺。

法式牛奶甜米粥

〔材料〕大米100克、牛奶500毫升。

〔调料〕牛油、豆蔻粉、柠檬皮丝、白糖。

做法

1.将大米淘洗干净，沥干水分，放入烤盘，均匀铺开；牛油切小粒，备用。

2.将牛油粒撒在大米上，再倒入牛奶，均匀撒上柠檬皮丝、豆蔻粉、白糖。

3.将烤箱预热至150℃，放入烤盘烤40分钟，取出后将烤好的米饭盛入锅中，加适量清水搅匀、煮开，转小火继续煮10分钟即可。

糯米山药粥

〔材料〕山药200克、糯米150克、红枣10粒、枸杞少许。

〔调料〕白糖。

做法

1.将糯米淘洗干净，泡4小时以上，放入沸水锅中煮开，改小火熬煮；红枣洗净与糯米同煮。

2.将山药去皮，切丁，放水中略泡，待粥已形成，再放入煮熟，加白糖调味。

3.在关火前倒入洗净的枸杞即可。

营养师建议

★★★枸杞不要煮太久，以免入锅后因过烂而裂开；山药也不宜久煮。

菊花绿豆粥

〔材料〕小米150克、绿豆50克、菊花15克。

〔调料〕白糖。

做法

1.将绿豆洗净泡软，放入锅中煮开后放入洗净后的小米，先用大火煮5分钟左右，再改小火煮约30分钟。

2.将菊花加入做法1的材料中，再继续煮约5分钟，加白糖调味即可。

TIPS 贴心小提示<<<

1 喜欢清淡口味的人可不放白糖。

2 此粥特别适合夏季食用，有利尿消暑、降火气的作用。

核桃紫米粥

〔材料〕紫米200克、核桃仁100克。

〔调料〕白糖。

做法

1.紫米洗净，放入水中浸泡2小时后沥干；核桃仁洗净备用。

2.锅中放入紫米，加入适量水烧开，转用小火熬至米粒熟透。

3.再加入核桃仁，继续煮10分钟，加入白糖煮至完全融合即可。

TIPS 贴心小提示<<<

再平常不过的紫米，放入核桃仁却有让人意想不到的丰胸功效。紫米搭配核桃仁能促进女性乳房的发育，其中含有的丰沛的花青素，常吃能让你的身材变得格外出众。

银耳莲子糯米粥

〔材料〕莲子10粒、银耳1朵、红枣8粒、枸杞10粒、圆糯米1杯、清水10杯。

〔调料〕冰糖。

做法

1.莲子、圆糯米分别洗净，用水浸泡2小时；银耳洗净泡发，撕成碎片；红枣与枸杞洗净。

2.锅置火上，放入9杯清水与莲子、圆糯米、银耳，大火煮开转小火，慢慢熬煮至黏稠，放入冰糖、红枣与1杯清水，大火煮开，再转小火熬煮20分钟。

3.待粥煮至黏稠，撒入枸杞略煮即可。

银耳莲子枸杞粥

〔材料〕大米100克、银耳10克、莲子20克、枸杞20克。

〔调料〕冰糖。

做　法

1.将银耳泡水，待发后，去粗蒂，切小块备用。

2.大米洗净浸泡30分钟。

3.将莲子及枸杞洗净后，连同银耳、大米一起放入锅内加水，以大火煮开，再以小火煮约40分钟。

4.加入冰糖调味，即可。

营养师建议

★★★银耳润肺养元气，疗效比同燕窝；莲子去心火，养心气，解烦助眠；枸杞滋阴生血，是一道非常适合产妇食用的粥品。

大麦粥

〔材料〕大麦2/3杯、圆糯米1/3杯、红枣6粒、水6杯。

〔调料〕红糖。

做　法

1.大麦、圆糯米洗净，分别用水浸泡2小时，红枣洗净。

2.锅置火上，放入清水、大麦，大火煮开，持续开锅煮5分钟，改小火熬煮20分钟。

3.将圆糯米放入粥中，中火煮开改小火，熬煮至粥黏稠，加入红枣、红糖煮15分钟即可。

营养师建议

★★★①大麦能增进食欲，吃太多油腻菜品后适合多喝些大麦粥。②粥煮好后，盖锅盖焖10分钟，会更黏稠。

燕麦果粥

〔材料〕燕麦片100克、苹果1/2个、猕猴桃1个、奶粉20克、葡萄干10克、枸杞10克。

〔调料〕白糖。

做　法

1.苹果、猕猴桃分别洗净，猕猴桃去皮与苹果分别切成小块备用。

2.把燕麦片和奶粉分别放入碗中，倒入适量的开水搅拌均匀。

3.加入苹果、猕猴桃、葡萄干、枸杞、白糖一起调匀即可。

莲子粥

〔材料〕莲子粉15～20克、大米30克。

〔调料〕白糖（冰糖）。

做　法

1.将大米淘洗浸泡一段时间。

2.水烧开后，将大米和莲子粉一同下锅熬煮，根据个人需要可加入白糖或冰糖。

冰糖百合粥

〔材料〕百合粉30克、大米100克。

〔调料〕冰糖。

做　法

1.将米淘洗干净。

2.水烧开后，将大米及百合粉一同下锅，后将冰糖加入即可。

大麦玉米碎粥

〔材料〕大麦半杯、玉米碎粒半杯、花生仁少许、话梅适量、清水6杯。

〔调料〕冰糖。

做法

1.大麦洗净，用水浸泡2小时；玉米碎粒洗净，用水浸泡30分钟；花生仁洗净；话梅去果核，切末。

2.锅置火上，放清水与大麦大火煮沸，改小火煮40分钟，放入玉米碎粒、花生仁再煮开后改小火，煮到大麦开花黏稠放冰糖，再煮10分钟。

3.最后撒上话梅煮5分钟即可。

小米棒糙粥

〔材料〕小米1把、玉米碎1把、圆糯米1把

做法

1.将小米、玉米碎、圆糯米分别淘洗干净，圆糯米浸泡4小时。

2.锅置火上，倒入4杯水煮开，放入圆糯米大火煮开后转小火煮15分钟，将玉米碎、小米放入，煮至黏稠即可。

杂米粥

〔材料〕薏仁半把、小米半把、麦片半把、长糯米1把

做法

1.薏仁、长糯米淘洗干净，用清水浸泡4小时；小米、麦片洗净。

2.锅置火上，倒入5杯清水烧开，放入薏仁、长糯米，先以大火煮沸，再转用小火熬煮20分钟，加入小米、麦片熬煮成粥即可。

红薯暖粥

〔材料〕红薯80克、圆糯米1杯、清水5杯。

做法

1.红薯洗净，去皮后切小块；圆糯米洗净后用水浸泡1小时。

2.锅置火上，放入清水与圆糯米，大火煮开后转小火熬煮20分钟。

3.将红薯块放入粥中，中火煮开后转小火煮30分钟即可。

营养师建议

★★★①红薯能刺激肠胃蠕动，所以避免空腹时喝此粥。②这道粥以红薯甜香见长，所以不用再加糖调味。

蒜头糯米粥

〔材料〕紫皮大蒜1个、圆糯米1杯、清水5杯

做法

1.紫皮大蒜剥皮洗净，切成薄片；圆糯米洗净后用水浸泡1小时。

2.锅置火上，放入清水、蒜片，大火煮开后捞出蒜片，将圆糯米放入汤中，煮沸后转小火熬煮1小时。

3.将蒜片放入粥中，略煮10分钟即可。

TIPS 贴心小提示<<<

①将蒜片事先用纱布包好，便容易捞出了。
②大蒜切片后静置20分钟，切口与空气氧化产生大蒜素后再食用较好。

鲜荷莲藕红豆粥

〔材料〕鲜荷叶1张、莲藕30克、红豆1/3杯、圆糯米2/3杯、清水5杯。

做法

1.鲜荷叶洗净，莲藕去皮洗净后切小块；红豆、圆糯米洗净后用水浸泡1小时。

2.锅置火上，放入清水、红豆，大火煮开后转小火，熬煮40分钟。

3.将鲜荷叶、莲藕、圆糯米放入红豆水中，开锅后转小火煮40分钟即可。

营养师建议

★★★①荷叶、莲藕都有滋润生津功效，能清热解暑。②可根据个人口味调味，放些盐或者冰糖。

红豆鱼汁粥

〔材料〕鲤鱼1条、红豆1/3杯、圆糯米2/3杯、清水6杯。

做法

1.鲤鱼收拾干净；红豆、圆糯米洗净后用水浸泡1小时。

2.锅置火上，放入3杯清水和鲤鱼，大火煮开后改中火熬煮至汤汁浓白。

3.净锅置火上，放入3杯清水、圆糯米，大火煮开后转小火煮1小时，加入鱼汤拌匀即可。

TIPS 贴心小提示<<<

1 这道粥在早晨喝可消除眼皮浮肿，不放调料，更有助增加疗效。
2 煮汤后的鲤鱼，可以加盐略煎一下，配合粥食用。

人参粥

〔材料〕人参3克、冰糖30克、大米100克。

做法

人参单煮，冰糖、大米共煮粥，将参汤加入粥中，再煮片刻便可，每日一次。

荷叶粥

〔材料〕鲜荷叶1张、大米2把。

做法

1.将荷叶洗净，用手撕碎，放入锅内，加入适量清水熬汤，待汤成绿色后捞出荷叶；大米淘洗干净。

2.锅置火上，倒入熬好的荷叶汤烧开，放入大米，先以大火煮沸，再转用小火熬煮成粥即可食用。

营养师建议

★★★荷叶能解热，消毒。夏季时常熬煮一些荷叶粥，是很好的选择。还可在荷叶粥中加些绿豆，如觉荷叶味苦，可加白糖调味。

山药羹

〔材料〕山药300克、圆糯米2把、芝麻少许。

做法

1.将新鲜山药去皮洗净，切滚刀块；圆糯米淘洗干净，浸泡4小时。

2.锅置火上，倒入4杯水煮开，放入圆糯米，大火煮开后转小火煮10分钟，放入山药块、芝麻煮成粥即可。

TIPS 贴心小提示<<<

山药是一味平补脾胃的药食两用之品，不论脾阳亏或胃阴虚之人皆可食用，而用山药与糯米或大米熬粥，是非常简便的办法。

枸杞粥

〔材料〕枸杞30克、大米2把。

做　法

1. 枸杞洗净；大米淘洗干净。

2. 锅置火上，放入3杯清水烧开，放入大米，先以大火煮沸，再转用小火熬煮成粥，加入枸杞，再煮5分钟即可。

胡萝卜粥

〔材料〕胡萝卜半根、大米2把。

做　法

1. 胡萝卜洗净，切碎粒；大米淘净。

2. 锅置火上，加3杯清水烧开，放大米，以大火煮沸，加入胡萝卜碎，再转用小火熬煮成粥即可。

猪肝绿豆粥

〔材料〕猪肝100克、大米100克、绿豆50克。

做　法

1. 将绿豆淘洗干净，在水中浸泡半小时。

2. 大米洗净；猪肝洗净，切成细丁。

3. 锅内倒入适量的水，加入绿豆和大米煮粥，快煮烂时加入猪肝丁。

4. 待猪肝熟透后即可。

营养师建议

★★★此粥不宜加盐。色泽艳丽，口味清淡，含有蛋白质、脂肪、维生素A、维生素B_1等营养成分。营养的早餐是不可缺少的哦！

蒜泥海带粥

〔材料〕大米80克、海带50克。

〔调料〕大蒜。

做　法

1. 海带洗净切碎；大蒜洗净捣烂；大米淘洗干净。

2. 锅置火上，放入大米、海带和适量水，煮成粥后再加入蒜泥稍煮片刻即成。

营养师建议

★★★①做成的蒜泥海带粥具有排铅的作用。②可根据自己的口味加入其他调味品。

胡桃粥

〔材料〕胡桃仁50克、大米100克。

做　法

胡桃仁碾碎，加水和米共煮为粥。

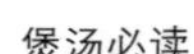

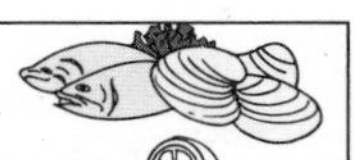

附录1

煲汤必读

煲汤注意事项

选料

中药选材最好选择经民间认定的无任何副作用的人参、当归、枸杞、黄芪、山药、百合、莲子等材料。另外，可根据个人身体状况选择合适的汤料。如身体火气旺盛，可选择如绿豆、海带、冬瓜、莲子等清火、滋润类的材料；身体寒气过盛，那么就应选择参类作为汤料。

水温

冷水下肉，肉外层的蛋白质才不会马上凝固，才可以充分地溶解到汤里，汤的味道才会更鲜美。

下料

肉类要先焯一下，这样可去肉中残留的血水，保证煲出的汤色正。条件允许，鸡最好整只煲，这样煲好的鸡肉肉质细腻而不粗糙。

火候

火不要过大，火候以汤沸腾程度为准。开锅后，小火慢煲，一般情况下鱼汤1小时左右；鸡汤、排骨汤3小时左右。如果是煲参汤，最佳时间是40分钟左右，因为参类中含有一种人参皂甙，如果煮的时间过久，就会分解，使其失去了营养价值。

煲过汤的肉料处理

无论煲汤的时间有多长，肉类的营养也不能完全溶解在汤里，所以喝汤后还要吃肉。

做汤小窍门

1 如何让汤变鲜

煮汤时如果材料是以肉类为主，最好用冷水下锅。而且最好一次加足冷水，且慢慢地加温，蛋白质才会充分溶解到汤里，汤的味道才鲜美。另外，煮汤也不能过早放盐，盐会使肉里所含的水分很快跑出来并加快蛋白质的凝固；酱油也不宜早放；葱、姜和料酒等作料不要放得太多，这些都会影响汤汁本身的鲜味。

2 汤做咸了如何补救

汤做咸了，可以将一个土豆切成若干片，先将一片放入烧开的汤里，半分钟后尝尝是否还咸，如果还咸，再放第二片、第三片，直到其味合适为止，因为生土豆最能吸收盐分；还可以用纱布包一把米饭进去，放入汤中煮一段时间，米饭可以吸走多余的盐分，汤自然就变淡了；也可以放一块糖进去，等一开始溶化就可取出，糖也

   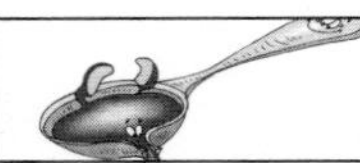

能吸去多余的盐分，同样，如果一次不成，可进行第二次、第三次。

3 如何让汤变清爽

有些油脂过多的材料煮出来的汤特别油腻，遇到这种情况，可将少量紫菜置于火上烤一下，然后撒入汤内，可解去油腻；也可待冷却后，油浮在汤面上或凝固在汤面时，用勺羹除去，再把汤煲滚。

4 如何炖鱼汤

在做水产类的汤时，往往需要在炖制前先煎一下鱼，要做到煎鱼不粘锅有以下几个方法：

a.将锅洗净、擦干后烧热，然后放油，再把锅稍加转动，使锅内四周都有油。待油烧热时，将鱼放入，鱼皮煎至金黄色时再翻动，这样鱼就不会粘锅。如果油还未热就放鱼，就很容易使鱼皮粘在锅上。

b.将锅洗净擦干烧热后，用鲜姜在锅底涂上一层姜汁，然后放油，待油热后，再将鱼放进去煎，这样也不会粘锅。

煎好鱼，要炖汤时，要一次加足水，用小火慢慢炖。如果放少量啤酒，味道更好，炖至鱼汤呈乳白色最好。切忌中途加水，那样会冲淡鱼汤的浓香味。

鲜汤的种类

荤汤

荤汤是用动物性材料的肉、骨等加清水和调料，煮炖而成。根据其制作方法、用途及汤色的不同，可分为：

a.高汤：高汤又叫头汤、原汤，一般是将猪骨头、猪肉、猪肘子、鸡、鸭等放入清水中，先用大火烧沸，再改用小火煮至材料成熟（材料可做他用）的汤汁。其汤色略白，汤味鲜醇，营养丰富。

b.毛汤：毛汤又叫二汤，是用制作高汤后的材料继续炖煮而成的。其汤色平淡，鲜味清和，但质量较次。

c．清汤：清汤清澈而鲜醇，味道最佳，浓度最大，质量最好。其制作方法有提清、滤清等。

素汤

素汤是用植物性材料加清水制成的鲜汤。其特点是汤汁清鲜不腻。

巧做不同种类的汤

肉汤

将肉丝（片）冷水下锅，烧沸后改用小火慢煮，可使肉中营养充分溶解，汤味更加鲜美。

鸡汤

用新鲜的鸡做汤，应在水烧沸后下锅；用腌过的鸡做汤，可温水下锅；用冷冻的鸡做汤，则应冷水下锅，这样才能使肉、汤鲜美可口。

鱼汤

应沸水下锅，快出锅时放入适量牛奶，汤熟后不仅鱼肉嫩白，而且鱼汤更加鲜香。

骨头汤

先将“浸”骨头的血水入锅煮沸，捞起浮沫，再放入骨头炖制，可使汤鲜味浓。

蔬菜汤

应选择新鲜蔬菜，待水烧开后下锅，这样可以保持蔬菜的鲜味，色泽好，营养损失少。

汤的食疗作用

鸡汤 VS 感冒

鸡汤对治疗感冒有一定作用，特别是用母鸡做成的汤，汤中的特殊养分，可加快咽喉部和支气管黏膜的血液循环，增强黏液分泌，及时抵抗呼吸道病毒，对感冒、支气管炎等疾病有独特的食疗效果。

鱼汤 VS 哮喘

鱼汤中有一种特殊的脂肪酸，具有抗炎的作用，可以阻止呼吸道发炎，并防止哮喘病发作，对儿童哮喘病的食疗效果更为明显。

骨头汤 VS 衰老

骨头汤中的特殊养分及胶原蛋白可疏通血液微循环。年龄大了以后，人的微循环系统逐渐开始老化，多喝骨头汤往往可缓解微循环系统的老化，起到药物难以达到的作用。

海带汤 VS 严寒

海带中含有大量的碘，而碘有助于甲状腺素的合成，具有产热效应，可以促进人体的新陈代谢，并使皮肤的血流加快，所以会让人在寒冷的冬天也能感到温暖。

菜汤 VS 污染

各种新鲜蔬菜中含有大量碱性成分，并可溶于汤中，喝蔬菜做成的汤，可以使血液呈正常的弱碱状态，防止血液酸化，使沉积于细胞中的污染物或毒性物质重新溶解，并随液体排出体外。

煲汤必读 6 大要点

1 懂药性

如煲鸡汤是为了健胃消食，就加肉蔻、砂仁、香叶、当归。为了补肾壮阳，就加山芋肉、丹皮、泽泻、山药、熟地黄、茯苓。为了给女性滋阴，就加红枣、黄芪、当归、枸杞子等。

2 懂肉性

煲汤一般以肉为主。比如乌鸡、黄鸡、鱼、排骨、龙骨、猪手、羊肉、牛骨髓、牛尾、狗脖、羊脊等等，肉性各不相同，有的发、有的酸、有的热、有的温，入锅前处理方式不同，入锅后火候不同，需要炖煮时间也不同。

3 懂辅料

常备煲汤辅料有霸王花、梅干菜、海米、花生、枸杞子、西洋参、草参、银耳、木耳、红枣、茴香、桂皮、小茴香、肉蔻、草果、陈皮、鱿鱼干、紫苏叶等不一而足，搭配有讲究，入锅有早晚。

4 懂配菜

煲汤时很少仅靠喝汤解决一餐，还要吃其他菜，但有的会相克，影响汤性发挥。比如吃羊肉汤，不宜再同吃韭菜；吃猪手汤，不宜吃松花蛋与蟹类等。

5 懂装锅

一般情况下，水与汤料比例在1∶4～1∶3，猛火烧开去浮沫，微火炖至汤余一半左右为3/4，同时加盐、加小苏打（仅酸性汤料需加）等即可。

6 懂入碗

根据不同汤性，有的先汤后肉，有的汤与料同食，有的先料后汤，有的喝汤弃料，符合要求就能最大限度发挥作用，反之就影响吸收效果。

附录2

煮粥必读

煮粥的基本材料

大米

大米是从稻子的果实中脱壳而成的，外形短圆、透明，含有蛋白质、脂肪、维生素B和磷钾等矿物质，是中国人的主食之一。

紫米

紫米富含蛋白质、糖类、多种维生素及钙、磷、铁、镁、锌等矿物质，具有很好的滋补作用，比普通大米更有营养。但紫米不易煮烂，所以煮前至少浸泡1个小时，这样煮出的米才颗粒饱满，口感实在。

玉米

玉米的碳水化合物、膳食纤维、磷、钾、镁、微生素A的含量都比较高，可以增强人体新陈代谢，使皮肤细嫩光滑，抑制、延缓皱纹的产生。

圆糯米

圆糯米口感甜腻，非常适合煮粥。圆糯米含有丰富的碳水化合物、磷、钾、镁矿物质等，对脾胃虚寒、食欲不振、腹胀腹泻等有一定的缓解作用。圆糯米比较难煮，在煮前要用冷水浸泡1个小时以上，煮出来的粥才会亮丽，有光泽。

小米

小米的热量、蛋白质及脂肪含量均高于稻米，还富含钙、铁、磷等矿物质和胡萝卜素，是营养丰富的谷类食物。小米易熟，可以直接与冷水一起入锅煮。

糙米

糙米富含蛋白质、脂肪、脂溶性维生素、水溶性维生素、钙、磷、铁等矿物质和食物性纤维，可促进肠胃蠕动，调节体质。

荞麦

荞麦含有丰富的蛋白质、B族维生素、芦丁类强化血管物质、矿物营养素、丰富的植物纤维素及镁、铁、铜、钾等微量元素等，对高血压、冠心病、糖尿病、癌症等有特殊的保健作用。

薏米

薏米含有丰富的植物性蛋白质、油脂、糖类、维生素和矿物质等，能够调节生理机能、美白养颜，是一种较好的美容佳品。薏米在煮前先用冷水浸泡1个小时，以1：1的比例和糯米搭配，口感更好。

绿豆

绿豆含蛋白质、脂肪、糖类、维生素B_1、维生素B_2、维生素E、铁、钙、磷等矿物质，具有清热、解燥、治肿胀、利小便的功效。

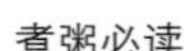

煮粥小窍门

1 防溢

在熬粥时往锅里加5～6滴植物油或动物油，就可避免粥汁溢锅了。用高压锅熬粥，先滴几滴食用油，开锅时就不会往外喷，比较安全。用高压锅煮粥，水不可超过高压锅容量的2/3，否则容易外喷，非常危险。

2 粘锅

粥烧开后不应用大火继续烧；淘好的米应立即下锅，不要久置；熬煮时不宜加添水，也不宜搅动。

3 浸泡

煮粥前先将米用冷水浸泡半小时，让米粒膨胀开。这样做的好处是节省时间；搅动时顺着一个方向转，熬出的粥会酥烂、口感好。

4 下锅

大家的普遍共识都是冷水煮粥，而真正的行家里手却是用开水煮粥，为什么？你肯定有过冷水煮粥糊底的经验吧？开水下锅就不会有此现象，而且它比冷水熬粥更省时间。

5 火候

先用大火煮开，再转小火熬煮约30分钟，粥的香味就可以四溢了。

6 搅拌

煮粥搅拌，不是为了怕粥糊底，是为了“出稠”，也就是让米粒颗颗饱满、粒粒酥稠。搅拌的技巧是开水下锅时搅几下，盖上锅盖至文火熬20分钟时，开始不停地搅动，一直持续约10分钟，到呈酥稠状出锅为止。

7 点油

粥改小火后约10分钟时点入少许色拉油，不仅成品粥色泽鲜亮，而且入口别样鲜滑。

四季保健护理饮食要点

【春季保健护理】

◎春季是阳气生发的季节，应以调养阳气为主。

◎主食中选择高热量的食物，除米、面、杂粮外，应加入适量豆类、花生。

【夏季保健护理】

◎夏季气温高，首先应注意饮食卫生。生食的瓜果蔬菜要洗净，或削皮后再吃。

◎夏季人们常感到食欲不振，应多吃些清淡、易消化的食物，如豆制品、蛋类、乳类、鸡、鱼、新鲜蔬菜、瓜果等，少吃油腻食物。

【秋季保健护理】

◎秋季气候凉爽，适宜“平补”。可多食茭白、南瓜、莲子、桂圆、黑芝麻、红枣等。脾胃虚弱、消化不良者，可常食莲子、山药等，有健补脾胃的作用。

◎秋天易出现口干唇燥，可适当服用银耳、百合、蜂蜜、冰糖、梨等，以滋阴润燥、益中补气。

【冬季保健护理】

◎冬季是进补强身的季节，饮食方面，一要有丰富、足够的营养，热量要充足；二是以温热性食物为主。

◎进补前，可先以牛肉、红枣、花生仁加红糖炖服，调理脾胃功能；然后再进补，可增加滋补效果，避免造成“虚不受补”。

四季补养粥

在现代生活中，我们习惯于将茶比作淡雅知己，忙碌中啜一口清香；将咖啡视为浓情恋人，依赖着它时刻充满激情；对于粥，却没有过多的重视。其实，静下心来想想，历经微火慢炖的过程，掀开盖后米粒香气四溢的一瞬间，可以说，粥其实是节奏匆忙的时尚生活中，我们最贴心的爱人。

春滋润，夏降暑，秋平燥，冬滋补，或香浓或清淡的一碗粥，摆在我们面前，就是一段温馨的四季故事。

【春季食养】

春季多雨、多风、多寒、多湿。我国传统中医认为，辛能散风，温能祛寒，淡能渗湿，甘能健脾，所以，结合气候变化的特点，从防病健身两方面采取一些有效方法来设计春季适宜的粥，以辛甘、清淡为主。主食类宜选用大米、灿米，味甘性温，能够补中气、健脾胃、养胃生津、明目益智；肉类应选用鸡肉、鸭肉等，性温而且不油腻，有助于体内消化；鱼类食物高蛋白、低脂肪，易于消化并且富含多种维生素，尤其是黄鳝、章鱼等都是春季首选；各种绿色蔬菜，如油菜、菠菜、韭菜、芹菜、香菜在春季都盛产，葱、蒜具有消毒杀菌的功效，可多食用；新鲜的蜜橘与杏，也可以适量选用，做成水果粥，润肺、顺气，口感也好。

【夏季食养】

夏季在五行中属火，在五味中属苦，所以夏季适宜清淡滋补，尤其时逢炎热酷暑，中暑、食欲不振等现象发作率也比较高，做粥时的原料选择要秉承清淡、败火等特性，切忌油腻。

主食方面，除食用大米、糯米之外，还可以多吃一些杂粮、豆类来调节胃的工作，在夏日高温燥热情况下增强食欲；肉类则侧重于脂肪含量低、味甘性平的火腿、牛尾之类，多食用鱼肉比牛羊肉对肠胃调整效果更好；夏季蔬菜瓜果相对产量丰富，主要本着解暑败火、清淡为主的原则选择原料做粥，如西瓜、桃、草莓、枇杷等等。

【秋季食养】

秋天，气候由热变凉，人体腠理（腠理，中医指皮肤的纹理和皮下肌肉之间的空隙）由疏松转为致密，阳气开始潜藏于内。秋季饮食保养，在应季取材之余，考虑到保健方面，以润燥益气为中心，以健脾补肝清肺为主要内容，寒凉搭配比较好，比如主食类，不宜单独用大米做粥，尽量搭配粗粮，配合大麦、糙米、高粱米等；肉类则选用甘寒、甘温之类，猪皮、牛肉都是较好选择，猪蹄、腔骨等也可多食用；水产类有黄花鱼、蟹类等；蔬果则本着应季原则，适当选择性凉的菠菜、萝卜、雪梨、栗子等。

【冬季食养】

冬季是一个寒冷的季节。医学认为，冬令进补与平衡阴阳、疏通经络、调和气血有密切关系。身体的抵抗能力下降，在寒冷季节，应顺应自然进行食补，滋阴养阳，以滋补为主。根据中医“虚则补之，寒则温之”的原则，应多吃温性、热性，特别是温补肾阳的食物进行调理，以提高机体的耐寒能力。冬季“食补”，应供给富含蛋白质、维生素和易于消化的食物。主食宜选用大米、籼米、玉米、小麦以及黄豆、豌豆等谷豆类；蔬菜类为韭菜、香菜、大蒜、萝卜、黄花菜等蔬菜；肉类则为羊肉、狗肉等冬季滋补佳品；水产类适宜多吃应季的带鱼等；橘子、椰子、菠萝、荔枝、桂圆等水果也可作为粥原料。

附录3

四季养生的注意事项

春季养生

春天是万物勃发之时，自然界正处于复苏生长期，人体也是一样，处于新陈代谢最活跃的时期。春季养生应顺应阳气生发的特点，以养肝为主。传统的中医理论认为：肝属木，与春天阳气生发相应，如果不注意调养，就会郁积成病。俗话说：药补不如食补。在饮食上注意调理，其功效事半功倍。因此，春季饮食应选用一些性味甘平的食品，温补阳气。如韭菜叶热根温，熟食味甘补中气，经常食用可起到助阳气、健肝脾的功能。山药、红枣性味甘平，亦是养肝健脾和胃之食物。

早春时节乍暖还寒，适当食用葱、姜、蒜等香辛食品，可以祛除阴寒，帮助春阳生发；还有杀菌防病，增强抵抗力之功效。

春天还是各种疾病活动猖獗之时，也是慢性病最容易复发的时期，因此多吃富含维生素E的食品，如：芝麻、菜花、卷心菜等，可提高人体免疫力。为了提高免疫力，还应该适量补充蛋白质，食用鸡蛋、鸡肉、鱼虾、猪肝、牛肉、豆制品等高蛋白食物。

春风起，百草生，各种野菜也到了成长期，荠菜、蒲公英、苋菜、香椿等野菜中含有丰富的氨基酸、葡萄糖和维生素，多吃野菜和蔬菜可补充人体所需的各种维生素。如：小白菜、油菜、柿子椒、番茄等维生素C含量高的食品可提高对细菌的抵抗力；胡萝卜、苋菜中维生素E含量高，有保护呼吸道和黏膜的功能。

夏季养生

夏季夜短昼长，天气炎热，中国传统的中医理论用五行中的“火”来概括夏天的气候征。并认为：热属阳，热甚为阳甚，热极为阳极，阳极则生阴。掌握了夏季阴阳盛衰的规律，顺时而调整，合理饮食，做到天人合一，可助人平安度夏。

炎热的夏季阳气在表，阴气伏里，人体消化机能急剧下降，饮食宜以清淡爽口、容易消化为主。适当吃苦味食品，如苦瓜、苦菜等，苦味食品含有的生物碱具有消暑清热、促进血液循环、舒张血管等药理作用，不仅能清心除烦恼，还能增进食欲，利胃健脾。新鲜的瓜果蔬菜，如西瓜、冬瓜、黄瓜、丝瓜、番茄等，能补充维生素。

夏天出汗多，人体的营养物质容易丢失，消化功能差，因此不宜食用肥甘味厚、燥热食品，可食用鸭肉、鲫鱼、瘦猪肉、菌类等，用以补充人体所需的蛋白质，增强体质。也可多吃豆制品、虾皮补充人体所需的钙质和蛋白质。此外，

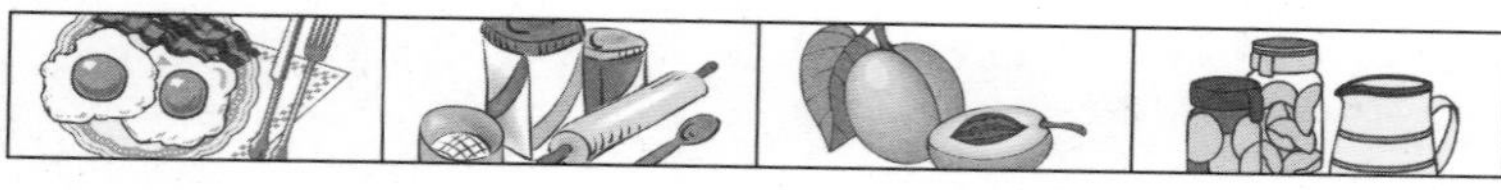

夏天出汗多，容易造成低血钾，使人头晕头疼，浑身无力，因此可以适当多食用富含微量元素钾的芹菜、毛豆。此外，绿豆、莲子、荷叶、薄荷等也是很好的解暑解毒夏季食品。

夏季天气炎热，大量出汗容易带走体内的盐分，因此夏天的汤要适当多加一点盐，以补充人体因为出汗丢失的盐分，保持人体水电解质平衡。

秋季养生

秋天一到，金风送爽，万物到了成熟收获期，由蓬勃升发转为收敛。这时人体也应顺应四时变化的规律，进入养护阴气的时期。秋天的气候特点是干燥，按照传统的中医学理论，立秋后肺功能开始处于旺盛时期，应该以滋阴润肺、平燥理气为主，秋天宜收敛不宜发散。饮食上注意多食酸味食品，能帮助肺气收敛。秋天在五行上属金，忌辛辣，辣的东西吃多了伤肺，少食辛辣燥热之物和动物肝脏以避免肺气发散。

秋天干燥，易伤津液，在饮食上应该多吃生津润肺的食品，宜吃当令的蔬菜水果，如：萝卜、芋头、南瓜、油菜、白菜、梨、香蕉、百合、杏仁、莲子、红枣等。芝麻、花生、核桃等油料食品也可以起到滋润的作用。

夏季天热，人体因为苦夏食欲不振，胃肠功能减弱。初秋时节如果大量进补过于肥腻的养阴食品，就会增加胃肠的负担，导致消化系统紊乱。所以应适当进补牛肉、鸭肉、河鱼、河虾等滋阴润燥的荤腥食物。

秋天干燥容易上火便秘，多喝蜂蜜能滑润通便。一些长纤维的蔬菜也可起到促进肠道蠕动的功能，如：黄豆芽、芹菜、小白菜等。

在饮食中适当加些润肺理气、止咳平喘的中药，能起到很好的作用，如：沙参、玉竹、南北杏、川贝等。

冬季养生

冬季天气寒冷，自然界万物开始阴盛阳衰，万物都在潜藏阳气，以待来年春天的升发。人也是如此。到了冬天，阳气开始潜藏，人体的新陈代谢也相应低下，这时就要依靠肾来发挥作用了。冬季是肾经旺盛之时，因此，养肾防寒是冬季养生的特点，肾脏功能正常，便可以调节机体适应冬天带来的气候变化。

俗话说：三九补一冬，来年不生病。冬季养生的主要特点是藏热量，宜多食羊肉、狗肉、牛肉、鹅肉、鸡肉、鸽肉、鹌鹑、虾、海参等富含蛋白质及脂肪、热量高、御寒效果好的食物。

怕冷与体内缺少钙和铁有很大关系，所以补充富含钙和铁的食物可提高机体的御寒能力，含钙高的食品主要有牛奶、豆制品、虾皮等；含铁食物主要有猪肝、动物血、蛋黄、黄豆、芝麻、木耳等。

寒冷的气候使人体维生素代谢也发生变化，动物肝脏、胡萝卜、深绿色蔬菜可为人体提供维生素A，新鲜蔬菜和水果可为人体提供维生素C，经常食用这些食物能够对血管起到良好的保护作用，增强耐寒能力和对寒冷的适应能力。

此外，适当吃点辛辣食物如辣椒、胡椒、生姜等，可以促进血液循环。补充碘可促进甲状腺分泌，加快皮肤血液循环，增强肌体御寒能力。含碘的食物主要有海带、紫菜、发菜、海蛰、菠菜、大白菜等。

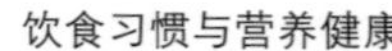

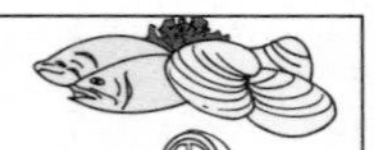

附录4

饮食习惯与营养健康

食物的属性与功效

一般来说，食物有寒、热、温、凉四种不同的属性，在中医学上叫做四性，也叫四气。在我们日常的煲汤过程中，总要进行原材料在量与品种上的搭配，如果能够注意食物的属性与气候、身体特性之间的配合，就能在轻轻松松喝汤的同时，达到养生健体、美颜润肤的功效了。

1 寒凉的食物

寒和凉同属一种性质，仅在程度上有所差异。寒凉食物具有清热泻火、解毒的作用，医学上常用来治疗热症和阳症。凡是目赤、口干口苦、喜欢冷饮、舌红苔燥等常见“上火”症状，都可以选用寒凉食物来进行体内平衡。

常用食物中属凉性的有茄子、萝卜、冬瓜、丝瓜、青菜、菠菜、苋菜、芹菜、大麦、绿豆、豆腐、小麦、苹果、梨、枇杷、橘子、菱、薏米、茶叶、蘑菇、荞麦、鸭蛋等；属寒性的有豆浆、马齿苋、苦瓜、莲藕、蟹、甘蔗、番茄、柿子、茭白、荸荠、紫菜、海菜、海藻、海带、笋、西瓜、香蕉、桑葚、黄瓜、田螺等。

2 温热的食物

温与热都属同一性质，都有温阳、散寒的作用，医学上常用来治疗寒症和阴症。凡表现为面色苍白、口中发淡、即使口渴也喜欢喝热水、怕冷、手足四肢冰冷、舌质淡等症状，都可以经常使用属温热的食物，暖身暖胃。

常用的食物中属温性的有刀豆、香菜、南瓜、桂圆肉、杏、桃、石榴、乌梅、荔枝、栗子、红枣、核桃肉、麻雀、鳝鱼、虾、鲢鱼、海参、鸡肉、猪肝、猪肚、火腿等；属热性的有韭菜、葱、蒜、姜、小茴香、辣椒、羊肉、狗肉、花椒等。

3 平性的食物

平性食物，介于寒凉与温热食物之间，通常有健脾开胃及补益的作用，可以和寒凉或温热的食物搭配，平衡各自属性。尤其是那些身体虚弱、久病阴阳亏损、病症寒热错杂、内有温热邪气的病人，较为适宜经常食用。常见的平性食物有大米、糯米、黄豆、蚕豆、红豆、黑大豆、玉米、花生、豌豆、扁豆、黄花菜、香椿、胡萝卜、白菜、莲子、芝麻、葡萄、橄榄、猪肉、鲫鱼、鸽蛋、芡实、牛奶等。

影响营养摄入的不良饮食习惯

营养素的摄取除了受饮食调配不当、烹饪方法不合理的影响之外，还和不良的饮食习惯有关，通常有以下几种表现：

1 零食

不少儿童甚至成年人，每天零食不断，没有正常的饮食规律，消化系统没有建立定时进餐的条件反射，使肠胃得不到休息，可导致食欲减退，进而影响进食，造成各种营养素的缺乏。

2 偏食

不爱吃荤菜，优质蛋白质的来源会受到限制；偏吃荤菜，又会导致热量过剩和各种维生素及无机盐的缺乏。

3 暴食

大吃大喝，不但可引起肠胃功能紊乱，还可诱发各种疾病。如急性胃扩张、胃下垂等。油腻食物迫使胆汁和胰液大量分泌，有发生胆道疾病的胰腺炎的可能，而这些疾病又严重影响人体对营养素的摄入，造成恶性循环。

4 快食

“狼吞虎咽”不仅加重了胃的负担，而且容易发生胃炎和胃溃疡。同时，由于食物咀嚼不细，必然导致食物消化吸收不完全，从而造成各种营养素的流失。

5 烫食

太烫的食物容易烫伤舌头、口腔黏膜和食道，对牙齿也可能造成伤害。食道烫伤留下瘢痕和炎症，也会直接影响到人体对营养素的摄入。

6 6.咸食

口味很重爱吃咸食的人每天食盐量超过正常人需要的水平，会导致体液增多，血液循环加速而使心肾负担过重，容易导致高血压等病。

进餐前后注意事项

1 进餐前的注意事项

1.进餐前不宜进行剧烈运动

剧烈运动刚刚停止下来，血液仍大部分集中在四肢、骨骼和肌肉中，胃肠道内血液量比较少，运动中枢高度兴奋，食物中枢则处于抑制状态，此时分管消化系统的迷走神经也没有兴奋起来，肠胃活动明显减弱、食欲降低。在这种状态下进食，必然增加肠胃道的负担，造成消化系统的紊乱，影响消化功能的正常进行，产生各种疾病。所以，一般应在剧烈运动后半小时或一小时，身体恢复正常后再进食，这样有利于肠胃道的消化吸收。

2.进食前不宜大量喝水

餐前大量喝水会使胃酸被冲淡，影响消化，使胃中有胀满感，并由于胃酸被稀释，使杀菌力下降，而易感染肠道疾病。应在进餐前半个小时到一个小时之间饮水为宜，适量饮水可以刺激胃壁，促进胃液分泌和胃的蠕动，有利于消化。

3.进餐前不宜多吃甜食和甜味饮料。

空腹时食糖进入胃中，易使食欲低下，影响各种食物营养素的摄取，尤其有碍各种蛋白质的吸收。凡含有蛋白质的饮料，包括牛奶、豆浆等，都不宜在空腹时饮用，只有

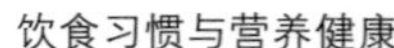

在摄入一定量的淀粉食物后，方可饮用，否则就是浪费。

4.进餐前宜食用青菜

进餐前食用青菜，有杀菌和防癌的作用，蔬菜中含有丰富的硝酸盐，在口腔中能转变成新的化合物。这些化合物进入胃后，可以产生具有杀菌作用的氧化氮，氧化氮不仅能杀死普通细菌，而且还可除去能在强酸环境中生存的特殊细菌，并起到防止胃癌的作用。

5.进餐前应擦去口红

口红的主要成分是羊毛脂、腊质、染料以及附着力很强的色素，可以吸附有害物质和病原体，极易随食物入口，危害到人体健康。

2 进餐后的注意事项

1.饭后不宜立即饮茶

饭后立即饮茶，会防碍人体对食物中铁的吸收。因为茶中的鞣酸和铁结合成鞣酸铁，很难被人体吸收。更何况随着年龄的增长，人体对铁的吸收能力减弱，老年人经常患有轻度缺铁性贫血，可谓雪上加霜。而且，鞣酸具有收敛作用，饭后饮茶会使老人大便秘结，加重便秘。因此，饮茶应安排在饭后1～2小时为好。

2.饭后不宜吸烟

因为饭后热量增加，人体各器官处于兴奋状态，血液循环加快。此时抽烟，人体吸收的严重的有毒物质也会增加，会损害肝脏、脑及心脏。科学家测定，饭后吸烟的危害比平时大10倍。吸烟可使下食道括约肌张力下降，引起胃内容物向食道返流，还可使胃幽门括约肌松弛，胆汁从十二指肠向胃内返流。

3.饭后不宜松裤带

由于进食过多，胃内过于饱满，胃压增大，重力下垂。如果将裤带放松，会使腹腔内压力下降失去依托，久而久之会引起胃下垂。

4.饭后不宜立即洗澡

饭后洗澡，容易使皮肤血管扩张，本来流向胃肠道的血液被迫重新分布进入人体表面血液循环，使得胃肠道血液量减少，妨碍食物的消化吸收。

5.饭后不宜立即睡觉

饭后立即睡觉会使食物滞留在胃肠中，不利于胃肠消化吸收。而且入睡后，人体新陈代谢降低，容易使人发胖，还有发生中风的危险。因为饭后全身血液大都集中在肠胃，这样容易造成大脑局部供血不足，如果平时血压本来就偏低，尤其是老人，饭后血压就会变得更低，这时如果睡觉、静止不动，就容易大脑缺血而导致中风。古人早有戒言，《寿世保元》中指出，“食后便卧令人患肺气、头风”。

附录5

厨房小窍门

◎ 厨房有异味时，在锅内倒入适量醋，加热使之蒸发；或者在煤气点燃的火焰旁烤一些橘皮，厨房内的异味便可迅速消除。

◎ 冰箱内长期存放各种食物，经常产生异味，将橘皮或食醋直接放入冰箱中即可；或者把木炭碾碎，用小布袋包好放入冰箱内也能达到除臭效果。

◎ 家里装油的油瓶，使用久了会有油垢，而且还有异味，把鸡蛋壳捣碎后放入油瓶中，加少量温水，盖紧瓶塞上下摇晃约1分钟，倒出鸡蛋壳后再用清水冲洗几下就干净如新了。

◎ 做过鱼的锅容易残留腥味，把锅加热，放进几片泡过的湿茶叶，锅内的腥味即可除去。

◎ 菜刀沾水后容易生锈，尤其是夏天，切过番茄等酸性食品后更易生锈，如果菜刀使用后浸在淘米水中几分钟，就不易生锈了。

◎ 用钝的菜刀，先放入盐水中浸泡20分钟，然后找一个家庭使用的瓷碗，在碗底露出的瓷面上磨几下，瞬间锋利无比，延长了菜刀的使用寿命。

◎ 家里使用的银餐具，如果生锈，可以用柔软的布蘸一些食醋慢慢擦拭，不仅能将锈迹擦干净，还能光亮如新。

◎ 煮过面条或饺子等面食的汤，不要倒掉，因为面食里面的碱已经融在汤中，用来刷碗，油污会非常容易洗干净。

◎ 烹饪过程中，难免会有小烫伤，迅速用凉水冲洗烫伤处，温度降低后用干净的动、植物油抹在患处即可，无需包扎；如果是起了水泡或全层皮肤都受到烫伤，就要迅速找医生处理。

◎ 在削土豆皮或处理其他蔬菜时，手指有时会染上颜色，如果事先在手指上涂抹一些食醋，待干后再切菜，就不会染上任何颜色了。

◎ 在削山药皮时，山药会渗出一种白色的浆液，弄到手上非常痒，这是山药内含的致痒物质在作怪，迅速把手放到比较热的地方烘烤一下，手就不痒了。

◎ 切洋葱或辣椒时，这些蔬菜中所含的酶会刺激眼睛，使之流泪不止。如果浸在冷水中切割，就不会辣眼，因为这种酶分子溶解在水中，就可以避免刺激眼睛。

◎ 洗青菜时，如果有小虫附着，可以在清水中加适量盐，小虫受到盐的刺激，会很快和菜叶分离，而且由于盐的比重较大，小虫就会浮在水面上，非常容易清洗。

◎ 干木耳营养丰富，但如果泡发不得当，就会又小又硬，口感非常不好。如果用烧开的米汤浸泡，则泡发的木耳肥大松软，味道鲜美口感也好。

◎ 买回来的肉上常常粘有许多脏物，用自来水冲洗很难洗净，如果用温淘米水清洗两遍，再用清水冲一下，脏物就非常容易去除了。

◎ 买回来的韭菜，如果一次吃不完，可以用小绳把韭菜捆起来，菜头朝下，放在盆内，能存放较长时间，既不干，也不烂。

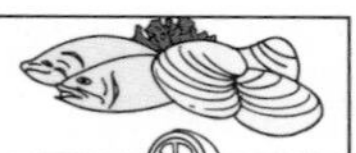

附录 6

不可不知的饮食宜忌

1 鸡蛋不宜久煮

鸡蛋煮的时间过长，蛋黄表面就会变成灰绿色，这是鸡蛋中的亚铁离子与蛋白中的硫离子结合为硫化亚铁所致，这种硫化亚铁很难被人体吸收，从而也就降低了鸡蛋的营养价值，一般说来，煮鸡蛋的时间以水沸后 5 分钟为宜。

2 吃鸡蛋后不宜立即喝茶

茶叶中含有单宁，如果吃鸡蛋后立即喝茶，单宁会阻碍身体对鸡蛋中所含的蛋白质、铁、钙等营养物质进行吸收。

3 煮熟的鸡蛋不宜用凉水浸泡

鸡蛋煮熟后，外壳的膜被破坏，同时由于鸡蛋壳和壳内的双层内膜上都分布着许多小孔，当冷水进入蛋内后，细菌、霉菌等微生物也会随之进入蛋内。正确的操作方法应该是，将煮熟的鸡蛋取出后，立即用干净的布擦干蛋壳表面水分，让鸡蛋自然冷却，既好剥皮又利于保存。

4 鱼腹内的黑膜不宜食用

鱼的腹腔内有一层黑膜，是鱼腹的保护层，可防止腹腔内脏器官分泌的各种有害物质进入肌肉中，因此它也是鱼腹中各种有害物质汇集的地方，必须清除干净，不宜食用。

5 鲜海蜇不宜直接食用

海蜇口味清脆爽口，是凉拌佳肴。但是，食用未腌渍透的海蜇会引起中毒，鲜海蜇含水量高达 96%，还含有组织胺等各种毒胺及毒肽蛋白，食用后会有腹痛、呕吐等中毒症状，只有经过盐、白矾反复浸渍处理，脱去水和毒性黏蛋白后方可食用。

6 红豆制品不宜加盐

红豆不仅是粮食，还有一定的药物作用，能促进心脏活化，并有利尿消肿的功效。但是红豆制品只能做甜食，如果加盐，功效就会减掉一半。

7 做鱼不宜早放姜

烧鱼时过早放姜，鱼体的浸出液中的蛋白质会影响生姜的去腥作用，因此，应等到鱼肉蛋白质凝固后再将生姜下锅，就能充分发挥生姜去腥提香的作用。

8 煮黄豆不宜早放盐

黄豆吸足水分才容易煮熟，如果煮黄豆过早加盐，盐水浓度超过了黄豆中水的浓度，水不但渗透不进，还会从煮胖的黄豆中渗出来，黄豆中缺少足够的水分，自然难以煮烂。

9 煮牛奶不宜用文火

用小火煮牛奶花费时间长，牛奶中的维生

素等营养物质容易受空气氧化而遭到破坏，科学的方法应该是大火煮牛奶，开锅后离火，或者滚沸后再次加热，反复3～4次，既能保持牛奶的营养成分，又能有效杀死牛奶中的细菌。

10 牛奶不宜与巧克力同时食用

牛奶中富含蛋白质和钙质，巧克力则被确认为能源食品，含有大量草酸。如果牛奶与巧克力同食，则牛奶中的钙与巧克力中的草酸就会结合为草酸钙，若长期二者同时食用，可造成头发干枯、腹泻，出现缺钙和生长发育缓慢等症状。

11 蜂蜜冒泡不宜久存

蜂蜜中含有大量的葡萄糖，葡萄糖具有较强的吸水性，如果存放不当，蜂蜜的含水量会逐渐增多，当含水量超过20%时，有泡沫出现，酵母菌就会大量繁殖，分解蜂蜜中的营养成分，引起蜂蜜变质。如果食用，一定要进行消毒、灭菌。

12 蜂蜜、豆浆不宜一起冲食

蜂蜜中含有约75%的葡萄糖、果糖以及少量有机酸，而豆浆蛋白质含量比牛奶还要高，两者冲兑时，有机酸与蛋白质结合产生变性沉淀，难以被人体吸收。

13 夏秋季节不宜用热性调料烹饪

夏秋季节燥热、气温较高，烹饪时若使用热性调料，如芭蕉、茴香、小茴香、桂皮、花椒等，会使人燥热难耐，甚至会引起便秘、痔疮、肠胀气、尿少、尿痛等消化道和泌尿道的一些病症。因此，夏秋季烹饪时，宜用葱、蒜等平性调料代替热性调料。

14 杏一次不宜多吃。吃杏过多，有害无益

因为杏具有强烈的酸性，能分解人体内的钙、磷及蛋白质等物质，同时，胃内的酸性液增多，还会引起消化不良和胃溃病，此外，杏的酸性还能腐蚀牙齿的珐琅质，特别是儿童，吃杏过多容易导致龋齿。

15 煮山楂忌用铁锅

山楂含酸量很高，其中的果酸能够溶解铁锅中的铁而生成低铁化合物，食用后会造成中毒，因此熬煮山楂忌用铁锅，可选用陶瓷锅或者沙锅。

16 油锅忌烧过旺

做菜时很多人喜欢等到油锅冒烟时才把菜放入，这种做法对健康非常有害。油脂在高温下会被破坏而形成对人体危害很大的三四苯丙吡等致癌物质，经常食用这种过热油炒制的菜对人体极为有害，容易患低胃酸炎或胃溃疡病，甚至还可能产生癌变。

17 熬煮骨头汤忌中途加冷水

肉类和骨头中含有大量蛋白质和脂肪，若在炖煮过程中添加冷水，汤的温度发生变化，蛋白质和脂肪会迅速凝固，肉骨表面的空隙骤然收缩，不易烧酥，汤的鲜味也会减退，如果汤已经熬干，必须添加水分，加入开水效果会好一些。

18 隔夜的银耳汤不宜食用

银耳中含有较多的硝酸盐类，经煮熟后如果存放时间过久，在细菌的分解作用下，硝酸盐会还原成为亚硝酸盐。人喝了这种糖，亚硝酸盐会自然地进入血液循环中，使体内正常的血红蛋白氧化成高铁血红蛋白，从而丧失携带氧气的功能，造成人体缺乏正常的供血功能。

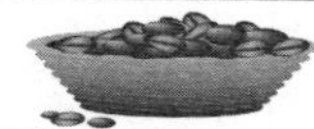

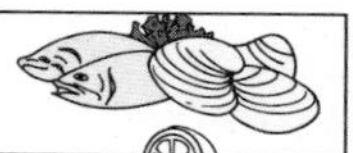

附录 7

各种食物的养生功效

食用菌

食用菌包括蘑菇、香菇、竹荪、草菇、牛肝菌、木耳等，菌类的营养是蔬菜的12倍，同时还有清肠解毒的功能。如香菇中含有明显具有清除肿瘤细胞的香菇多糖，木耳中含有大量的可溶性膳食纤维。另外，菌类植物的热量低，有助于减肥。

银耳

银耳被人们誉为“菌中之冠”，既是名贵的营养滋补佳品，又是扶正强壮之补药。银耳富有天然植物性胶质，加上它的滋阴作用，长期服用是良好的润肤佳品。并且其价格不高，烹调方法多种，适合长期服用。

香菇

香菇含有30多种酶和18种氨基酸，其中人体必需的8种氨基酸，就含了7种。所含核酸等物质，可以抑制胆固醇的增加，所以可减肥。它还能促进血液循环，抑制黑色素，滋养皮肤。近几年科学家发现香菇中所含的B_1葡萄糖苷酶，有抗癌作用，并可改善B型肝炎患者的肝机能。此外，其他菇类，如金针菇、蘑菇、草菇等等，都不具有热量，是减肥者很好的食品。

水果、蔬菜

水果和蔬菜中含有较多的碱性物质，在劳动强度过大时进食较多的水果和蔬菜，可中和体内的乳酸，降低血液和肌肉的酸度，增强肌体的耐力，因而达到抗疲劳的目的。特别是含水分较多的水果，如橘子、梨、苹果、瓜类等。

苹果

苹果含有果糖、苹果酸并有浓郁的芳香味，可诱发肌体产生一系列反应，生成血清素，从而有助于人进入梦乡。如果您是一位爱美怕胖人士，吃苹果是一个不错的选择。苹果中除了丰富的可溶性膳食纤维外，它所含的半乳糖醛酸对排毒也很有帮助。选择苹果时，别忘了常换不同品种的苹果，这样排毒的效果会更好。

葡萄

深紫色玛瑙般的葡萄，也具有排毒的效果。葡萄中含有多种糖类及有机酸，所以其味道酸甜适口。更为可贵的是葡萄皮和葡萄籽中含有一种抗氧化物质——白藜芦醇，可将人体内生物化学代谢的氧化反应所产生的自由基中和，对于预防心脑血管病有积极的作用。另外，紫色的葡萄皮中所含的花青素也是一种极佳的天然抗氧化剂，它可以清除自由基，保护人体细胞及免疫系统，减缓衰老，增强记忆力。

无花果

无花果的花很小，藏于花托内，外观只见果而不见花。与其朴实无华的外观一样，无花果也为我们的健康默默地奉献着它的一份力量。它富含有机酸和多种酶，能健胃清肠、助消化，具有保肝解毒的功效。

山楂

含有山楂酸、维生素C及黄酮等成分。有健胃消食，活血化瘀之功效。现代医学研究发现其有降血压、降血脂，强心的作用。常吃对冠心病、高脂血症等疾病均有良好的辅助治疗功效。

中医认为它长于顺气止痛、化食消积，适宜于生气后造成胸腹胀满、疼痛，对生气导致的心动过速、心律不齐也有一定疗效。

山药

有健脾补肾、固精益肾之功效，糖尿病人可长期食用山药。对身体虚弱，精神倦怠，食欲不振，遗精盗汗等病人均有益。

魔芋

最早产于我国，后传入日本。在几十年前即成为日本人的家常便饭，其制品大量运销东南亚和欧美市场。所含的成分以葡萄甘露聚糖为主，含有大量的食物纤维，呈碱性，吸水后体积可膨胀100倍，黏度浓稠。可促进肠内酶类分泌，加强酶的活性，消除肠壁上的分泌物。为时下流行的减肥美容食物之一。

番茄

番茄中所含有的红色色素叫番茄红素，这种天然的红色素不但给番茄披上了美丽的外衣，还使得番茄在健康食品排行榜中荣登榜首。最近，美国《时代》杂志介绍了10种对现代人最健康的食品，其中番茄排名第一。番茄红素具有很强的抗氧化功能，能够有效地消除自由基、排除毒素、预防癌症的发生。尤其对于预防前列腺癌的发生更为有效，所以关心自己健康的男士们可以考虑多吃些番茄。此外，番茄中含有的谷胱甘肽及丰富的维生素C都具有很好的抗氧化功能，可延缓细胞的衰老，帮助人保持青春。

薯类

偏碱性的薯类含大量的可溶性膳食纤维，是白色食品中为数不多的健康食品之一。常吃薯类食物可刺激肠胃蠕动，中和体内酸性物质，有益排除毒素及大肠保健。

洋葱

洋葱主要的生理活性物质是大蒜素等含硫化合物（所以洋葱和大蒜一样气味很重），这些含硫化合物能够杀菌、排毒、增强免疫力、抗癌、降血脂、降胆固醇及促进肠胃蠕动。洋葱还有明显的降血脂和增强纤维蛋白溶解酶活性的作用，使血栓形成减少，动脉粥样硬化斑消失。此外还有前列腺素A_1，有降血压的功能，可增强体力，帮助分解体内毒素，促进血液循环等。

冬瓜

冬瓜不含脂肪，含钠量又低，是肥胖者的理想蔬菜。冬瓜还具有利水的成分。经常食用冬瓜，能去除体内多余的脂肪及水分，一些溶于水的毒素可随之排出体外。冬瓜含高膳食纤维，还可通便整肠，也利于便毒的排出。

黄瓜

黄瓜味甘性凉，具清热解渴、通利水道的功能。鲜黄瓜中含丙醇二酸，可抑制碳水化物在体内转化为脂肪，不妨碍糖代谢提供热能。鲜黄瓜中的纤维素和果胶，能增加粪便体积，使肠内腐败变质的物质加速排出，又能降低血中胆固醇。患肥胖症、高胆固醇血症和动脉粥样硬化者，常吃鲜黄瓜很有益处。黄瓜还

含有柔软的细纤维及多种维生素。包括B族维生素、维生素C、维生素E、胡萝卜素、钙、磷、铁等营养成分，同时黄瓜还含有丙醇二酸、葫芦素等，也是难得的排毒养颜食品。

芦荟

芦荟的味道极苦，性大寒，功能泻下、杀虫、清热。主治肠热便秘、五痔、虫积、瘰疬、疥癣、胸膈烦热等。临床上用量为1～3克，只做丸剂、散剂服用，不入汤剂。外用时，可以研末调敷，或用醋、酒来泡涂。芦荟可以极好地清除肠道、肝脏毒素和清理血管。芦荟中含有多种植物活性成分及多种氨基酸、维生素、多糖和矿物质成分，其中芦荟素可以极好地刺激小肠蠕动，把肠道毒素排出去。芦荟因、芦荟纤维素、有机酸能极好地软化血管，扩张毛细血管，清理血管内毒素。

芹菜

芹菜又名旱芹，含有丰富的无机盐和微量元素，大量的粗纤维及维生素等。有平肝清热、祛风利湿之功效。可治疗高血压症、血管硬化等疾病。芹菜中还含有较多的不溶性膳食纤维，它们在体内可形成网状物质，来过滤体内的废物，如过剩的脂肪、有毒的重金属以及其他各种对身体健康有危害的物质。经常食用可以减少身体对毒素的吸收，对付由于身体毒素累积所造成的疾病。此外芹菜还可以调节体内水分的平衡，改善睡眠。

大白菜

营养学家认为，大白菜中所含的粗纤维有刺激胃肠蠕动的通便之功，能使污染或分解产生的致癌物质尽快排泄，以减少肠内吸收和对肠壁的局部刺激。另外，白菜含有微量元素钼较多，能阻断致癌物质的亚硝胺合成，具有较好的解毒功效。

萝卜

萝卜可以促进脂肪加速进行新陈代谢，避免脂肪在皮下堆积，丰富的纤维有极佳的通肠作用，此外还有化痰、止咳、降血压等多种功能，不过萝卜会“破气”，所以不宜和人参、黄芪等补气药同时进食。

胡萝卜

又名红萝卜，为家庭常食的蔬菜。由于它营养丰富，又被称为小人参。现代医学研究证实，胡萝卜除具有美容作用的维中素B_1、维生素B_2外，还含有胡萝卜素，它在人体内可以很快转化为维生素A，能润滑皮肤，防止皮肤老化。重金属汞是环境污染中较常见的一种，汞的慢性中毒会对身体及大脑造成很大伤害，而汞的排出则较慢。胡萝卜所含的果胶与体内的汞离子结合之后，能有效降低血液中汞离子的浓度，加速体内汞离子的排出。

苦瓜

一般来讲，苦味食品都具有解毒的功能。经人们的研究发现，苦瓜中含有一种蛋白质能增加免疫细胞活性，清除体内有毒物质。尤其女性，多吃苦瓜还有利经的作用。

竹笋

竹笋脂肪含量低，又含有丰富的纤维素和水分，有助肠胃蠕动、排便顺畅、消脂减肥。

辣椒

有助于体内脂肪新陈代谢、防止脂肪囤积。

大蒜

大蒜是一种古老而神奇的食品，被人们称作“健康保护神”。德国进行过一项关于大蒜降低胆固醇的调查，从病人回答的问卷中发现，他们吃了大蒜丸以

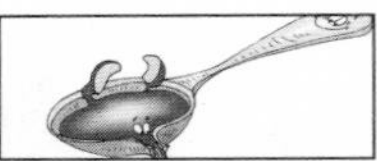

后，感到不疲倦，不焦虑，不容易发怒。大蒜中含有大蒜素，这是一种含硫的化合物，具有很强的杀菌、解毒功能，可以防止一些有毒物质对于人体的伤害。常食大蒜可以强身健体、延长寿命，所以有人说："补人参不如吃大蒜"。

茶叶

茶叶中的茶多酚、多糖和维生素C都具有加快体内有毒物质排泄的作用。特别是普洱茶，研究发现普洱茶有助于杀死癌细胞。常坐在电脑前的人坚持饮用还能防止电脑辐射对人体产生不良影响。

绿茶

绿茶中含有较高量的茶多酚。茶多酚能清除因日晒而生成的自由基，并能有效抑制成熟的黑色素颗粒从黑色素细胞到角质细胞的传递，从而达到抑制黑色素、美白养颜的目的。

小麦

小麦属禾本科植物，其碾去麦麸皮，即为面粉。常食用富含麦胚芽的小麦，可以增加细胞活力，改善人脑细胞功能，镇静安神，增强记忆，抗衰老，预防心脑血管疾病的发生及发展。小麦有以下一些功效：首先是养心安神，可用于心气不足引起的失眠多梦。二是滋养肝脏，能改善脏躁症中的心烦失眠症状。三是补虚止汗，治疗失眠兼有阴虚盗汗，或气虚自汗。四是滋阴清热，用于热盛阴伤所致的寐差、烦热、消渴等的补养和治疗。

小米

小米能够健胃、和脾、安神。富含色氨酸，其含量在所有谷物中独占鳌头。色氨酸能促进大脑细胞分泌出一种神经物质，使大脑思维活动受到抑制，使人产生困倦感；还能促进胰岛素的分泌，提高人体内色氨酸的量。将小米熬成粥，临睡前食用可使人安然入睡。

燕麦

燕麦又名雀麦、野麦，营养价值很高，其脂肪的含量是大米的4倍，燕麦中所含人体所需的8种氨基酸、维生素的含量也高于大米和白面。燕麦自古入药，具有性味甘温、补益脾胃、滑肠催产等功效。燕麦含有丰富的可溶性膳食纤维，是用来治疗便秘的首选食品之一。此外，它还可帮助降低血糖及胆固醇。

薏米

薏米含有维生素B、维生素B，可以滋润皮肤，减少皱纹，消除色素斑点。可以用薏米代替部分精白米熬粥、蒸饭。利水的薏米，可以促进体内血液和水分的新陈代谢，使达到减肥的效果；而多吃薏米还可以淡化色素斑点，并使皮肤细致光滑、皱纹减少。

豆腐

豆腐制品如豆腐干、油豆腐、豆腐皮中的蛋白质含量更高于豆腐，都是减肥最佳食品。

黑豆

因为黑豆中富含大豆黄酮、大豆皂醇及各种蛋白质，维生素B族、优质脂肪酸、胡萝卜素、叶酸，并且性味甘平，很有补肾益精，活血润肤的功效。现代医学证明，黑豆中富含植物雌激素，能使人的肌肤富有弹性，减少色素沉淀，而又没有药物性雌激素的副作用，可以长期食用。

红豆（赤小豆）

属于高蛋白、低脂肪的食物，有利尿、消胀、除肿的作用。红豆含较多的淀粉以及钙、磷、铁、B族维生素、植物皂素等，能利水消肿、解毒排脓、清热祛湿、通利血脉，因此也具有补血养颜的功效。

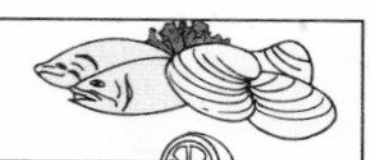

核桃

是一种很好的营养滋补食物，能治疗神经衰弱、健忘、失眠。取大米、核桃仁、黑芝麻煨成稀粥，睡前食用有催眠效果。

莲子

有安神养心之功效。含有莲心碱、芳香甙，有镇静作用，可促使胰腺分泌胰岛素，使人入睡。

红枣

红枣能补中益气，健脾润肤，且含有丰富维生素C，对祛除皮肤黑斑有一定功效。

枸杞

枸杞是一种具有强韧生命力及精力的植物，是传统医学用来消除疲劳的首选食疗品。它能够促进血液循环、预防脂肪囤积、促进体内的新陈代谢、使人精力旺盛，也有防止老化的作用。

杏仁

杏仁含丰富的蛋白质、维生素及其他的营养，可为肌肤供给需要的营养，并且具有美白的作用，使肤色白嫩，光滑有弹性。

龙眼

龙眼肉具有补益心脾、养血安神的功效。以肉厚、质细软、棕黄色、半透明、味甜者为上品。用这样的龙眼肉配以莲子、红枣、糯米精心熬制而成的桂圆莲子粥，更应列入年轻女士的日常食谱中。

蜂蜜

蜂蜜是甜食中的上品。不光是它独特的甜美滋味，比起其他甜食来，蜂蜜对人体的健康有很多的益处。特别是蜂蜜中的酶类物质，能刺激皮肤细胞的生长和促进新陈代谢，可使粗糙、黝黑的皮肤逐步变得洁白润滑、细腻，还能消除或减少部分皱纹。

花粉

花粉中富含蛋白质和氨基酸，并含有丰富的维生素、微量元素及天然酶类。它们不仅能调节人体机能，还能改善皮肤组织，抑制色素沉淀，延缓皮肤的衰老，使皮肤白皙。经常食用花粉，效果甚佳。

芝麻

提供人体所需的维生素E、维生素B_1和钙质，特别是它的“亚麻仁油酸”成份，能去除附在血管壁上的胆固醇，可将芝麻磨成粉食用，或是直接购买芝麻糊。

花生

花生有“维生素B_2国王”的雅称， 含有丰富的维生素B_2，高蛋白含量也极高，除了能美腿，也是蛋白质不足造成的肝脏病患者的健康食物。

葵花子

葵花子含多种氨基酸和维生素，可调节脑细胞的新陈代谢，改善脑细胞抑制机能。睡前嗑些，可促使消化液分泌，有利消食化滞，镇静安神。

菜籽油

菜籽油中的丙亚麻油酸（GLA），对治疗忧郁症也有效。菜籽油中含有高量的丙亚麻油酸。

蛋

蛋里含有维生素A，给你双腿滑嫩嫩的肌肤，维生素B_2则可消除脂肪，其他的磷、铁、维生素B_1都对去除下半身的赘肉，有不可忽视的功效。

蛋黄

含有较多的卵磷脂，能够提供大脑和神经所需的营养。

鹌鹑

肉味甘、性平，入脾、肺二经，有补益五脏、清热利湿，利水消肿之效；适用于老年体弱、营养不良、咳嗽哮喘、消化不良、腰酸疼痛者。其肉味美嫩鲜，是野禽中之上品。味美似鸡，营养价值、治疗作用均远胜过鸡。肉中蛋白质含量高，低脂肪且含多种维生素，低胆固醇，为肥胖者理想的肉食。因鹌鹑肉比鸡肉易于消化吸收，颇宜于老人、产妇和体弱者食用，故有“动物人参”之美称。鹌鹑蛋既含有丰富的蛋白质、卵磷脂、激素，还含有多种维生素、无机盐和微量元素；特别是其中的芦丁，是高血压症、贫血及结核病等患者的食疗佳品。

兔肉

有补中益气、凉血解毒之功效。可治疗糖尿病消瘦、胃热呕吐、便血等症。常吃兔肉能预防高血压病，冠心病等，还可减肥，故有“健美肉食”之称。

猪肝

猪肝中含有较多的血红素铁及维生素A、维生素D，常吃可以预防缺铁性贫血及维生素A、维生素D缺乏症。有助于您保持面色红润，肌肤细腻。

海苔

维生素A、维生素B_1、维生素B_2海苔里都有，还有矿物质和纤维素，对调节体液的平衡很有好处，想纤细玉腿可不能放过它。

牡蛎

牡蛎含有较高的锌，对缓解植物性神经失调有很好的作用。当您用脑过度时，不妨考虑摄入一些牡蛎。牡蛎还富含天然牛磺酸，牛磺酸有消炎解毒的作用。牡蛎中含有糖原，它可以促进肝脏活动，而且糖原被代谢后可以形成葡萄糖醛酸的原料。葡萄糖醛酸是肝脏重要的解毒物质。除此之外，牡蛎中还含有甘氨酸、蛋氨酸、胱氨酸、谷氨酸等各种氨基酸，都可以帮助分解体内的毒素并将其运输到体外。所以牡蛎具有清血、排毒和提高免疫力的功能。

深水鱼

住在海边的人都比较快乐和健康。最主要的是因为他们把鱼当成了主食。一些鱼油和鱼肉当中富含的Omega-3脂肪，可以帮助改善心情郁闷的状况。

牛奶

睡前喝一杯牛奶，可催人入睡。

脱脂牛奶

牛乳含有优质蛋白，乳糖、钙、磷、铁、胡萝卜素、抗坏血酸等多种常量及微量营养成分。中医认为牛奶性味甘平，无毒，归心、肺二经。常食脱脂牛奶，可润燥滋阴，补虚弱，养心血，是抗衰老、润皮肤的保健食疗佳品。

酸奶

酸奶中含有丰富的乳酸菌，乳酸菌是人体肠道的有益菌之一。它们在肠道中与有害菌群进行着长期的战斗，保卫着肠道的健康。因此，坚持每天喝酸奶，可以削弱肠道有害菌的势力，减少肠道中有害物质的产生，保护我们的健康。

茶、咖啡、巧克力

这类食物都有一定的抗疲劳作用，因其中含有咖啡因，咖啡因能刺激心脏，增加呼吸的频繁和深

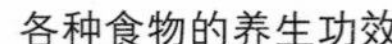

度，促使肾上腺素的分泌，故能抗疲劳。

蘑菇、大豆、豌豆、蚕豆、紫菜、酵母

含有丰富的维生素B_1，维生素B_1缺乏或不足，常使人感到乏力。

动物内脏、河蟹、蛋类、牛奶

含有较多的维生素B_2，维生素B_2缺乏或者不足，肌肉运动无力。

西芹、韭菜、葱、蒜、洋葱

这些食物中所含的挥发油能刺激人的整个神经系统，促进脑细胞兴奋，缓解大脑疲劳，激发人的灵感和创新意识。

蛇肉、鳝鱼、甲鱼、乌龟

这些食物富含天门冬氨酸，这种氨基酸具有较明显的消除疲劳的作用。

水

人体中75%以上是水分，水是我们体内所有生理及生化反应的基本环境，想健康无忧，得多喝水，增加废物排泄，洗涤身心。生命起源于水，同时生命依赖于水。在正常人体组成中，水大约占总体重的60%～70%，而血液90%以上是由水构成的。适量的饮水可以促进新陈代谢，缩短粪便在肠道停留的时间，减少毒素的吸收，促进水溶性毒素的排出。此外清晨饮水还能降低血液黏度，预防心脑血管疾病。我们可以在每天清晨空腹喝一杯温开水。

蛋白质

构成肌肤的主要成分是蛋白质，皮肤的生长、修复和营养都离不开蛋白质。其中最重要的是胶原蛋白，它占皮肤蛋白总含量的1/3。胶原蛋白使细胞变得丰满，从而使肌肤饱满，保持皮肤良好弹性与润泽，维持皮肤细腻光滑。皮肤健康的两大关键抗皱与保湿都与胶原蛋白有关。人们每天都要适当地摄入肉、蛋、奶，特别注意要多吃些含胶原蛋白丰富的食物如肉皮、蹄筋、猪手等。在保持身体健康的同时也保护了皮肤的美丽。

油脂

皮脂腺中分泌的皮脂是我们皮肤最外层的保护膜，其主要成分是不饱和脂肪酸，它能够保护皮肤中的水分，使之不会过快地散发，以保持我们皮肤的滋润。

脂肪摄入过少，皮肤可因缺少脂肪的保护和滋润，而显得干涩无光泽。但脂肪摄入过多，又易使皮下脂肪堆积，引发肥胖。还可造成皮肤脱屑、脂溢性皮炎、痤疮等皮肤病，影响皮肤健美及美容。所以正确选择脂肪的种类及摄入适当的量，才可以保持肌肤的柔美娇嫩。

含不饱和脂肪酸丰富的食物有植物油、鱼油及各种硬壳果如花生、葵花子、核桃、榛子等。

脂肪

众所周知，血液中过量的胆固醇容易引发很多疾病如心血管疾病及中风、胆结石等。所以现在胆固醇有点儿像“过街的老鼠”。但有一点不知大家是不是曾经听说，那就是过度低下的胆固醇浓度也是忧郁症和慢性疲劳症候群，甚至是精神异常的成因之一，所以必须注意维持正常的胆固醇摄取量。

另外，有些食物中所含的一种多不饱和脂肪酸——Omega-3脂肪酸，我们也早已知道它对心脏病、高血压、胃肠道癌、干癣、风湿性关节炎有保健疗效。而近年来的前瞻性研究显示，多摄取Omega-3可改善忧郁及焦虑。英国牛津大学的一位神经生理学家表示，人脑需要某种脂肪才能正常运转，缺乏Omega-3脂肪，有可能导致心情抑郁，患上孤独症，出现朗读困难及精力不能集中。

也不要忘记磷脂，磷脂是动植物细胞的主要成

分之一，是构成细胞膜、核膜、质体膜等各种膜的主要成分。它还可以有效地参与脂质代谢。从营养性质看，磷脂能供给人体细胞膜所必需的成分，还可以生成磷酸和胆碱。它与人体健康息息相关，大脑中含有丰富的磷脂，其中70%是卵磷脂。补充磷脂对改善脑组织及神经系统的营养、激活脑细胞、使大脑保持正常工作状态有重要的作用。

维生素、矿物质及微量元素

大多数的维生素和微量元素都是以酶或辅酶的形式参与体内各种营养素养的代谢，所以维生素和微量元素也能够通过影响营养素代谢来影响人体对压力的承受能力。已知压力会对身体带来的影响之一是：会使得某些营养素如B族维生素、维生素C、镁与锌的需求量增加。还有硼，这种矿物质有助于大脑神经细胞的电作用，硼缺乏可能导致大脑无法正常产生α脑电波，使人感到倦怠，昏昏欲睡。含有硼的物质有水果和蔬菜。另外，硒和叶酸可以提高血清素的含量，帮助人抵制抑郁的情绪。含有此类营养物质的食品有鱼、海鲜、大蒜、菠菜、核桃和水果。

维生A

维生素A也被人们称为美容维生素，可以使人的皮肤柔润、眼睛明亮，并减少皮脂溢出而使皮肤有弹性。饮食中如缺少维生素A，皮肤表现为粗糙、无光泽、并发生角质化，此外还容易发生皮肤感染。预防维生素A缺乏的饮食方法是适当摄入动物肝脏、蛋黄、奶和奶制品、麦胚及橙红、深绿色的蔬菜和水果，如胡萝卜、番茄、橘子、菠菜等。

维生素B

如果膳食中缺少维生素B_1，除人体易感疲劳、抵抗力降低外，皮肤也易干燥并产生皱纹。维生素B_2缺乏，可发生口角炎和脂溢性皮炎、粉刺及色斑

等。补充维生素B_1及维生素B_2可多吃些粗杂粮、瘦肉、动物内脏、豆类、坚果、麦芽、蘑菇等。维生素也可从动物肝脏、鸡肉、海鱼、全麦面包、大豆、香蕉、花生、核桃、蛋黄等食物中摄取。肝脏、瘦肉及发酵的豆制品中含有较多的维生素B_{12}。绿叶蔬菜中含有较多的叶酸。

维生素C

维生素C可清除毒素，促进胶原蛋白的合成，并有较强的抗氧化作用，可以降低黑色素生成与代谢，因而具有保持皮肤洁白细嫩、防止衰老的功效。维生素C还有帮助减轻心理压力的作用，当人承受巨大的心理压力时，身体会大量地消耗维生素C。所以我们可以多吃一些富含维生素C的食物。柑橘、葡萄、芹菜、番茄、生菜、柿子、青椒、苹果、猕猴桃等富含维生素C，多吃有益于皮肤健美。一些碱性食物，如牛奶及大部分的蔬菜、水果等，也可以帮助我们缓解紧张工作所带来的疲劳感，可以多选用。

维生素E

具有保持皮肤弹性、抵抗氧化物的侵蚀和防止皮肤细胞早衰的作用。维生素E在麦胚、谷物、植物油、豆类中含量较多。

锌

锌有促进蛋白质合成的功能，缺锌时可以使皮

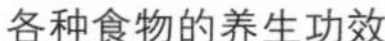

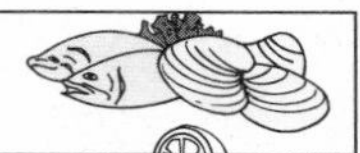

肤上的伤口愈合缓慢，还可导致皮肤粗糙，严重时发生缺锌性的皮炎。

含锌高的食物有海产品，特别是生蚝、海蛎、牡蛎、贝类等含锌很高。此外，动物性食物中锌的含量及体内利用效率高于植物性食物。瘦肉、动物内脏、豆类、南瓜子仁、花生仁等都是锌的良好食物来源。

铁

铁是血红蛋白的组成成分，当饮食中缺乏铁时，会发生缺铁性贫血。对于年轻女性而言，由于每月的月经会造成一部分铁的丢失，所以更应注意补充铁。动物血、肝脏、肾、瘦肉、鱼类、禽类、绿叶菜、木耳等含铁量较丰富。

荷尔蒙

人的情绪跟体内的一些激素（也叫荷尔蒙）有着很密切的关系，而激素本身就是一种蛋白质。许多跟情绪安定有直接关系的蛋白质、胺、氨基酸是制造情绪荷尔蒙的原料，例如，有放松和安神作用的血清素是由色氨酸产生的，色氨酸存在于肉、奶、蛋和豆类的蛋白质中。另一种叫做甲状腺素的氨基酸能够合成肾上腺素和去甲肾上腺素，这些物质能够刺激大脑，使人处于清醒状态，在受到外部刺激时能迅速作出反应。

碳水化合物

碳水化合物食物可以使大脑释放出一种抵抗抑郁的物质五羟色胺，这种物质能够帮助我们来舒缓压力和改善情绪。所以，糖类物质有助于控制抑郁情绪。在冬季较长的国家里，人们往往吃糖较多。

葡萄糖

葡萄糖是一种酸性食品，但它却是大脑惟一的“燃料”。每天摄入适量的淀粉类食物（主食）对于维护大脑的正常功能是十分必要的。

啤酒

人们有借酒消愁、消气的习惯，如果饮的是白酒则无法如愿，甚至还会引发疾病，但适量地饮用啤酒，则能顺气开胃，使人及时走出愤怒的情绪。

红酒

葡萄酒，尤其是红酒中，含有人体维持正常生命活动所需要的3种重要营养素——葡萄糖、蛋白质和维生素。其中葡萄糖是人类维持生命活动、同时强身健体不可或缺的营养成分，是人体获得生命能源的主要来源。红酒中还含有24种氨基酸，是人体不可缺少的营养物质，能够有效地舒筋活血、调节神经中枢，对于脑力劳动者来说，都是重要的营养物质，干红葡萄酒中含有多种维生素、矿物质和微量元素。适量地饮用红酒，对于预防心血管疾病有良好的作用，还有助于减少骨质疏松，并且有帮助女性驻颜的功效。

主食及甜食

含有较高的碳水化合物。主食中所含的碳水化合物为多糖，甜食中含有较多的单糖。单糖吸收得快，消失得也快，如果能在碳水化合物类的摄取中尽量多采用多糖饮食较佳，因为它们消化较慢，提升血清素的过程较平顺，是较理想的食物来源。多糖类饮食也叫复合碳水化合物饮食，主要有：大米、白面、玉米、小米、燕麦等，以及这些食物制成的成品如苏打。

附录8

滋补保健药膳

补血药膳

血是构成人体和维持人体生命活动的基本物质之一，具有很高的营养和滋润作用。中医认为血是由摄入的饮食经脾胃的消化吸收而生成，所以说脾胃为气血生化之源。所以饮食营养的优劣和脾胃运化功能的强弱，直接影响着血液的生成。饮食营养的长期摄入不足，或脾胃运化功能的长期失调，均可导致血液的生成不足，导致血虚。另外长期的失血也可造成血虚。血虚常表现为面色苍白无华或萎黄，体质虚弱，口唇或指甲色淡、眼睑缺少血色、视物不清、毛发稀疏脱落或早白，或头晕耳鸣、乏力，并时有心慌、四肢麻木，妇女月经量少或延后等。所以中医补血除直接应用补血药外，还多从补脾胃着手。

当归羊肉羹

●原料：羊肉500克，黄芪、党参、当归各25克，生姜片25克，盐少许。

●做法：

①羊肉洗净，切成小块。

②黄芪、党参、当归包在纱布里，用线捆扎好。

③将羊肉和药包共放在沙锅里，加水适量，以小火煨煮至羊肉将烂时，放入生姜片，待羊肉快熟烂时放入少许盐即可。

●适用人群：对血虚气亏而引起的腹部隐痛，虚劳不足及病后、妇女产后腹痛，营养不良，贫血，低热，多汗，肢冷等症有一定辅助疗效。

●用法及宜忌：分顿随量喝汤为主，也可吃肉。可经常食用。阴虚火旺、内有积热者不适合。

功用解析：补虚劳，暖腰肾，温养阴血。黄芪、党参补气养血，强壮身体；当归养血活血，为妇科良药。本方为古代医圣张仲景所著的《金匮要略》一书中的当归生姜羊肉汤加味而来，为补益佳品。

●贴心小提示：

1.冷水下肉，肉外层蛋白质才不会马上凝固，里外层蛋白质才可以充分地溶解到汤里，汤的味道才鲜美。

2.无论煲汤的时间有多长，肉类的营养也不能完全溶解在汤里，所以喝汤后还要吃适量的肉。

山药奶肉羹

●原料：羊肉500克、生姜25克、山药100克、牛奶250毫升。

●做法：

①羊肉整块洗净，山药去皮、洗净，切片；生姜切丝。

②羊肉加生姜，以小火清炖半日。

③取羊肉汤一碗，加山药片，放入锅内煮烂后，再加牛奶，盐少许，待沸后即可。

●适用人群：病后、产后经常肢冷、出冷汗、疲倦、气短、口干、烦热、失眠等症。

●用法及宜忌：可经常食用。

●功用解析：补虚劳体弱。山药味甘性温，无毒，补中益气，治头晕目眩，止腰痛，壮筋骨。牛乳为补益身体的佳品，具有补养心血、润养容颜的功用。

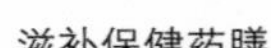

●做菜小秘诀：不要过早放盐，盐会使肉里含的水分很快跑出来，也会加快蛋白质的凝固，影响汤的鲜味。

●贴心小提示：

去山药皮别忘了戴塑胶手套以防皮肤过敏。

●医师解析：

现代研究，山药含蛋白质、脂肪、碳水化合物、钙、磷、铁、碘、胡萝卜素、尼克酸、多种维生素等，还有皂甙、黏液质、胆碱、淀粉、糖蛋白、氧化酶等，黏液质内含甘露聚糖及植酸等成分，其所含的营养成分很丰富，能够增强机体免疫功能，能健胃、补肺、止咳、固肾、益精，并有抗癌作用。牛奶中含有美容作用的维生素，其蛋白质中含有人体全部必需氨基酸。故常食本方还可健身防病。

牛骨髓膏

●原料：牛骨髓 60 克，天冬 300 克，生地、黄精各 500 克。

●做法：

①先将牛骨洗净，砸碎取油髓备用。

②将黄精、生地、天冬加适量的水，煎熬浓缩成膏。

③趁初成之浓缩膏尚热时，加入骨髓，用银匙不断地搅拌和匀，待冷即成。

●适用人群：对于再生障碍性贫血，化疗放疗对骨髓造血功能的损害有一定的防治作用。

●用法及宜忌：每晨起空腹时，用绍兴黄酒调膏10克服食。脾虚腹泻、胃纳不佳者忌服。

●功用解析：本方补精生血，养肝滋胃。牛骨髓含有丰富的铁，多食可促进红细胞生成及补益精髓。据《饮膳正要》载：牛骨髓可“补精髓，壮筋骨，和气血，延年益寿”。天冬又叫“天门冬”，味甘、苦，性寒，无毒，主含天门冬素、黏液质、木糖和葡萄糖等，能滋阴润燥，清肺降火；生地味甘、苦，性寒，无毒，入心、肝、肾经，能清热凉血，生津。黄精可以补脾、润肺、益精。

●贴心小提示：

如牛骨髓太嫩，可用微火多熬一会儿。

糯米阿胶粥

●原料：阿胶 30 克、糯米 100 克、红糖适量。

●做法：

①先将糯米洗净，加适量水煮粥。

②待粥将熟时，放入捣碎的阿胶，边煮边搅匀，稍煮2～3沸，加入红糖即可。

●适用人群：血虚、虚劳咳嗽、久咳、吐血、阻血、大便出血及妇女月经过少、崩漏、孕妇胎动不安、胎漏等症。

●用法及宜忌：每日分二次服，三日为一疗程，间断服用。连续服用会有胸满气闷之感，故宜间断服用，脾胃虚弱者不宜多用。患有感冒、咳嗽、腹泻等病或月经来潮时，应停服阿胶，待病愈或经停后再继续服用。另外，按传统习惯，服用阿胶期间还需忌口，如萝卜、浓茶等。

●功用解析：阿胶养血止血、滋阴润肺。

●贴心小提示：

需要提醒的是，女性朋友如果一味地寄希望于阿胶这样的补药是不可取的，平日还要注意摄入富含蛋白质、铁、锌和维生素的食物。不少女性服用阿胶后，不仅效果不明显，还自觉腹胀不适，这是为什么呢？原来，阿胶虽好，阿胶性味十分滋腻，容易引起消化不良的症状。而脾胃为后天之本，如果脾胃功能受阻，再好的药物人体也无法消受。因此服用阿胶，尤其是脾胃功能不足者，服用本药最好配以调理脾胃的药，这样能促进阿胶的消化吸收，效果当然加倍。常用的搭配是将白术15克、炙甘草5克、橘皮10克，煎好后倒入250克阿胶中；还有一个小偏方，服用阿胶前吃点开胃的酸菜、小菜。

●医师解析：

1.阿胶为驴皮熬成的胶块。其制作方法是：先将驴皮刮去毛，切成小块，加水煎熬三昼夜，待液汁浓稠，

取出驴皮块，再加水煎熬。具有养血止血的功能，用于虚劳咳血、便血、吐血等多种出血以及失血后的头晕、乏力。滋阴润肺，治疗虚劳肺燥咳嗽、阴血不足的虚热、心烦。很多女性在月经期后，由于经期失血会面色萎黄，头晕乏力；还有些女性，体质虚弱，月经不调，量少色淡，这些情况一般属于虚症，适合用阿胶来调养。

2.不少血虚的女性，同时还存在气虚的症候，主要表现为气色不佳、气短不爱说话、疲倦乏力，容易出汗等。中医认为，气和血密切相关，因此，补血的同时补气，才能加强疗效，巩固“战果”，可与黄芪、党参等补气药同用。将阿胶10克、黄芪20克，和红糖、糯米一起熬粥，也是一道不错的“气血双补粥”。

何首乌粥

●原料：制何首乌 30～60 克、大米 100 克、红枣 2～3 枚、冰糖适量。

●做法：

①首乌入沙锅煎取浓汁，去渣。

②首乌药汁与大米、红枣、冰糖同煮为粥。

●适用人群：适用于老年肝肾不足、阴血亏损、头晕耳鸣、头发早白、贫血、神经衰弱以及老年性高血脂、血管硬化、大便干燥等病症。

●用法及宜忌：供早、晚餐服食。大便稀薄者忌服；服首乌粥期间，忌吃葱、蒜、萝卜、猪肉、羊肉。

●功用解析：大米有补中益气的作用；何首乌与大米、红枣煮成粥，调入冰糖，有滋补肝肾、益养血的功效，有使须发变黑、悦颜色、延年益寿等效果。

●贴心小提示：

1.在春秋季节摘其嫩叶及茎尖，用开水焯后炒食、做汤。其块根含有淀粉，除作为中药外，还可制淀粉或酿酒。

2.何首乌如果和一些菜肴相配，味道不但鲜美，而且吃起来非常爽口，是人们餐桌上的一道佳肴。煎煮何首乌时不宜用铁锅。

●医师解析：

何首乌的价值高，与它的营养成分有密切的关系。据测定，每100克嫩茎叶中含胡萝卜素7.30毫克，维生素B_2 1.05毫克，维生素C131毫克，每100克干品中含钾2160毫克，铁14.3毫克，锰2.5毫克，锌2.6毫克，铜0.7毫克。而何首乌营养成分中每100克可食部分的胡萝卜素含量为7.30毫克，维生素B_2 1.05毫克，维生素C131.0毫克。另有水分12.7%，淀粉28.7%，葡萄糖2.67%。何首乌还有增强人体免疫功能，常食用能益智补脑。同时，对肝肾阴亏，血虚头晕、贫血、头发干枯、早白、早脱也有较好疗效。

大枣花生粥

●原料：红枣 10 枚、落花生仁 45 克（不去红衣）、淮山药 30 克、大米 100 克、冰糖适量。

●做法：

①分别将花生仁及山药捣碎，红枣去核，大米淘洗干净，一同放入锅内。

② 锅内加水适量，先用大火煮开，后移小火上煎熬至熟烂成粥。

③ 再注入冰糖汁，搅拌均匀，盛碗内即可。

●适用人群：脾胃虚弱、气血不足的贫血、血小板减少、慢性肝炎、过敏性紫癜、营养不良、病后体虚、食少便溏、瘦羸衰弱。血虚诸症以及产后乳汁不足者。

●用法及宜忌：供早、晚餐服食。痰湿较重的肥胖者忌食。不宜与黄瓜、萝卜、维生素K、动物肝脏同食。

●功用解析：养血止血、滋阴润肺、安胎。

●贴心小提示：

枣皮中含有丰富的营养成分，应连皮一起烹调，过多食用红枣会引起胃酸过多和腹胀。将花生连红衣一起与红枣配合食用，既可补虚，又能止血，最宜用于身体虚弱的出血病人。在花生的多种吃法

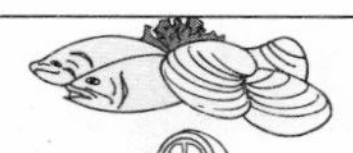

中以炖吃最佳。花生霉变后含有大量致癌物质，故霉变的花生禁食。

●医师解析：

花生含油脂多，消化时需要多耗胆汁，故患胆道疾病者不宜食用。花生炒熟或油炸后，性质热燥，不宜多食。

阿胶粥

●原料：阿胶15克、糯米100克。

●做法：

①将阿胶捣碎。

②将糯米、适量水放锅中同煮粥，待熟。

③待熟后放入阿胶稍煮，搅拌令阿胶溶化即成。

●适用人群：血虚萎黄、眩晕心悸、虚劳咯血、吐血尿血、便血等多种血症。

●用法及宜忌：每日早、晚餐温热服食。阿胶药性滋腻，脾胃虚弱、消化不良，以及外感伤风者不宜食用。

●功用解析：阿胶养血止血，滋阴润肺，安胎。糯米补肺、健脾、止汗。

山药粥

●原料：干山药片30克、糯米50克。

●做法：

①将干山药捣碎。

②将山药、糯米加适量水、白糖一起煮粥。

●适用人群：脾虚腹泻、肾虚遗精、慢性久病、虚劳咳嗽、气血不足、纳食不香、口干喜饮。

●用法及宜忌：可供四季早晚餐食用。宜温热时食用。大便燥结者不宜食用。

●功用解析：山药补脾胃、滋肺、补肾固精。

●医师解析：

山药“久服耳目聪明”，还具有滋养肌肤，使人健美的功效，是一种滋补佳品。

龙眼肉粥

●原料：龙眼肉100克、大米100克。

●做法：上述二味加水适量，同煮作粥。

●适用人群：心悸、失眠、健忘、贫血等。健康人食用能提高记忆力、增强体质。

●用法及宜忌：孕妇不宜食用，小儿不宜多食。

●功用解析：龙眼肉益心脾、安心神。

●贴心小提示：

不要忘了，龙眼是水果！既然是水果也很适合哦！在新鲜龙眼上市的季节，最好吃新鲜的，其他时候可吃干的龙眼肉。

补气药膳

中医学认为，气是构成人体和维持人体生命活动的最基本物质，人体的气是由肾中的精气、脾胃运化而来的水谷精气和肺吸收的清气所组成，在肾、脾、胃、肺等生理功能的综合作用下生成，并充沛于全身而无处不到。气对人体生命活动有推动和温煦的作用，所以中医学主要以气的运动变化来阐述人体的生命活动。气虚一般指人体脏腑功能的衰退，抗病和适应能力的下降，症状常见气短懒言、精神萎靡、四肢乏力、易患感冒等，药膳是补气的好方法。

人参莲肉汤

●原料：白人参10克、莲子去心10枚、冰糖30克

●做法：

①白人参、莲子放在小碗内，加水适量泡发。

②加冰糖，放蒸锅内隔水蒸炖1小时。

●适用人群：治疗病后体虚，脾虚消瘦，疲倦、自汗、泄泻等症。

●用法及宜忌：早晚各食一次。喝汤吃莲肉，剩余人参，次日再加莲子、冰糖和水如法蒸炖、服用。人参可连用三次，最后一次将人参和莲子一起吃掉。凡

阴虚火旺体质或身体强壮的中年人、老年人以及在炎热的夏季不宜服用。忌铁器，忌食萝卜和茶。

●功用解析：

人参的功效有：1.能调节中枢神经系统，改善大脑的兴奋与抑制过程，使之趋于平衡；能提高脑力与体力劳动的能力，提高工作效率，并有抗疲劳的作用。2.能促进大脑对能量物质的利用，可以提高学习记忆能力。3.能增加心肌收缩力，减慢心率，增加心输出量与冠脉血流量，可抗心肌缺血与心律失常。4.具有增强性机能和促进性腺功能及发育的作用。5.可以增强机体的免疫功能。6.提高对有害刺激的抵御能力，可增强机体的应激能力和适应性。7.可以改善造血功能。此外，人参还具有抗辐射、抗病毒、抗肿瘤、抗休克等多方面的作用。对于体质衰弱的患者来说，人参还能提高食欲。

莲子补脾止泻，益肾涩精，养心安神。用于脾虚久泻，遗精，白带过多，心慌失眠等。

●贴心小提示：

市场上的人参分园参和山参两大类，栽培的称"园参"，野生的称"山参"，也叫"野山参"。人参多于秋季采挖，洗净，园参晒干或烘干，称"生晒参"，蒸制后再晒干，称"红参"。山参晒干，称"生晒山参"。莲子以个大、饱满、无皱、整齐者为佳。

●医师解析：

人参进补有很多误区：比如人们习惯认为青年人服用人参身体会更强壮。事实上，血气方刚的青年人服用人参，容易口干舌燥，鼻孔出血，而出血往往是服用人参中毒的特征。一些独生子女家长为了使孩子尽快生长发育，给他们服用人参或含人参的滋补品。实践证明，新生儿服用人参会出现烦躁不安、哭闹拒乳等现象；正常儿童若服用人参滋补品，容易引发神经衰弱、早熟等问题。故儿童、青年人服用人参最好咨询医生。

超量服用人参也能带来副作用，故即使是中老年人，一般也不宜长时间过量服用人参。服用人参有五大忌：咳嗽忌用、疼痛忌用、感冒忌用、发热忌用、正在失血忌用，失血后可服用。有人认为，人参只能冬天服用，夏天不能服用，这种说法也是误区。人参能够提高人体肌体适应恶劣环境的能力，既能用于预防冻疮，也能用于预防中暑，所以冬天、夏天都可服用。

桂圆参蜜膏

●原料：党参250克、沙参125克、桂圆肉120克、蜂蜜。

●做法：

①以适量水浸泡党参、沙参、桂圆肉，然后加热煎煮。

②每20分钟取煎液一次，加水再煎，共取煎液三次，合并煎液，以小火煎熬浓缩。

③至稠黏如膏时，加蜂蜜一倍，煮沸停火，待冷却后装瓶备平时服用。

●适用人群：体质虚弱，消瘦，烦渴、干咳少痰，声音嘶哑，无力疲倦等症。

●用法及宜忌：每次一汤匙，以沸水冲化，顿饮，每日三次。桂圆甘甜滋腻，内有积火及湿滞停饮者慎用，一次不可大量食用。

●功用解析：党参有补气升阳，摄血行滞，固表止汗，托疮生肌，利尿退肿，生津止渴功效。沙参清热养阴，生津润燥。

●贴心小提示：

1.桂圆又叫"龙眼"，为无患子科常绿乔木龙眼树的成熟果实，主产于中国南方广东、福建、台湾、广西等地。于初秋果实成熟时采收，烘干或晒干，去核取肉备用。相传，由于八月处暑之后，其果实正成熟于阴历八月"桂月"之时，又因其果实极圆，故有"桂圆"之称；而状似龙眼，又得"龙眼"之名；因其味甜如蜜，归脾而能益智，因此其又有蜜脾、益智之称谓。明宋玉因得龙眼之神会，他描写龙眼"圆若骊珠，赤若金丸，肉似玻璃，核如黑漆"。

2.等煎至稠黏如膏时可品尝一下味道，因为桂圆比较甜，如果已经够甜了，可以少放蜂蜜。快煎至稠黏

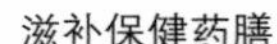

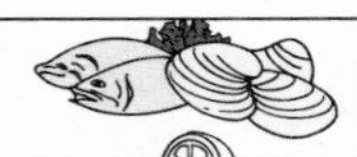

时火一定要小，要注意搅动，以防粘锅。

3.党参以条粗壮，横纹多，皮松肉紧，味清甜，嚼之无渣者为佳。

●医师解析：

桂圆又名龙眼，李时珍说："食品以荔枝为贵，而滋益则龙眼为良。"桂圆含丰富的葡萄糖、蔗糖及蛋白质等，含铁量也较高，可在提高热能、补充营养的同时，又能促进血红蛋白再生以补血。实验研究发现，桂圆肉除对全身有补益作用外，对脑细胞特别有益，能增强记忆，消除疲劳。

桂圆含有大量的铁、钾等元素，能促进血红蛋白的再生以治疗因贫血造成的心悸、心慌、失眠、健忘。桂圆中含丰富的尼克酸，可用于治疗尼克酸缺乏造成的皮炎、腹泻、痴呆，甚至精神失常等。桂圆含铁及维生素比较多，可减轻宫缩及下垂感，对于加速代谢的孕妇及胎儿的发育有利，具有安胎作用。桂圆肉还可降血脂，增加冠状动脉血流量，补元气，清肺热，开声音，助筋力。

补虚正气粥

●原料：黄芪30克、人参10克、大米90克、白糖适量。

●做法：

① 将黄芪、人参切片，用冷水浸泡半小时，入沙锅煎沸，煎出浓汁后将汁取出，再在参、芪锅中加入冷水如上法再煎，并取汁。

② 将一、二煎药汁合并。

③ 药汁同大米加水煮粥，粥成后入白糖。

●适用人群：大补元气，健脾胃。适用于劳倦内伤、五脏虚衰、年老体弱、久病羸瘦、心慌气短、体虚自汗、慢性泄泻、脾虚久病、食欲不振、气虚浮肿等一切气衰血虚之症。

●用法及宜忌：分两份，每日早、晚餐空腹食用。3～5天为一疗程，间隔2～3天后可续服。

●功用解析：人参大补元气；黄芪味甘微温，健脾补中，促进机体代谢，抗疲劳；大米性味甘平益五脏，壮气力，补充机体血清素；配以白糖补脾益气。

●贴心小提示：

1.此膳可用党参代替人参，人参虽为大补，但比较燥热，党参则性味甘平，补胃脾，可增强免疫功能。尤其中年人、年轻人服用党参较合适。

2.参类中含有一种人参皂甙，如果煮的时间过久，就会分解，失去其营养价值，所以，煲参汤、参粥的最佳时间是40分钟左右。制作中忌铁器和萝卜。

黄芪粥

●原料：生黄芪30克、陈皮末1克、红糖少许、大米60克。

●做法：

①黄芪放入沙锅，加水1000毫升，浓煎取汁。

②黄芪药汁与大米、红糖同放锅内，将锅置大火上烧开，再用小火熬。

③待粥将熟时，调入陈皮末少许，稍沸即可。

●适用人群：益元气，健脾胃，消水肿。适应于劳倦内伤、慢性腹泻、体虚自汗、老年性浮肿、慢性肝炎、慢性肾炎、疮疡久溃不收口等一切气血不足之症。

●用法及宜忌：可供早晚餐，温热服食。凡因脾虚不能统血者，与便血者，可辅食之。

●功用解析：益气摄血，补气养颜。黄芪甘温，益气健脾，生血摄血，气虚无热者宜食，若属阴虚火旺则不宜食用。

陈皮健脾理气化痰。

●贴心小提示：

经常用黄芪煎汤或泡水当茶饮，或与大米煮粥喝，炖母鸡，煮黑豆、炖大豆，皆有良好的防病保健作用。

●医师解析：

黄芪是中药补气药中最为常用且功效显著的一味药物，除能治疗因气虚引起的多种病症外，更有良好的保健防病作用。现代药理研究表明，黄芪含有多

种对人体健康有益的生物成分与微量元素，如黄芪多糖、单糖、黄酮甙、叶酸、胆碱、多种氨基酸、黏液质、纤维素及硒、硅等，能兴奋中枢神经系统，增强机体的抗病能力与免疫力，调节机体平衡，对改善心肺功能，扩张血管，改善微循环，降血压、降血糖、保护肝肾，促进细胞的新陈代谢及抗病毒、抗菌等，均有良好的作用。黄芪作为保健食品，用量一般不必过大，15～30克即可，其他佐料可视情况而定，无须过于严格。由于黄芪补气升阳，味甘性温，故肝阳上亢引起的高血压、头面烘热、头痛及火热牙痛、头胀痛、消化不良等均不宜应用。

气血双补药膳

中医认为气是属阳的，血是属阴的，所以，气的主要作用是温煦人体，血的主要作用是濡养人体。气血在人体是互相滋生和相互依赖的，所谓“气为血之帅，血为气之母”，即气可以生血、可以推动血液的运行、可以防止血液流到血管外等，而血可以作为气的载体运行全身，并给气以充分的营养。但有病的时候，气血又可以互相影响，所以在临床上经常可以出现气血两虚的情况，这时候就需要气血双补了。

紫河车粥

●原料：鲜紫河车（即新鲜胎盘）1具（或干紫河车10克）、小米100克、调料适量。

●做法：

①将新鲜胎盘，割开血管，用清水反复洗净，切碎。

②每次取100克胎盘与小米同煮粥，待小米粥煮熟后调入调料，再煮2～3沸，调匀即可。

●适用人群：适用于元气不足、精血亏虚而至虚损羸弱、倦怠乏力、咳喘咯血、遗精早泄、性机能减弱、女子不孕、或乳少等症。

●用法及宜忌：温热服食，每周食用2～3次。连服1～2月。阴虚内热者不宜单独服用紫河车。

●功用解析：益气养血，补虚。紫河车有温肾补精，益气养血功效。

●贴心小提示：

如无新鲜胎盘，可用干紫河车研粉。紫河车是人的胎盘干制品，又称为人胞、胞衣。秦始皇派御医，找遍天下长生不老的处方，竟是胎盘。迄今胎盘素除了在医学领域外，已被广泛地应用到食品与化妆品上。

●医师解析：

紫河车药力和缓，性温不燥，可作为久服补益之平，但需长期服用，才有疗效。注意肝炎病人的胎盘不可食用。

兔肉补虚汤

●原料：兔肉120克，党参、山药、红枣各30克，枸杞15克。

●做法：

①将兔肉洗净切块。

②加入诸药，加水适量，煮至肉熟透即成。

●适用人群：适用于气血不足或营养不良、身体瘦弱、疲倦无力、饮食减少等症。

●用法及宜忌：佐餐用。饮汤，食肉。兔肉与芥菜不宜同食。

●功用解析：补气养血。兔肉滋阴凉血、益智健脑；党参补中益气，生津利尿；山药补脾止泻，补肾收摄功；红枣为健脾益气、养血安神的佳品。

归参鳝鱼羹

●原料：鳝鱼500克，当归、党参 各15克，盐和葱、姜各适量。

●做法：

① 鳝鱼去头、骨、内脏，洗净，切丝。

② 当归、党参用纱布包扎。

③ 将鳝鱼、药包同放在沙锅中，加水适量，煎煮一小时，捞出药包，加盐和葱、姜调料。

●适用人群：久病体虚、疲倦乏力、消瘦等症。

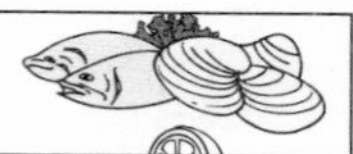

用法及宜忌：分顿佐餐食用，喝汤吃鱼。

●功用解析：补益气血，增加气力。鳝鱼有补五肠、疗虚损、除风湿、强筋骨的功效；当归补血活血；党参补气。鳝鱼与当归、党参做成药膳，补益作用更佳。

●做菜小秘诀：烹制含脂肪多的肉类、鱼类，加少许啤酒，有助脂肪溶解，产生脂化反应，使菜肴香而不腻。清蒸腥味较大的鱼类，用啤酒腌渍15分钟，熟后不仅腥味大减，而且味道近似螃蟹。黄鳝入馔入菜，可红烧，亦可清蒸、油炸、煮羹等。据说江浙一带的名厨高手，最擅长做鳝鱼菜，令人食后夸赞不已。

●贴心小提示：

鳝鱼又名黄鳝、海蛇、长鱼等，形如蛇、鳗。鳝鱼富含蛋白质，还含有脂肪、钙、磷、铁等，营养价值甚高。加之它全身只有一条脊椎骨，无杂刺，肉细嫩，味鲜美，故具有较高的食用价值和滋补作用。尤其是经过春季的觅食摄生，到夏季鳝鱼变得圆肥丰满，其肉质更嫩，味更鲜美，营养更丰富，从而对各种身体状况者的滋补作用更大、更好。所以，民间有“夏令鳝鱼胜人参”之说了。民间还把它与甲鱼、泥鳅、乌龟称为“四大河鲜”。有的鳝鱼在喂养时被加了激素，所以最好不要吃个头长得太大的。

●医师解析：

黄鳝全身是宝，全身皆是良药。鳝头，功能止痢除痞，可用于治消化不良、肠脓肿等；鳝血，功能祛风、活血、壮阳，用于治口眼歪斜、耳痛、癣、痔瘘；鳝骨，民间常用之熬汤、口服，治盗汗、自汗等症；现代药理研究发现，自鳝鱼体中提出的黄鳝鱼素，有调节血糖的功用，故糖尿病患者常食鳝鱼十分有益；从鳝鱼心脏中提取出的新激素可作为高血压和心脏病的治疗药物。夏补，以黄鳝为佳。除病属热症或热症初愈者不宜食之外，夏令可多食一些味道美、肉质鲜、滋补作用好、药用价值大的黄鳝。

四仙羊肉汤

●原料：羊肉500克、当归30克、黄芪30克、生姜10克。

●做法：

①将当归、黄芪装入干净纱布袋，扎紧口袋备用。

②将羊肉洗净，整个放入沙锅内，加适量水，同时放入药袋、生姜，先大火烧沸，再用小火慢炖，至羊肉炖熟时，取出药袋。

●适用人群：适用于气血俱虚症兼畏寒怯冷者。

●用法及宜忌：吃羊肉饮汤，可放少许盐，分多次食用，不要一次吃完。阴虚火旺者忌食。

●功用解析：补益气血。

●贴心小提示：

煮羊肉时在锅里放二三个带皮的核桃或山楂，这样不仅羊肉易熟，还能去除膻味。

八宝鸡汤

●原料：党参10克，茯苓10克，炒白术10克，炙甘草6克，熟地15克，白芍10克，当归15克，川芎6克，肥母鸡肉500克，猪肉150克，杂骨150克，葱、姜、盐各适量。

●做法：

① 将党参、茯苓等八味药洗净，用纱布袋装好扎口；将猪肉、鸡肉分别去净杂毛，冲洗干净；杂骨洗净打碎；生姜洗净拍破；葱洗净，切成小段。

② 将猪肉、鸡肉、药袋和杂骨放入锅中，加水适量，用大火烧开，撇去浮沫，加入生姜、葱，用小火炖至鸡肉烂熟。

③ 将汤中药物、生姜、葱段捞出不用；再捞出鸡肉和猪肉稍凉，猪肉切成条，鸡肉斩成方形块，按量装入碗中，兑入药汤，加盐调味即成。

●适用人群：适用于气血两虚、面色萎黄、食欲不振、四肢乏力等。健康人食之则能强壮身体，延缓衰老。

●用法及宜忌：外感发热、痰湿中阻病人忌食此汤菜。

●功用解析：本汤菜以中医名方“八珍汤”与鸡肉、

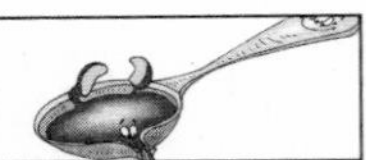

猪肉相合而成，有调补气血作用。

●医师解析：

“八珍汤”为气血双补的名方，治疗气血两虚、面色苍白、心悸怔忡、食欲不振、气短懒言、四肢倦怠、头晕目眩等症。并适于病后失调或久病失治，或失血过多等。在此方中加入鸡肉与猪肉，则使补益功效更为显著，是一切虚弱病人食用之佳肴。

虫草红枣炖甲鱼

●原料：冬虫夏草10克，活甲鱼1只，红枣20克，料酒、盐、葱、姜、蒜、鸡清汤各适量。

●做法：

①将甲鱼宰杀，去内脏，洗净，剁成四大块，放锅中煮沸捞出，割开四肢，剥去腿油洗净。

②冬虫夏草洗净；红枣用开水浸泡。

③甲鱼放汤碗中，上放冬虫夏草、红枣，加料酒、盐、葱段、姜片、蒜瓣和鸡清汤，上笼隔水蒸2小时，取出，拣去葱、姜即成。

●适用人群：适用于腰膝酸软、月经不调、遗精、阳萎、早泄、乏力等症。健康人常食，可增强体力、防病延年、消除疲劳。

●用法及宜忌：佐餐食。

●功用解析：滋阴益气，补肾固精，抗疲劳。甲鱼又叫鳖、团鱼，有滋补肝肾，清虚热的作用；冬虫夏草补肺，益肾阳；红枣和中健脾、益气生津、解药毒、保护肝脏。

●贴心小提示：

1.如何巧杀甲鱼？先将甲鱼放在一块平整的木平板上，再突然将它翻个身，使之腹部朝上无法爬行，它要恢复原状就得伸出四脚和头颈挣扎，这时只要一手按住甲鱼的腹部，另一只手就可举刀将其颈一刀两断。

2.不宜吃死甲鱼，因为甲鱼含有较多组胺酸，死后极易腐败变质。如果食用不卫生的变质甲鱼，很容易引起食物中毒。

清炖甲鱼

●原料：活甲鱼1只，葱结、姜块、料酒、盐、味精、蒜泥各适量。

●做法：

① 将甲鱼宰杀，斩去脚爪洗净，放入沸水锅中焯一下，捞出刮去黑膜，剁成四块。

② 取沙锅一只，放入甲鱼块，加姜、葱、料酒等调料及清水淹没甲鱼，用大火烧开，移小火焖2小时，至烂后去姜、葱，加盐、味精调味。

●适用人群：适用于阴阳气血不足者。常服可保健防病，且有利于慢性病患者康复，体虚者食用可健身。健康人食用能使精力充沛、精神焕发、消除疲劳。

●用法及宜忌：佐餐食，吃时拌入蒜泥。

●功用解析：调节阴阳，维持体内平衡。

●贴心小提示：

炖甲鱼的时间，要看甲鱼的大小，小一些的1小时，大的需要炖2小时。

健脑益智药膳

智力不足，临床常见于肝肾亏损、心气不足、脾肾两亏、气血虚弱，以致于语言迟钝、视物模糊、记忆力差、对外界事物反应迟钝、思考问题迟缓。这种情况有些是由于先天父母精血不足、肾气虚弱，或近亲结婚所致；有些是由于后天养护失宜，饮食不调、疾病缠绵，治理不当或久治不愈而致。益智常用中药主要有：益智仁、远志、龙眼肉、当归、川芎、麦冬、石菖蒲、熟地、茯苓、核桃肉、山药、人参、枸杞子、桑椹、银耳、莲子、芡实、蜂蜜、蜂乳等。益智常用的食物有：花生、黄豆、豆腐、苹果、葡萄、牛肉、鸽肉、鸡肉、鹌鹑、鱼头、蛋类、海参、虾类等。

猪脑木耳汤

●原料：猪脑1具，木耳15克，植物油、盐、料酒、

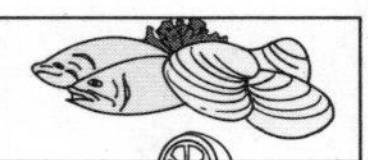

香葱、味精各适量。

●做法：猪脑挑去血筋，洗净；木耳冷水泡涨，去杂质洗净。净锅上火，放入植物油烧热，下木耳翻炒3分钟，加入料酒、盐，冷水少许，焖3分钟，猪脑放入，加冷水一碗半，小火慢炖30分钟，加香葱、味精调味

●适用人群：对用脑过度、头昏、记忆力减退及眩晕、偏正头风、神经衰弱等症有较好疗效。

●用法及宜忌：可常食或佐餐食用。

●功用解析：此膳有滋肾补脑，益气活血之功效。猪脑含有较多的蛋白质、卵磷脂、氨基酸、脂肪、还含有糖分、钙、磷、铁、维生素和烟酸等，有滋肾补脑、补骨髓、益虚劳作用；轻身强志，润肺补脑。现代研究证明，木耳含有一种核酸物质，可显著降低血液中的胆固醇。

●贴心小提示：

鲜木耳含有一种卟啉物质，人食用后，经太阳一晒，容易引起蔬菜日光性皮炎，所以不要食用鲜木耳。干木耳毒性物质已消失，食用时很安全。

补脑安神羹

●原料：银耳6克，猪脑2具，水耳、香菇各6克，鹌鹑蛋3个，首乌汁2汤匙，调料适量。

●做法：木耳水发浇净切碎;猪脑洗净，蒸熟切丁。银耳、木耳、香菇、猪脑同放入沸水内煮熟，打入鹌鹑蛋兑入首乌汁，调味，水淀粉勾芡成羹。

●适用人群：常食对用脑过度，神经衰弱有较好疗效。对气血亏虚，面色萎黄，食少乏力，头晕目眩，心悸失眠，肝肾不足，腰膝酸软，须发早白也有一定的辅助食疗。

●用法及宜忌：单食或佐餐。

●功用解析：补脑安神，益肝肾，养气血。木耳轻身强志，润肺补脑；银耳滋阴润肺，养胃生津；猪脑补脑。香菇能刺激人体网状组织细胞和白细胞释放干扰素，被称为“干扰素诱导剂”，能抑制病毒的繁殖，提高人体免疫能力。

●医师解析：

现代研究，香菇菌丝体培养液提取物可使慢性乙型肝炎患者血清抗原转化为阴性，通过增强免疫功能来达到保肝作用。

核桃仁粥

●原料：核桃仁30克、大米250克、白糖30克。

●做法：核桃仁洗净，大米淘洗干净，同放锅内，加水800毫升。用大火烧沸，小火煮30分钟，加入白糖搅匀即成。

●适用人群：补脑益智功效。适用于肝肾亏损、头痛、智力减弱等症。

●用法及宜忌：一般人均可平时经常食用。

●功用解析：核桃仁补肾健脑。

●医师解析：

核桃主要成分含较多的脂肪、蛋白质、糖、多种维生素及磷、镁、铁等，除生吃外，还可作糕点、糖果、菜肴的辅料用，也是一种滋养强壮药，适用于治肾亏腰疼、肺虚久咳、气喘、大便秘结、病后虚弱等症，核桃肉对大脑神经有益，因而又是神经衰弱的辅助治疗剂，所以，平时多吃好处多。

此外香菇还有抗衰老、抗肿瘤、抗突变、抗病毒，抗血小板聚集和降血脂。最近又有报道，硫酸香菇多糖还有抗艾滋病作用。银耳还可减少脂肪吸收，并有祛除脸部黄褐斑、雀斑的功效。

健脑酒

●原料：远志、熟地黄、菟丝子、五味子各18克，石菖蒲、川芎各12克，地骨皮24克，白酒600毫升。

●做法：将上药浸入酒中，7天后过滤，去渣取汁，倒入玻璃瓶中密盖，勿使气泄。

●适用人群：适用于健忘、心悸失眠、头痛耳鸣、腰膝酸软等症。

●用法及宜忌：每次10毫升，早、晚各一次。20

天服完一剂。酒易伤肝，故肝脏有病的人不宜用本方。

●功用解析：此膳有健脑益智、聪明耳目、安神定志之功效。

●贴心小提示：

配制药酒所用的一切用具、容器均要清洁和完好，并做必要的消毒处理。服用药酒前，应注意是否变质、污染等异常现象和异味，否则不要饮用，以免发生中毒。

猪脑枸髓汤

●原料：猪脑1具、猪脊髓15克、枸杞10克、调料适量。

●做法：将猪脑、猪脊髓洗净，放碗中，加入枸杞、盐、味精、料酒、酱油等，蒸熟服食。

●适用人群：补肾聪脑。

●用法及宜忌：一般人均可经常食用。

●功用解析：猪脑以脑补脑；猪脊髓以髓补髓，有补肾健脑作用；枸杞性味甘、平，滋补肝肾，益精明目。

●医师解析：

中医理论认为脑为髓海，肾主骨生髓，所以一些补肾精的药物往往都有补脑的作用。

药理研究表明，枸杞含枸杞多糖、氨基酸、甜菜酸、多种维生素，有抗氧化、抗衰老作用；耐缺氧、抗疲劳；调节细胞免疫与体液免疫功能；降血脂、降血糖、降血压；升高白细胞；更可贵的是具有保肝作用及抗脂肪肝。

美容驻颜药膳

现代医学认为，皮肤的颜色变化与氧化血红蛋白、还原血红蛋白、胡萝卜素和黑色素含量的多少，以及局部血液供应状况、身体健康状况等有关。祖国医学认为，人颜面色与脏腑气血的盛衰和思想情绪攸关。五脏调和、气血旺盛、身体健康的人，其皮肤必定是光泽红润的。由此，健美的皮肤主要是依靠健康的身体、合理的饮食、良好的情绪相配合而获得。

阿胶红枣露

●原料：阿胶250克、绍兴黄酒800克、红枣(去核)500克、黑芝麻(炒熟)150克、核桃仁150克、桂圆肉150克、冰糖250克。

●做法：

① 将红枣、桂圆肉、核桃仁、黑芝麻共捣碎，

② 将阿胶置黄酒内泡浸12天，将阿胶酒倒入陶瓷器内，隔水蒸，至阿胶完全化完，将上四味食品倒入混合，再加冰糖，再蒸至冰糖完全溶化时，取出冷却，置冰箱内保存。

●适用人群：能悦颜美肤，消除面部皱纹。

●用法及宜忌：每晨服2匙，开水冲服，坚持久服。

●功用解析：阿胶滋阴润肺，补血养颜；红枣健脾养血美颜；桂圆肉养心脾，益气血，美容颜；核桃仁、黑芝麻补肾养颜。

● 贴心小提示：

1.阿胶不能直接入锅，须单独加水蒸化在锅中。

2.阿胶以色乌黑、光亮、断面紫红、质硬脆，无腥气者为佳。

●医师解析：

常吃芝麻可使皮肤保持柔嫩、细致。有习惯性便秘的人，肠内滞留的毒素会伤害人的肝脏，也会造成皮肤的粗糙。芝麻能滑肠治疗便秘，并具有滋润皮肤的作用。利用节食来减肥的人，由于其营养的摄取量不够，皮肤会变得干燥。而芝麻中含有防止人体发胖的物质蛋黄素、胆碱、肌糖，因此芝麻吃多了也不会发胖。人们会经常洗澡，但在洗掉皮肤上污垢的同时，也会洗去人体表面上的油脂，因脱去油脂而使皮肤显得干燥，可吃些芝麻，能使皮肤看起来更为光滑。

莲藕红豆汤

●原料：　莲藕500克、红豆250克、陈皮50克、

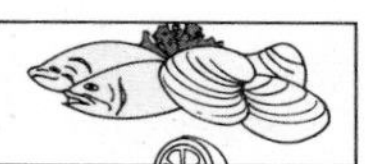

牛肉250克、盐少许。

●做法：

①将莲藕洗净，去皮，切块，用刀背拍松；将红豆、陈皮、牛肉洗净备用。

②瓦煲内放入适量清水，用猛火煲滚，放入莲藕、红豆、陈皮和牛肉，改用中火继续煲3小时左右，加入盐调味，取出牛肉切成块即可食用。

●适用人群：适用于面色萎黄、皮肤枯槁、精神疲乏、心跳不安、月经不调、血虚闭经等症。

●用法及宜忌：可每一至两周食用一次。

●功用解析：本方补血养颜，使脸色红润有光泽。莲藕健脾养颜；红豆补血利尿；陈皮含的挥发油利于胃肠道积气的排出，促进胃液分泌，有助于消化，和牛肉搭配可促进其营养成分的吸收。

●贴心小提示：1.藕有七孔与九孔两种，其中比较著名的七孔藕是浙江湖州、塘栖所产，它根茎粗壮，肉质细嫩，鲜脆清香，甘甜可口。藕有多节，尖较嫩，可拌食；中段可炒食，老的可以塞入糯米煮成桂花糖藕。

2.藕孔内如有污泥，可用羽毛捣孔洗净，如果污泥太多，可切碎后洗净。

木瓜鲜奶

●原料：熟木瓜500克、新鲜牛奶1杯、莲子肉50克、红枣4枚、冰糖适量。

●做法：

①选新鲜熟木瓜，去皮去核，切成粒状，用清水洗干净莲子肉和红枣，莲子去心，保留红棕色莲子衣，红枣去核。

②将熟木瓜粒、莲子肉、红枣放入炖盅，加入新鲜牛奶和适量冰糖，隔水炖至莲子肉烂，便可食用。

●适用人群： 面色萎黄、气血不足者。

●用法及宜忌：可经常食用。

●功用解析：木瓜舒筋活络，化湿和胃而美容。牛奶、莲子、红枣均可健脾和胃养颜。润肤养颜，使肌肤润泽，皮肤嫩滑，面色红润，容光焕发，防止衰老过早出现，促进少年身体发育，骨骼强健，女性乳房丰满。对皮肤干燥、面色萎黄、气血不足也有疗效。

●贴心小提示：

木瓜以外皮抽皱、色紫红、质坚实者为佳。

黑豆苁蓉淡菜汤

●原料：黑豆250克、肉苁蓉10克、淡菜200克、生姜、盐少许。

●做法：

①用铁锅不加油将黑豆炒至豆衣裂开，洗净；肉苁蓉、淡菜和生姜洗净，刮去生姜皮，切片。

②煲内放入适量清水和姜片，用猛火煲滚，接着放入黑豆、肉苁蓉和淡菜，中火煲3小时，加入盐少许调味，咸淡适中，即可食用。

●适用人群：补血养颜，使面色肌肤红润，防止过早出现衰老，补益肝肾，有明目作用，使人看起来眼睛充满神气。同时对小便频数、慢性肾炎、肾虚腰痛等，都有疗效。

●用法及宜忌：可经常食用。

●功用解析：黑豆补肾益精，活血润肤；肉苁蓉补肾壮阳，润肠通便，可以排毒养颜。

●医师解析：

黑豆是肾之谷，每日吃十几枚黑豆可补肾防衰。中医理论认为，肾主毛发生长，咸入肾，所以，黑豆如加盐水煮熟，当作零食，也能很好地补肾护发。

补血美颜粥

●原料：川芎3克、当归6克、红花2克、黄芪4克、大米100克、鸡汤适量。

●做法：将米洗净，用水浸泡，川芎、当归、红花、黄芪装入纱袋中，放沙锅内，加鸡汤煎成药汁，再将大米放入药汁中煮粥，加葱、姜、盐等调料服食。

●适用人群：此粥有活血调经、补气养血、驻颜美

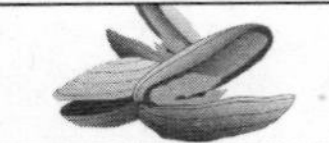

容的作用。

●用法及宜忌：每日一次，15天为一疗程。孕妇、月经过多者忌用。

●功用解析：川芎、当归、红花活血通经；黄芪补气。

●医师解析：

颜面肌肤是健康的一面镜子，皮肤美的标准是要柔软、细腻、富有弹性和光泽。但是，随着年龄的增长，皮肤老化，出现粗糙、皱褶、黑色素斑等，影响美观。中医认为“肺主皮毛”，皮肤中的生长细胞，汗腺的开合及皮脂腺的分泌，主要受肺的支配，皮肤得到充足的气血，才能濡养润泽，反之则干燥起皱，毛发也会脱落。此外，心主血脉，其华在面；脾主肌肉；肾为先天之本，肾藏精，精能化生气血，营养肌肤。因此，通过药膳调整人体的肺、心、脾、肾的生理功能，供给皮肤所需要的各种营养素，可达到美颜润肤的目的。

核桃阿胶膏

●原料：核桃肉、桂圆肉、黑芝麻（炒熟）各150克，红枣500克，阿胶、冰糖各250克，绍兴黄酒500毫升。

●做法：

① 将核桃、桂圆、黑芝麻、红枣研成细末。

② 阿胶浸于黄酒中泡10天后，置于沙锅内隔水蒸至阿胶溶化，再放入红枣、核桃、桂圆、黑芝麻，调匀放入冰糖再蒸15分钟即成，

●适用人群：此膏能使皮肤健美，容光焕发，适用于血虚面色萎黄、乏力、失眠、心慌、月经量少。

●用法及宜忌：每日开水冲服一次。

●功用解析：阿胶滋阴润肺，补血养颜；红枣健脾、养血美颜；桂圆肉养心脾，益气血，美容颜；核桃仁、黑芝麻补肾养颜。

●医师解析：

阿胶滋腻容易影响胃口，所以脾胃虚，痰湿内盛的人不宜用本方。

琼玉膏

●原料：蜂蜜300克、生地400克、茯苓100克、人参20克。

●做法：上各药按此比例配制。先将生地煎熬，去渣留汁，入蜜炼稠，再将人参、茯苓研成细末兑入，瓷罐封存或冰箱保存。

●适用人群：气血虚弱引起的面色黄白，无光泽，食欲不振，气短乏力，失眠等。

●用法及宜忌：美肤护肤药膳每日服二次，每次二匙，温开水送服。

●功用解析：补益气血，滋肾润肤。人参大补元气；生地滋阴凉血；茯苓健脾益气，利湿美容。

冬瓜薏米瘦肉汤

●原料：冬瓜250克、薏米50克、猪瘦肉50克、陈皮一小块、盐少许。

●做法：

① 将冬瓜去皮、瓤，切成骨牌片，猪瘦肉切小薄片；陈皮洗净。

② 锅入适量清水上火，放入冬瓜片、薏米、肉片及陈皮，大火煮沸，移小火煮至烂，加盐调味即成。

●适用人群：可治因脾虚湿盛或血虚血热而引起的面生黄褐斑、蝴蝶斑等。

●用法及宜忌：佐餐食用。

●功用解析：冬瓜、薏米清热去湿；陈皮健脾化痰。清热解毒，去湿除斑，养血益颜。

●医师解析：

人体内湿热偏盛时，皮肤就易长痤疮和疹子，影响美观，所以有此类皮肤问题的人经常食用一些清热去湿的药膳，有助于排出体内的湿热，而使皮肤光洁。

八珍美容露

●原料： 水发银耳1朵，罐装莲子50克，龙眼肉

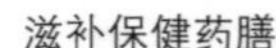

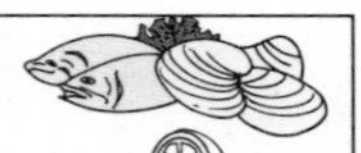

50克，冰糖20克，蜂蜜10克，杏仁10克，糖桂花、菊花各2克。

●做法：

1.水发银耳洗净，去蒂，撕成小块，同莲子、杏仁、龙眼肉放一锅中加入适量水。

2.锅置火上，加入冰糖，大火烧沸，小火慢炖1小时，放入蜂蜜调匀盛出，撒桂花、菊花搅匀即成。

●适用人群：常服可使皮肤光洁，细嫩如脂。

●用法及宜忌：佐餐食用。

●功用解析：滋阴养颜，健身美容。银耳润肺；杏仁宣降肺气，润肠通便；莲子、龙眼肉益心脾，补气血，养容颜。

●医师解析：

中医认为“肺主皮毛”，皮肤中的生长细胞，汗腺的开合及皮脂腺的分泌，主要受肺的支配，皮肤得到充足的气血，才能濡养润泽，反之则干燥起皱，毛发也会脱落。另外，中医理论认为，肺和大肠相表里，即生理和病理互相影响，而肺热的人往往大便干燥，肠中代谢的废物不能及时排泄，影响颜面光洁细腻。所以，保护好肺功能，有利养颜。

羊肉粥

●原料：羊肉100克，枸杞10克，大米100克，姜末、葱花、盐、味精各适量。

●做法：将羊肉洗净，剁成碎片；枸杞洗净，与羊肉、糙米、姜末、盐一同入锅，熬至米粒烂透，加入葱花及少许味精调味即成。

●适用人群：补气养血，健脾暖胃，润肤养颜，适用于气血不足，面黄肌瘦，四肢不温，腰膝酸软者食用。

●用法及宜忌：内热的人不宜用本方。

●功用解析：现代药理研究发现，枸杞有改善肝功能，促进细胞代谢，使皮肤变得细嫩等作用。

润肤红颜酒

●原料：白酒1500克，核桃仁、红枣各60克，杏仁20克，酥油、当归、蜂蜜各30克。

●做法：先将蜂蜜、酥油溶化，加入酒中和匀，再将核桃仁、红枣和杏仁捣碎，放进酒中，密封浸泡两周即可用之。

●适用人群：常服可使面色红润，弹性增加。

●用法及宜忌：每日早晚各一次，每次15～30克。大便稀者不宜用本方。

●功用解析：益精血、补肝肾、泽肌肤。

●医师解析：

大便的通畅是美容的一个重要方面，方中的核桃仁、杏仁、当归、蜂蜜均可润肠通便，所以，大便秘结的人服用本方更为宜。

乌鸡附子汤

●原料：乌骨鸡1200克、熟附片15克、当归12克、姜块20克、酒糟汁20克、葱结25克、花椒12粒、盐2克、酱油10克、冰糖2克、猪油100克。

●做法：

①鸡先剖腹去内脏，剔除腿骨、脊骨，斩成2厘米的方块，姜葱洗净，当归、附片切成薄片。

②锅置大火上，下猪油烧至六成热，下姜块、葱结、花椒稍煸一下，放入鸡块，煸至发白时，加酱油、盐、肉汤、冰糖、当归，烧开后，撇去泡沫，改用小火烧至快软烂时，加入附片、胡椒、酒糟汁继续烧至软烂，拣出姜块、葱结、当归不用，若汤汁较多，置中火上收汁即成。

●适用人群：气血不足，畏寒身冷，体倦乏力，肾阳亏虚诸症。对女性四肢寒凉，夜尿频多，面白无华等效果更佳。

●用法及宜忌：可分几次食用，连服一个月。阳盛体热之人不宜服用。

●功用解析：补气血，温肾阳。本方以附子峻补下焦元阳，温里散寒，助阳化气；乌骨鸡养阴益肾，配伍当归，补血活血，使阴平阳秘，表里固密，气血双补。

●贴心小提示：

附子以片大均匀，质脆，无臭，味淡者为佳。

●医师解析：

附子有毒，熟附片为加工过的药材，毒性减少，一般使用附片宜久煎至口尝无麻辣感为度。

红枣莲子汤

●原料：红枣100克、莲子60克、冰糖适量。

●做法：将红枣洗净，用开水泡涨莲子，剥去外衣，置沙锅内炖煮，莲子煮至八成熟时，放入红枣、冰糖，再用小火煮30分钟即成。

●适用人群：脾虚面色无华者。

●用法及宜忌：经常随意饮用。

●功用解析：补血养颜。

●医师解析：

民间有这样的话："要使皮肤好，粥里添红枣。"说明红枣的美颜美肤的作用，莲子也有类似的功能。二者相加，补血养颜，最宜妇人美肤服食。

丰胸美体药膳

中医认为，乳房是肝经循行之处，保持肝脏经气调畅，情绪欢快，能促进胸部发育与健美。所以胸部不丰满的人，除了注意陶冶性情外，还要有针对性选用一些药膳方。乳房扁小的少女一要吃一些富含维生素的食物，如卷心菜、菜花、香油、葵花子油和坚果、粗粮，促进卵巢发育和完善，从而使成熟的卵细胞增加、黄体细胞增大。而卵细胞是分泌激素的重要场所，当雌激素分泌量增加时则会促进乳房发育。二要注意摄入富含B族维生素，如谷物、豆类、瘦肉、蛋类、动物肝、肾、心脏、奶类及制品。因为B族维生素是体内合成雌激素不可缺少的成分。

参芪鸡肉汤

●原料：党参15克、黄芪20克、干紫河车10克、仔鸡半只。

●做法：

① 先将党参、黄芪放入炖盅内，加水适量，隔水炖半小时。

② 再放入仔鸡和紫河车，小火炖2小时，调味后即可食。

●适用人群：可使面色苍白无华的女性变得色如桃花，且增肥丰乳效果较明显。

●用法及宜忌：气血亏虚之人可每两周食用一剂。阴虚内热之人不宜用本方。

●功用解析：补虚益血，强胃健脾。党参、黄芪补气生津；紫河车温补精血。鸡肉营养丰富，为补气血佳品。

●医师解析：

三要选用一些有食疗作用的膳食。中医认为，乳房是肝经循行之处，保持肝脏经气调畅，情绪欢快，能促进胸部发育与健美。所以胸部不丰满的人，除了注意陶冶性情外，还要有针对性选用一些药膳方。

丰胸乌鸡汤

●原料：白术、淮山药、茯苓各15克，陈皮8克，干紫河车12克，乌鸡1只生姜片少许。

●做法：

①将乌鸡宰杀洗净，去毛，内脏、爪。

②将白术、淮山药、茯苓、陈皮、紫河车、乌鸡，一同放入沙锅内加盐、生姜片、胡椒粉，再加适量清水用中火炖至乌鸡烂熟。

③去药渣，喝汤，吃肉。

●适用人群：常食此方可使皮肤具有弹性，皱纹减少，乳房丰满，发育均匀，身体曲线优美。

●用法及宜忌：去药渣，喝汤，吃肉。

●功用解析：白术、淮山药、茯苓、陈皮健脾益气，开胃利湿。紫河车温补精血。

●贴心小提示：

1.乌鸡，以其骨骼、皮肉乌黑而得名。现代医学研究，

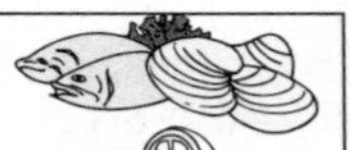

乌鸡含有丰富的黑色素、蛋白质、B族维生素、18种氨基酸和18种微量元素等。每100克乌鸡肉中含氨基酸高于普通鸡25倍。含铁元素比普通鸡高45倍。传统上讲究男用雌乌鸡，女用雄乌鸡，以清炖为宜。

2.熬汤最好是用冷水，如果一开始就往锅里倒热水或者开水，肉的表面突然受到高温，肉的外层蛋白质就会马上凝固，使得里外层蛋白质不能充分地溶解到汤里，只有一次加足冷水，并慢慢地加温，蛋白质才能够充分溶解到汤里，汤的味道就鲜美。注意水一开始就要多放一点，炖汤和煮粥一样的道理，中途加水是万不得已，最好是一次加足。

●医师解析：

除了以上这个典型的丰胸食谱外，牛奶炖鸡，即以嫩鸡加入牛奶同炖，也能有丰胸的效果。亦可饮用以黄精、当归、白术、云苓、鲤鱼及生姜等材料熬制成的鲤鱼汤。因为鲤鱼具有强身效果，而白术能健脾胃，结合起来有健胸效果。

丰胸汤

●原料：羊肉1000克，蜂蜜200克，干地黄、当归身、续断各200克，怀牛膝100克，黄芪50克。

●做法：

①羊肉洗净切成片或丝。

②将羊肉、干地黄、当归身、续断、怀牛膝、黄芪全部入锅，加水上火同煲约2~3个小时。

③取浓汁，去渣留肉，再入蜂蜜，熬成麦芽糖样，即可食用。

●适用人群：虚劳羸瘦，乳房瘦凹者。

●用法及宜忌：此膳偏温补，秋冬季服用比较好。有内热的人不宜服用。

●功用解析：健脾益气、温补肾阳。羊肉含蛋白质、脂肪、碳水化合物、维生素、尼克酸、钙、磷、铁等。其性温味甘，温中散寒、化滞，健脾益气、温补肾阳，对虚劳羸瘦，乳房瘦凹者有显效。续断、怀牛膝补肝肾、强筋骨、活血通经。干地黄、归身补血。黄芪温补脾肺之气。

●医师解析：

此膳补血、补气，女人只要气血通顺，月经即会正常，亦可促进乳腺分泌健全。如果药膳配合按摩效果会更好！经常按摩乳房，能促进和加强乳房的血液循环。按摩时可采用上推、侧推、托推等手法。

黄豆排骨汤

●原料：猪排骨500克，黄豆50克，红枣10枚，黄芪20克，通草20克，生姜片、盐各适量。

●做法：

①将猪排骨洗净，剁成块；黄豆、红枣、生姜洗净；黄芪、通草洗净用纱布包成药包。

②锅内加水，用中火烧开，放入排骨、黄豆、红枣、生姜和药包，用小火煮2小时，拣去药包，加盐调味即成。

●适用人群：适用于气血虚弱所致乳房干瘪之女性。

●用法及宜忌：肉香汤鲜，可喝汤、吃肉及黄豆和红枣。

●功用解析：益气养血，通络丰乳。黄豆中含异黄酮，属于雌激素样物质，可补充雌激素使乳房丰满，黄芪、通草益气通乳防止乳腺过度增生；红枣、生姜和胃养血。

●贴心小提示：

1.猪排骨分很多种，炒排是乱七八糟斩在一起卖的，比较便宜。肉排是肋骨中比较整齐的，排条是可以做蒜香骨的。现在分类更细了，超市里还有盒装软肋骨卖。一般说，根据所想做的汤来决定用什么骨头。如是浓香类的黄豆骨头汤，需要炖很久，就用汤骨。如炖清一点的汤就用大排骨的骨架。而喜欢喝汤同时吃肉，没有很多时间炖的就用肉排。

2.熬汤不要过早放盐。盐能使得肉里含的水分很快地跑出来，也会加快蛋白质的凝固，影响汤的鲜味。

●医师解析：

黄豆中含异黄酮可预防乳腺癌、子宫内膜癌、卵

巢癌、前列腺癌等。

对虾通草丝瓜汤

●原料：对虾2只、通草6克、丝瓜络10克、食用油、葱段、姜丝、盐各少许。

●做法：

①将对虾、通草、丝瓜络收拾干净，入锅加水煎汤。

②同时下入葱、姜、盐，用中火煎煮将熟时，放入食用油，烧开即成。

●适用人群：适用于气郁血虚乳房发育不良、或乳腺增生之女性。

●用法及宜忌：乳腺增生之女性可经常食用。

●功用解析：对虾性温味甘、咸，补肾壮阳、开胃化痰、通络止痛；通草味甘淡性寒，甘淡能通小便，性寒能清热通乳；丝瓜络味甘，性寒，通经行乳。上述药食配成汤菜，有壮阳开胃，化痰通乳之功效。

●贴心小提示：

此膳因用对虾而鲜香、有海鲜味。如果没有对虾，用海虾、淡水虾也可以。

红枣米汤

●原料： 红枣10枚、大米100克、白糖适量。

●做法：

①红枣去核，大米洗净，一同放入沙锅内，加清水适量。

②用大火煮沸改为小火煮成浓米汤，食用时加入白糖调味。

●适用人群：也可用于脾胃虚弱，食欲不振、贫血等症。

●用法及宜忌：常食。红枣糖分丰富，尤其是制成零食的红枣，不适合糖尿病患者吃，以免血糖增高。小孩子如有蛀牙亦不应多吃红枣。此外，由于红枣会困湿气，所以湿重腹胀人士，如常感疲倦或苔较厚等，就少吃为妙，不然会加重湿重的症状。而红枣可以经常食用，但不可过量，否则会有损消化功能。

●功用解析：补虚损、益气血、增肥丰乳。

●贴心小提示：

枣与桃、李、杏、栗并称为五果，枣居首位。

●医师解析：

红枣能补益脾胃，对脾胃虚弱和肠胃不佳的人，如消化不良、经常吐泻或便秘人士都有好处，多吃红枣能改善肠胃功能。此外，红枣又能补气血，对于中气不足及气血亏损人士特别有帮助，能减少平日气促气喘的情况，又能针对肌肉无力等症状，增加体力；对大病、手术或产后人士，身体失去一定的血量，有些甚至会有贫血症状，这时便最适合食用红枣以补血。不过，如果体质属于燥热，就不宜多吃，不然便会燥上加燥。红枣还能安定神志，有助治疗抑郁症，特别是对产后抑郁症或更年期症候群都有所帮助。如果你感到精神紧张和烦乱，甚至心悸失眠和食欲不振，不妨在平日的汤或菜中加点红枣同食，相信具有镇静作用。红枣虽然有益，但未必每个人都适合食用，例如咳嗽和痰多的人就不宜食用。

山药炖羊肉

●原料：怀山药150克、羊肉500克、葱段、生姜、盐、料酒各少许。

●做法：

①将怀山药、羊肉洗净，切成块状，放入锅内，加植物油、料酒和适量的清水。

②用小火炖约2个小时。

③放入盐、葱段、生姜少许，再略煲5分钟即可。

●适用人群：益气补虚，温中暖下，壮骨健脾，丰乳健身。

●用法及宜忌：每周食用2次。

●功用解析：怀山药补脾、肝、肾之阴；羊肉温补气血。

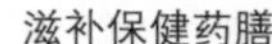

●做菜小秘诀：煲汤最重要的是原汁原味，不要随意添加调味品。以肉汤为例，在煲汤之前，最好先将肉用开水清煮一遍，去掉肉腥味，再下锅小火慢炖，在汤炖好之后，再放入盐、姜、葱段之类的调味品（也可加入青菜润色），以保味道清新。

●贴心小提示：

山药以色洁白、味微酸者为佳。

猪肉扁豆枸杞汤

●原料：瘦猪肉150克、白扁豆50克、枸杞30克、盐适量。

●做法：

①将瘦猪肉洗净切丝，与白扁豆和枸杞一同入锅。

②加适量清水炖煮至肉熟烂。

③加入适量的盐、生姜丝、葱花、味精调味即成。

●适用人群：滋补肝肾，健身丰乳。

●用法及宜忌：可经常食用。

●功用解析：猪肉富含脂肪、蛋白质、碳水化合物、维生素，善补虚增气力；白扁豆健脾和胃，除湿；枸杞补肝肾，健身丰乳。

参芪粥

●原料：炙黄芪30克、人参3克、大米100克、白糖少许。

●做法：

①将炙黄芪、人参切成薄片，用冷水浸泡30分钟。

②加适量清水煎煮两次，将两次的药汁合并。

③加入大米同煮成粥，加入少许白糖即成。

●适用人群：益气补虚，健脾丰乳。

●用法及宜忌：早晚服食。有内热的人不宜食用。

●功用解析：黄芪、人参补气丰乳。

牛奶炖花生

●原料：花生仁100克、枸杞20克、银耳10克、牛奶1500毫升、冰糖适量。

●做法：

①将银耳、枸杞、花生仁洗净。

②锅置火上，放入牛奶，加入银耳、枸杞、花生仁、冰糖煮，花生仁烂熟时即成。

●适用人群：益气养血。适用于气血虚弱所致乳房扁平的女性。

●用法及宜忌：花生米酥烂，汤奶味浓厚，略有甜味，可喝汤吃银耳、枸杞、花生仁。

●功用解析：花生补脾胃、养血增乳；枸杞、银耳养阴增乳；牛奶直接补充乳汁丰胸。

●贴心小提示：

花生外有一层红红的皮，含大量的维生素B_1、维生素B_2及可用来止泻的单宁成分，所以吃花生时，不要搓掉外皮。

●医师解析：

花生还具有强化表皮组织及防止细菌入侵的功用，故可预防皮肤老化、湿疹、癣等皮肤病。

黄芪虾仁汤

●原料：黄芪30克、虾仁100克、当归15克、桔梗6克、枸杞15克、淮山药30克。

●做法：

①将当归、黄芪、桔梗洗净，放入锅中。

②淮山药去皮，切块，也放入锅中，加清水适量，上小火煎汤、去渣。

③再加入虾仁、枸杞同煎15分钟即成。

●适用人群：适用于气血弱虚所致乳房干瘪。

●用法及宜忌：

可食虾喝汤。

●功用解析：调补气血。虾仁补肾益精，壮阳、丰乳通乳；当归、黄芪补气血，枸杞、淮山药补肝肾养精血，桔梗载诸食药之精华到乳腺，促进其增长发育。

猪蹄粥

●原料：猪蹄2个、通草6克、漏芦10克、大米100克、葱白少许。

●做法：

① 猪蹄洗净，切成小块，煎取浓汤 。

② 再将通草、漏芦，用水同煎，取汁。

③ 然后将猪蹄浓汤、药汁和洗净的大米同煮成粥。

④待粥将成时，放入葱白段少许稍煮，即可。

●适用人群：利小便、通乳丰乳。

●用法及宜忌：适于产后无奶、乳汁不通者食用。每日一剂，连食3～5日，早晚餐用。

●功用解析：通草有通乳汁的作用。猪蹄能补血通乳。漏芦有下乳汁的作用。三者相配，使此粥具有通乳汁、利血脉的作用。

●医师解析：

很多胸部平扁的女性都对吃什么才会使乳房变得丰满感兴趣，只要按照此菜单烹调，吃一个月，就会有效。如果是刚刚生了小宝宝，此菜单就成了催奶、下奶的灵丹妙药了！生了小宝宝，也应正确地配戴胸罩，锻炼胸部肌肉，保持正确的姿势，进行胸部按摩，才能保持令人羡慕、健康美丽、丰满而富有弹性的乳房。

乌发明目药膳

头发变白或脱落，一般来说与年龄有关。青壮年精血旺盛，则发长而光泽，老年人精血虚衰，毛发变白而脱落。《黄帝内经》指出“女子……六七，三阳脉衰于上，面始焦，发始白”，“丈夫……六八，阳气衰竭于上，面焦，发鬓斑白”。若年老又过于劳累，精神紧张，房事过度，饮食偏缺，那么头发更易变白和脱落。如果注意日常饮食保养，也可延缓头发变白或脱落。

乌发蜜膏

●原料：制何首乌200克，茯苓200克，当归50克，枸杞50克，菟丝子50克，牛膝50克，补骨脂50克，黑芝麻50克，蜂蜜1000克。

●做法：

①将制首乌、茯苓、当归、枸杞、菟丝子、牛膝、补骨脂、黑芝麻加水适量，浸透，再放在锅内煎煮。每20分钟取煎液一次，加水再煎，共取煎液三次。

②合并煎液，先以大火，后以小火加热煎熬浓缩，至黏稠如膏时，加蜂蜜一倍，调匀，加热至沸，停火，待冷却装瓶备用。

●适用人群：适用于头晕目花，腰酸腿软，须发早白，脱发等。

●用法及宜忌：每次食用，取一汤匙，沸水冲化饮用，每日二次。

●功用解析：何首乌、枸杞、补骨脂均补益肝肾；菟丝子、牛膝补肾阳、强筋骨；当归补血；茯苓健脾利湿；黑芝麻补肾润体。诸味相互配合，达到乌须发、壮筋骨、固精气的目的，用于肝肾不足的须发早白。

●贴心小提示：

除饮食保健外，还应注意情志调节，充足睡眠，要注意经常梳理头发，按摩头部，合理洗、烫发等多方面的保健，才能够达到美发的目的。

●医师解析：

补益肝肾，养血活血。中医认为：发为血之余，发为肾所主；肾之华在发，血之荣在发。拥有乌黑光亮的头发，不仅是表现出外在美，而且是显示出机体内在肾气充足，身强力壮。要想使头发乌黑，不仅需要外部的精心护理，更要使肾之精气旺盛，因此，药膳在乌发美容中有非常重要的作用。

本方首载于古医书《积善堂经验方》，是由七宝美髯丹衍化而来。衰老脱发是由于气血双虚，肝肾不足，毛根不得濡养所致。另外，血瘀毛窍，阻塞血路，血不能养发，也可造成毛发干燥枯萎甚至

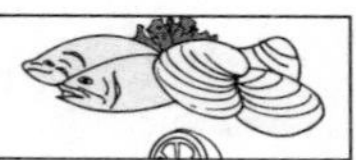

脱落。所以除补肝肾外还应活血通络、养血润燥，才可生发、润发。

黑芝麻粥

●原料：黑芝麻20克、大米50克、蜂蜜少许。

●做法：黑芝麻捣碎，加入大米及适量水，煮成粥，加入蜂蜜拌匀，出锅装碗即成。

●适用人群：补益肝肾，适用于腰酸腿软，须发早白，脱发，大便干燥等。

●用法及宜忌：可经常食用，健康人食用可预防头发白、脱发。

●功用解析：黑芝麻有“仙家食品”之称，为滋补肝肾养生佳品，常食可补肝肾、益精血、润五脏、填脑髓、明耳目、益气力、泽肌肤、乌须发、生毛发、抗衰老，且不寒不热，性味平和，尤宜养生食用。

●贴心小提示：

黑芝麻炒熟捣碎更香。

乌发汤

●原料：熟地黄20克、山药30克、牡丹皮10克、枣皮15克、泽泻15克、制首乌50克、当归6克、红花6克、菟丝子20克、天麻15克、侧柏叶10克、黑豆30克、黑芝麻30克、核桃仁30、羊肉250克、羊头1个、羊骨500克、生姜15克、葱白30克、胡椒10克、味精3克、鸡精3克、盐4克。

●做法：

① 以上药物用纱布袋装好扎紧口。羊肉洗净，切4厘米见方的块；羊头、羊骨拍烂；黑豆炒熟，黑芝麻炒香，生姜切片，葱白切段。

②羊肉、羊骨、羊头、药包、黑豆、料酒同放炖锅内，加水适量，置大火上烧沸，再用小火炖煮50分钟，加入盐、味精即成。

●适用人群：补肝肾，益气血，乌须发。对白发症食用尤佳。

●用法及宜忌：每日一次，每次吃羊肉、黑豆150克，喝汤，既可佐餐食用，又可单食。

●功用解析：熟地黄、山药、制首乌、当归、菟丝子、天麻、核桃仁、黑豆、黑芝麻补肝肾，滋精血以养发；牡丹皮、侧柏叶凉血乌发；红花活血，促进头皮的血液循环；泽泻利尿泻热防止诸补药的滋腻；羊肉、羊头、羊骨为血肉有情之品，与上药一同补益精血，乌发养发。

菊花旱莲饮

●原料：黄菊花10克、旱莲草5克。

●做法：煎汤代茶。

●适用人群：血热生风，毛发突然成片脱落，进展迅速，头皮光亮，伴心烦、失眠多梦、便秘。

●用法及宜忌：频饮。脾胃虚寒者不宜用。

●功用解析：黄菊花清热去风；旱莲草凉血生发。

●贴心小提示：

菊花有白菊花、黄菊花，前者偏降肝火明目，后者偏疏散风热。菊花以花朵完整、颜色鲜艳、气清香，无杂质者为佳。

龙眼莲子粥

●原料：龙眼肉15克，莲子15克，红枣5枚，糯米50克，糖适量。

●做法：

① 莲子去皮、心洗净；红枣去核；洗净。

② 将糯米、红枣、龙眼倒入锅内加适宜水大火烧沸，小火熬熟，加糖拌匀即成。

●适用人群：心脾虚引起的心慌、失眠，体虚乏力，须发早白，头发脱落等。

●用法及宜忌：可经常食用，尤其是心脾虚的患者。内热盛，大便干燥者不宜服用。

●功用解析：龙眼补心脾，是滋补美容的良药；莲子具有补脾止泻，益肾固精，养心神之功，《本草拾遗》载：食莲子可使头发乌黑不老。

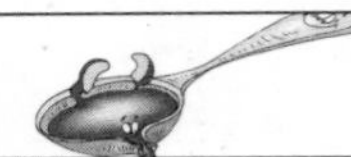

首乌黑豆粥

●原料：制首乌20克，黑豆30克，红枣6枚，黑芝麻30克，大米100克，冰糖30克。

●做法：

①何首乌、黑豆、红枣、黑芝麻、大米淘洗干净，去泥沙；冰糖捣碎。

②药物、黑豆、黑芝麻、大米同放铝锅内，加水适量，置大火上烧沸，再用小火煮45分钟，加入冰糖搅匀即成。

●适用人群：补肝肾，乌须发，美容颜，润肌肤。对白发症、气血两虚患者食用尤佳。

●用法及宜忌：每日一次，每次吃粥150～200克。

●功用解析：何首乌、黑豆、红枣、黑芝麻均可补肝肾，养血润发。

●医师解析：

中医认为，黑色入肾，黑豆、黑芝麻均为黑色食品，有补肾作用。因为肾主毛发，所以这些食物均为补肾、乌发护发的佳品。

首乌炖猪脑

●原料：何首乌30克，猪脑2具，黄芪10克，红参须3克，生姜2克，红枣4枚，盐少许。

●做法：

①将猪脑浸于清水中，撕去表面薄膜，放入滚水中稍滚取出；清水洗净诸药，生姜去皮切片，红枣去核；

②全部材料放入炖盅内，加入适量清水，盖上炖盅盖，放入锅内，隔水炖1小时，加盐调味即可。

●适用人群：身体虚弱，头发脱落，发白，失眠，记忆力减弱精神不振，头晕眼花，耳鸣不止。

●用法及宜忌：每日一剂，连服四周。健康人气血偏虚者可每周一剂。内热之人不宜服用。

●功用解析：补气益血，补肾益精。何首乌补肝肾，养血润发；猪脑补脑益髓；黄芪、红参、红枣补气养血，养颜生发护发。

神应养真汤

●原料：羌活3克，木瓜3克，川芎、当归各3克，白芍5克，菟丝子5克，熟地黄10克，生姜5克，红枣10枚，绍兴黄酒10毫升。

●做法：将羌活、木瓜、当归、川芎、白芍、菟丝子放入纱布袋中。将纱布袋与熟地黄、生姜、红枣放入锅中，加水1000毫升，煮20分钟后，把纱布袋弃去，所得汤中加绍兴黄酒，搅匀，喝汤吃枣及地黄。

●适用人群：本方滋养肝肾，补血活血，祛风活络，使血行肌肤，促毛发生长，可用于斑秃或脂溢性脱发。

●用法及宜忌：每日一剂，连服1～3个月，每服十剂可休息三天。

●功用解析：当归、川芎、白芍、熟地、红枣养血为本，辅以菟丝子补肾调元气，羌活、木瓜可祛风化湿，生姜、黄酒、川芎有活血作用。

●医师解析：

斑秃指头发突然大片脱落，而头发毛囊正常，俗称“鬼剃头，严重者，头发可全部脱落，称为全秃，更严重者，连眉毛、胡须、阴毛全脱，称为“普秃”。脂溢性脱发指自青年时期开始，前额、头顶、后头顶部位进行性脱发。斑秃和精神过度紧张、机体过度疲劳、遗传等因素有关。脂溢性脱发和年龄、遗传、皮脂溢出、雄激素分泌过多等有关。

减肥瘦身药膳

肥胖症是属于新陈代谢障碍性疾病，分为单纯性肥胖和继发性肥胖两类。后者是由于患其他疾病所引发。单纯性肥胖主要是由于日常进食高热量食物过多，超过了人体内所需要的消耗量，以致多余的热量物质转化为脂肪，储存于皮下组织间，特别是腰腹部，从而形成肥胖。对于这类肥胖，应以预防为主，适当控制食量，同时要经常进行体育锻炼和参加体力劳动，注意不可一味采取“饥饿疗法”，人饿得头昏

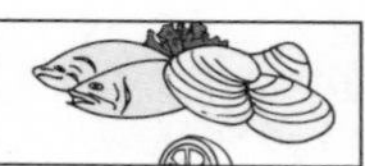

眼花，虽然瘦下来了，但皮黄色枯，一副病态，怎么称得上美呢！用药膳减肥是一条好途径。

薏米粥

●原料：薏米50克。

●做法：洗净入锅中，先用大火煮沸5分钟，再改小火煨煮，待薏米熟烂，汤有黏汁后，加适量蜂蜜调食。

●适用人群：常食可减肥。

●用法及宜忌：可经常食用。

●功用解析：薏米味甘淡，性凉，有健脾利湿、清热补肺之功效，常食可美容减肥。

●医师解析：

胖人多痰湿，脾主运化水湿而化痰。所以，健脾化痰利湿是减肥药膳常用的原则。

红豆粥

●原料：红豆30克，大米50克。

●做法：先将红豆洗净，浸泡半日，放锅中煮5分钟，然后再将大米放入，小火共煮成粥。

●适用人群：消肿减肥。对虚肿、浮肿肥胖有效。

●用法及宜忌：红豆不宜与腌渍的鱼一起吃，否则容易口渴多饮。

●功用解析：红豆性味甘、酸、平，归心、小肠经，可利尿。《食疗本草》称其“久食瘦人”，可调节肝脾，治疗肥胖症。

●做菜小秘诀：红豆可以先泡一下，连水加入才熟得快。

●医师解析：

红豆与鲤鱼相配，具有健脾利水，清热利湿，解毒护肝的作用。

荷叶粥

●原料：鲜荷叶1张，大米100克。

●做法：先将荷叶洗净，撕成片，放锅中煎汤，去荷叶，用此汤加入大米煮粥食之。

●适用人群：高血压、高血脂肥胖者，荷叶可利水祛瘀，常食可使身材苗条。

●用法及宜忌：肥胖之人可常食用。

●功用解析：《证治要诀》一书说“荷叶服之，令人瘦劣，单服可以消阳水浮肿之气”。

●贴心小提示：

荷叶鲜品、干品均有减肥作用。

●医师解析：

自古以来，人们将荷叶用于减肥。据临床报道：高血压、心脏病患者，若体质肥胖，常于方剂中加荷叶15克（干品），一般服数十剂后，体重可减轻3～5千克，甚至高血脂也可恢复正常。各种类型的肥胖，服荷叶煎剂均可奏效。

减肥轻身方

●原料：黑、白牵牛子各10～30克，草决10克，泽泻10克，白术10克，山楂20克，制首乌20克。

●做法：

① 将上述药浸于水中，水漫过药面约2分许，1小时后火煎至沸，约20分钟，倒出药汁。

② 加开水一小杯，煎沸15分钟，再倒出药汁，将两次药汁混合，贮瓶备用。

●适用人群：泄水培元，去滞化痰，降脂减肥。

●用法及宜忌：每剂分两次空腹服，连服10剂。本方可引起腹泻，若泻下次数较多者，应减量或停服。

●功用解析：方中牵牛子有泻下逐水，久服令人清瘦，为一味减肥良药；草决明既可清热泻火，又可润肠通便，降脂减肥；泽泻渗水利湿，白术补气健脾，燥湿利水；山楂消食化积；制首乌补益精血、润肠通便；诸药合用，减肥疗效甚佳。

●医师解析：

据研究，人体中存在着各种各样的细菌，特别是大肠中细菌多达五百种以上，大肠中的细菌分为两

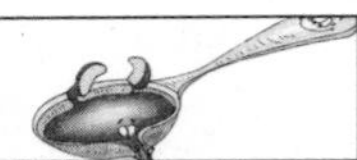

种，一种是对人体有益的细菌，一种是有害于人体的细菌，人们之所以会患便秘、头痛、焦虑、皮肤粗糙、肥胖等症，和大肠中两种细菌的比例失调有关。如果能使大肠中有害细菌和废物排出体外，人体才会健康，代谢才会正常，体重自然也会保持正常了。因此，肥胖且经常大便干燥的患者可食用本方。

红豆炖鹌鹑

●原料：鹌鹑10只，红豆50克，生姜、葱各10克，盐5克，味精、胡椒粉各3克，料酒30毫升，清汤1500毫升。

●做法：

① 将红豆洗净；姜洗净切厚片；葱洗净切长段；鹌鹑杀后去毛、内脏，剁去脚爪，入沸水锅内焯去血水，对砍成两块，清水洗净备用。

② 将锅置火上，注入清汤，放入红豆、葱段、姜片、胡椒粉、盐、料酒，烧开后小火慢炖90分钟，放入鹌鹑再炖烂，入味精调味，拣去姜片、葱段。

●适用人群：利水除湿，益气补虚。常服有助减肥。

●用法及宜忌：佐餐食。

●功用解析：红豆利尿减肥。鹌鹑补五脏，益精血，温肾助阳。

●贴心小提示：

鹌鹑肉嫩味香，香而不腻，俗话说“要吃飞禽，还数鹌鹑”，主要是因为鹌鹑肉中含大量蛋白质、激素和多种人体必需的氨基酸，是典型的高蛋白、低脂肪、低胆固醇食物，特别适合中老年人以及高血压、肥胖症患者食用。

泽泻汤

●原料：泽泻15～30克，白术10～15克。

●做法：将泽泻、白术加水煎成200毫升，装入瓷器中。

●适用人群：可用于治疗痰热并阻止肥胖症，最适宜于结实型之单纯性肥胖症。并可用于防治高脂血症及动脉粥样硬化症。

●用法及宜忌：每日一剂，服两次，每次服100毫升。气虚或阳虚者慎用或忌用。

●功用解析：此方久服轻身，健脾化湿、燥湿减肥。现代研究发现，泽泻的利尿作用显著，并有降血糖、降血压、抗脂肪肝作用，因此具有较好的减肥作用；白术能补脾益气，燥湿健脾，与泽泻配伍，能增强泽泻的清利湿热之功。

鸡仁冬瓜汤

●原料：党参9克、鸡肉350克、薏米30克、冬瓜500克、味精1克、盐3克、葱2克、姜5克。

●做法：

①先将鸡肉切成长条块，冬瓜去皮、去瓤，洗净切粗块，姜洗净切片，葱切段，薏米洗净；党参洗净研末备用。

②锅放大火上，放入适量清水，放入鸡肉烧开，撇去浮沫，加入薏米、姜片、葱段，炖至鸡肉刚熟时，放入冬瓜、党参，开锅后改用小火炖，最后放盐、味精即可。

●适用人群：适宜于气虚肥胖症。

●用法及宜忌：佐餐食。因为在鸡仁冬瓜汤中有党参，所以食用此汤时，忌食萝卜。

●功用解析：益气健脾、利湿消肿。党参益气，鸡肉补中益气，薏米健脾利湿，冬瓜利水减肥，几味合用，则益脾气，利运化水湿之功，常食能去水消肿，轻身减肥健身。

轻身粥

●原料：大米50克、人参粉1克、黄芪12克、茯苓4克、山茱萸4克、生姜12克。

●做法：

① 将大米洗净，放锅中加适量清水；黄芪、茯苓、山茱萸、生姜洗净，放入纱布袋内，与米同放一锅中，先用大火烧开，再用小火慢慢熬至粥熟。

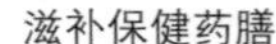

② 加入人参粉稍煮片刻，拣出药袋即可。

●适用人群：适宜于气虚肥胖症。

●用法及宜忌：每日一次，空腹服。

●功用解析：健脾益气，强身祛湿，减肥健美。本方中用黄芪、人参补气；茯苓健脾利湿；山萸肉味酸、涩，性微温，具有补益肝肾、固涩精气、收敛补血之功效。上述药合用，能益气健脾和胃、利水消肿。

●贴心小提示：

山茱萸其药用部分为去核后的果肉，称山萸肉。

●医师解析：

山茱萸能抑制食欲，故常服能轻身减肥健身。

茯苓红豆粥

●原料：红豆100克、茯苓30克、小米50克。

●做法：将茯苓拣去杂质，研为细末；红豆洗净后浸泡10小时以上；再将三味加水适量，共煮成粥。

●适用人群：适用于肥胖症，或用于减肥健美。

●用法及宜忌：每日清晨空腹服。

●功用解析：健脾益胃，消肿解毒。红豆、茯苓健脾利水湿，减肥。

●贴心小提示：

茯苓以重量重、断面色白细腻、嚼之粘牙者为佳。

冬瓜薏米粥

●原料：冬瓜150克，薏米50克。

●做法：将冬瓜切成小块，与薏米加水共煮至熟。

●适用人群：健脾利湿，消脂减肥。适用于肥胖症和减肥健美。

●用法及宜忌：每日一次，顿食。

●功用解析：冬瓜、薏米利水湿，减肥。

●医师解析：

冬瓜中含有丙醇二酸，对防止人体发胖、增进形体健美有很好的作用。春夏季经常吃冬瓜，有助于人体健康，对体重偏高的人是十分有益的。

什锦乌龙粥

●原料：薏米100克、冬瓜子仁100克、红豆20克、荷叶10克、乌龙茶适量。

●做法：将上三味煮熟，放入用纱布包好的荷叶、乌龙茶，再煎煮7～8分钟，取出纱布袋即可。

●适用人群：健脾利湿、润肤美颜。适用于治疗肥胖症。

●用法及宜忌：每日一次，可常食之。

●功用解析：薏米、冬瓜子仁、红豆、荷叶均为健脾利湿、减肥之佳品。乌龙茶含有促进消化酶和分解脂肪的成分，故可燃烧体内的脂肪。

●贴心小提示：

乌龙茶综合了绿茶和红茶的制法，品质介于二者之间，既有红茶的浓鲜味，又有绿茶的清香，所以有“绿叶红镶边”的美誉。乌龙茶中的名品有大红袍、铁观音、冻顶乌龙茶等。

抗衰益寿药膳

科学家认为，人的正常寿命应该可以达到120岁，但能活到这个年龄的人却很少，主要原因就是在达到正常寿命之前，被疾病夺取了生命。如果人们通过强身健体，防止疾病的困绕，就可能坚持到正常寿命。衰老是不可抗拒的自然规律，但如果能够保健，就可以延缓衰老，提高生命质量。中医学认为，人的衰老主要是肾气的衰退引起，所以，防衰延寿多从补肾立论，药膳是防衰延寿的主要方法之一。

天麻猪脑鱼头羹

●原料：天麻10克，鹌鹑蛋6只，猪脑2具，鳙鱼头（胖头鱼)750克，烤猪瘦肉50克，竹笋片75克，丝瓜50克，高汤750毫升，鲜香菇片25克，白糖、盐、食用油、水淀粉、酱油、姜汁、料酒、味精、胡椒粉、姜、葱各适量。

●做法：

① 先将鳙鱼头蒸熟，拆去骨，取其鱼骨肉及汁液等。

②猪脑剔去血筋洗净，加姜、葱，隔水蒸熟，切粒。

③鹌鹑蛋去壳取蛋液拌匀备用。烤肉切粒，竹笋、丝瓜切片，香菇切指甲大小的片。

④天麻加水一碗煎取半碗，去渣备用。竹笋片、丝瓜片用沸水汆熟，去水晾干备用。

⑤烧热炒锅，下汤及天麻汁，烧至微沸，放入各物料煮至微沸，放入各种味料，用水淀粉、鹌鹑蛋液勾薄芡，加少量包尾油搅匀成羹。

●适用人群：老年人神经衰弱、头眩、头晕、健忘、失忆等症。

●用法及宜忌：一个月吃1～2次。猪脑的胆固醇含量很高，一般人每天可吸收200毫克胆固醇，吃一个猪脑已超过这个含量，所以高胆固醇血症的病人应少吃。

●功用解析：天麻柔润入肝经，平肝熄风。猪脑有改善记忆力和智力的功用。

●贴心小提示：

民间流传着吃猪脑可使青春常驻，同时改善智力的说法。很多人为求长寿，用猪脑做成各种美味进补。猪脑爽滑、有浓厚的质感，并且味道独特，是牛油和豆腐味道的“优美混合”。

●医师解析：

中医认为肝藏血主风，一些中老年人经常感觉头痛、头晕目眩，通常和肝血不足、肝阳上亢、虚风内动有关，所以用天麻适宜于中老年人有上症者使用。

杞鞭壮阳汤

●原料：黄牛鞭1000克、肥母鸡500克、肉苁蓉50克、枸杞15克、花椒6克、猪油30克、姜20克、盐10克、料酒适量。

●做法：

①先将牛鞭用热水泡发涨，约6小时，中途换几次热水，以保持热度。然后顺尿道剖成两块，刮洗干净，以冷水漂30分钟。母鸡肉（连骨）洗净待用。

② 枸杞拣除杂质，肉苁蓉先涮洗干净，用适量的料酒润透，蒸2小时取出漂洗干净，切片后用纱布包好，生姜洗净拍破待用。

③ 用沙锅注入清水约800毫升，放入牛鞭烧开，撇去浮沫，放入姜、花椒、料酒、母鸡肉，用大火再烧开移小火上炖煮。

④炖至六成熟时，用干净纱布滤去汤中的姜和花椒，至牛鞭八成熟时，取出牛鞭切成3厘米的指条形仍放入锅内，直至熟烂为止。

⑤鸡肉取出作别用，药包取出不用。再加盐、猪油调味即成。

●适用人群：适用于肝血虚损、精血不足、腰膝酸软、头昏耳鸣、阳痿遗精等症。

●功用解析：肉苁蓉、枸杞补肝肾，益精血；牛鞭有补肾、壮阳、益精之效。药材与牛鞭，加上肥母鸡同煲，可为牛鞭汤增色、增香、增味，是老火靓汤的极品。

●做菜小秘诀：注意汤烧开后移至微火上煲，每隔1小时用勺轻轻翻动，以免粘锅底，所煲时间约需3～4小时。经此炮制的牛鞭汤，牛鞭肉质稔糯，肉汤清香诱人，味道极为鲜美。如选用新鲜牛鞭功效更好。

●贴心小提示：

也可用牛骨代替鸡肉。

山药杜仲腰片汤

●原料：山药鲜品50克（干品减半）、杜仲6克、猪腰2个，盐、鸡精、淀粉、植物油各适量。

●做法：

① 猪腰洗净，去筋膜、臊腺，切片；用淀粉略浆。

② 锅置火上，放少量植物油，待油热后，将腰片放油中爆一下即盛起。

③ 杜仲加水煮20分钟，取汁备用。

④山药加水煮熟后，加入杜仲及腰片煮沸，加盐、鸡精即可。

●适用人群：适用于老年人腰痛腿酸，行走乏力。

●用法及宜忌：吃腰片、山药喝汤，常吃有效。

●功用解析：补肾壮腰，强筋健骨。山药补脾滋肝肾；杜仲补肾壮腰，强筋健骨；猪腰以脏补脏，补肾强壮。

●贴心小提示：

猪腰煲杜仲是最为人知的补腰骨汤品，民间有句口头语："腰骨痛，猪腰煲杜仲"。具有补养肝肾、强筋健骨的功效，对足膝酸软、腰背痛以及盗汗、小便频数等有辅助治疗作用。

天麻首乌老鸭汤

●原料：绿头老鸭1只（750克左右），天麻、制首乌各10克；葱、姜、盐、料酒各适量。

●做法：

① 天麻与首乌片装入纱布袋包扎好。

② 老鸭肉切块，与上药放入锅内加水同煮。熟后去药袋，用葱、姜、盐、料酒调味。

●适用人群：高血压、经常头晕头痛、记忆力减退、健忘。

●用法及宜忌：每周1～2次。

●功用解析：天麻柔润入肝经，平肝熄风；制首乌补肝肾，益精血，乌须发。

●贴心小提示：

春秋两季采挖，洗去泥沙，切片，晒干或低温烘干，为生首乌，作用偏于解毒、通便；以黑豆煮汁拌蒸，晒后变为黑色者为制首乌，功能主要补肝肾，益精血，乌须发。所以药膳多用制首乌。首乌忌用铁器。

龟杞杜仲汤

●原料：龟250克左右、枸杞15克、杜仲10克。

●做法：龟宰杀洗净，切块，枸杞、杜仲洗净同放沙锅内，加适量水煮汤，熟后加调味品，甜咸任意。

●适用人群：老年痴呆症患者，有病可治，无病可防。

●用法及宜忌：每周服2～3次，可常服。

●功用解析：枸杞补肝肾，益精血；杜仲补肾壮腰，强筋健骨。

核桃芝麻桑椹糊

●原料：核桃仁、黑芝麻各30克，黑桑椹25克，大米、冰糖各适量。

●做法：先将核桃、黑芝麻、桑椹洗净，大米淘净，共捣烂如泥，加适量清水拌匀，用箩隔去渣，取浆汁置锅里，加冰糖及清水适量煮成糊吃。

●适用人群：体弱阴虚、四肢麻木不仁及肾气亏损等症。

●用法及宜忌：可常服。多吃能益寿延年。

●功用解析：核桃仁、黑芝麻、黑桑椹均为补肾益寿延年之品。

延龄不老酒

●原料：生羊肾1个，沙苑子、仙茅、桂圆肉、淫羊藿、薏米各120克，酒2000毫升。

●做法：仙茅用米泔水浸一宿，再与诸药和酒同装于大口瓶内，密封40天后饮用。

●适用人群：添精补髓、乌须黑发、壮腰健肾、补气养血、生子延龄。

●用法及宜忌：饮用，每次2酒杯。

●功用解析：羊肾补肾；仙茅、淫羊藿补肾壮阳，强筋骨；沙苑子补肾；薏米健脾利湿；桂圆肉养心脾。

首乌玉竹煲鹌鹑

●原料：制首乌30克、玉竹25克、鹌鹑2只。

●做法：先将鹌鹑宰杀，温水烫过，去毛及内脏，洗净；首乌、玉竹洗净。置沙锅内加适量清水，大火煮沸，放入各料，中火煲汤，调味后，饮汤吃肉佐膳。

●适用人群：适用于防治老年痴呆、抗健忘、心血管病。

●功用解析：制首乌补肝肾，益精血，乌须发；玉竹补阴润燥，生津止渴；鹌鹑补五脏，温肾助阳。

●贴心小提示：

鹌鹑肉嫩味香，香而不腻，故有“要吃飞禽，还数鹌鹑”。

银耳羹

●原料：银耳15克、冰糖150克、鸡蛋1个、猪油少许。

●做法：

① 把银耳用浸泡在35～60℃的温水中30分钟，待其发透后摘去蒂头，除去杂质、泥沙，撕成瓣状，放入洁净的铝锅中，加入适量的水，置大火上烧沸，用小火炖熬2～3小时，待银耳熟透为止。

② 冰糖放入另一锅中，加水适量，置大火上熬化成汁。将鸡蛋清兑入搅匀后，撇去浮沫，将糖汁缓缓冲入银耳锅中，起锅前，加少许猪油，使之更加滋润可口。

●适用人群：高血压、血管硬化、肺虚久咳、久病体弱、神经衰弱、失眠等症的患者，坚持常服，将会取得满意的效果。

●用法及宜忌：脾胃虚寒者少食用。

●功用解析：补气血、降血压。

长寿膏

●原料：人参750克、白茯苓（去黑皮）1500克、生地黄（汁）5000克、白沙蜜（炼净）5000克。

●做法：

①人参、茯苓研成细末，用纱布将蜂蜜过滤，地黄取汁去渣，将四味药物合在一起，放入瓷器内拌匀，用净纸30层封闭。

②隔水用小火煮三昼夜，用蜡纸数层包瓶口，入井口去火毒，每隔水煮一日出水气后即可服用。

●适用人群：适用于久病虚损、阳萎、水肿、遗精、淋浊等症。

●用法及宜忌：每日空腹服3克，坚持常服，对体弱者疗效甚佳。

●功用解析：人参大补元气，固脱生津，宁心安神；茯苓健脾利湿；生地黄养阴生津。

滋阴壮阳药膳

阴阳是祖国古代哲学的一对范畴，是对自然界相互关联的某些事物和现象对立双方的概括。阴阳引入医学领域，即把人体具有推动、温煦、兴奋等作用的物质和功能，统称为“阳”；把具有凝聚、滋润、抑制等作用的物质和功能，统称为“阴”。阴阳在人体是互根互用的，是人体生命的根本，所以，中医把疾病的根本原因，归为阴阳失调，如果阴阳离绝，人就会死亡。滋阴壮阳就是对于阴阳偏虚或失调状态的调节方法。

苁蓉煲羊肾

●原料：肉苁蓉15～30克、羊肾1个。

●做法：肉苁蓉切碎，羊肾洗净切片，煲汤调味服食。

●适用人群：补肾、益精，助阳的功效，尤适用于阳痿、精虚、腰膝冷痛、尿多的患者。

用法及宜忌：肾火盛者慎食。

●功用解析：肉苁蓉，性味甘温，入肾经，能补肾益精，强阴养脏。羊肾以肾补肾。

●医师解析：

《本草经》谓其“养五脏、强阴、益精气”。《本草汇言》称其“养命门，滋肾气，补精血”，《玉楸药解》载其“暖腰膝，健骨肉，滋肝肾精血”。羊肾，性味甘温，入肾经。功能补肾气，益精髓。《本草纲目》称其“治肾虚精竭”；《名医别录》载其“补肾气，益精髓”，《日华子本草》谓其“补虚耳聋、阴弱，壮阳益胃，止小便，治虚损盗汗”。

参麦甲鱼

●原料：甲鱼1只（500克），党参10克，麦冬10

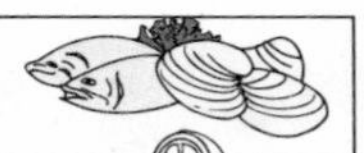

克，生姜5克，瘦火腿片50克，鸡汤100克，葱、料酒适量。

●做法：

①将甲鱼宰杀去头颈沥净血，用开水烫后刮去背及裙边黑膜、脚上白衣，剁去爪、尾，开腹除内脏，洗净，放入清水中煮沸，再用小火煮半小时。

②取出甲鱼撕去黄油，剔除背壳、腹甲及四肢粗骨，切成2厘米小方块，置入碗内。

③再将党参、麦冬煎汁浓缩成50毫升，与鸡汤、葱、姜、火腿片、盐、料酒一起加入碗内，将碗放入笼屉中蒸至甲鱼肉烂熟为止，吃肉喝汤。

●适用人群：对于阴虚、潮热、盗汗、神疲气短等有辅助治疗作用，在秋季适当食用此药膳可以防止燥邪伤阴。

●用法及宜忌：据民间及有关资料记载，吃甲鱼时不宜与鸡蛋及苋菜同吃。肠胃功能虚弱、消化不良的人应慎吃，尤其是患有肠胃炎、胃溃疡、胆囊炎等消化系统疾病患者不宜食用。

●功用解析：此药膳有滋阴、益气、补虚功能。甲鱼味甘性平，入肝经，有滋阴补虚功效；党参味甘性平，入脾、肺经，有补中益气、生津养血作用；麦冬味甘性微寒，能润肺养阴、益胃生津。

●贴心小提示：

甲鱼肉的腥味较难去掉，光靠洗或加葱、姜、酒等调料，都不能达到令人满意的效果。宰杀甲鱼时，从甲鱼的内脏中拣出胆囊，取出胆汁，待将甲鱼洗净后，再在甲鱼胆中加些水，涂抹在甲鱼全身。稍待片刻，用清水漂洗干净。经过这样处理以后，烹调出来的甲鱼则不但没有腥味，而且味道会更加鲜美。甲鱼胆汁不苦，这样做不用担心会使甲鱼肉变苦。

●医师解析：

甲鱼，学名鳖。又称水鱼、团鱼，是人们喜爱的滋补水产佳肴，它无论蒸煮、清炖，还是烧卤、煎炸，都风味香浓，营养丰富。甲鱼营养丰富，味道鲜美，肉质嫩肥，是秋冬季进补的理想食品。

夏秋之交，火旺热盛，而女性乃阴柔之体、以血为本，故最易损伤体内阴血津液，导致肌肤干燥，面色无华，因而此时女性饮食当以滋阴生津、补益精血为主。甲鱼营养丰富、汤味鲜美，且潜伏于水中，有滋阴、清热、凉血之效，被誉为阴性食品中的佼佼者，最补女性之体。另据现代医学研究发现，甲鱼肉及其提取物能有效地预防和抑制肝癌、胃癌，急性淋巴性白血病，并用于防治因放疗、化疗引起的虚弱、贫血、白细胞减少等症。甲鱼亦有较好的净血作用，常食者可降低血胆固醇，因而对高血压、冠心病患者有益。甲鱼还有“补劳伤，壮阳气，大补阴之不足。”食甲鱼对肺结核、贫血、体质虚弱等多种病患亦有一定的辅助疗效，所以人们喜食甲鱼。目前各地养殖甲鱼丰产，价格适宜，越来越多的人开始食用滋补身体。

苁蓉羊肉汤

●原料：羊肉200克，肉苁蓉12克，续断12克，绿豆5克，酱料、生姜和盐各适量。

●做法：

①将洗净的羊肉切块，放锅内加水煮，放绿豆煮沸15分钟，将绿豆和水一起倒掉，膻味即除。

②再加清水、肉苁蓉、续断和调料用小火煨至肉烂熟即可。

●适用人群：适用于气血虚弱、体虚自汗、大便秘结、四肢畏寒；肺结核和慢性气管炎偏体虚畏寒者。

●用法及宜忌：喝汤吃肉。苁蓉羊肉汤属温热性药膳，适于冬季服食，以5～7天为一疗程。大便溏薄、性机能亢进者以及夏季不宜服用。

●功用解析：滋肾助阳，祛寒壮腰，补益精血，健脾益肺。肉苁蓉性温，味甘、酸、咸，具有补肾养精，润燥通便，适用于男子阳痿遗精，女子不孕，白带清稀量多，月经量多，腰酸腿无力，血燥便秘等；续断性温，味甘，有补肝肾、强筋骨、安胎的作用，对于肾虚腰痛，腰酸腿无力，先兆流产，胎动不安，高血

压等有作用。

●贴心小提示：

1.羊肉的膻味让人望而却步，如果将羊肉和白萝卜同煮，去掉萝卜和水，再烹调，羊肉的膻味就消除了。

2.此膳另一制法：可将洗净的羊肉切块，放锅里加白萝卜150克，煮沸15分钟后，倒掉汤和萝卜，膻味全无；再加清水、肉苁蓉、续断和调料，用小火煨至羊肉烂熟。

●医师解析：

1.在寒冷的冬季，许多女性感到全身发冷，手、足末梢部位尤其厉害。所以应多食富含热量的食物。狗肉、牛肉、羊肉等动物肉富含脂肪，产热多，可适量多吃一些，最好采用炖煮法，炖久一点。所谓“头年进补，来年打虎”，即指头年冬天补得好，第二年春天身体就强壮。

2.上述食疗方可每两周吃一次，从立秋以后开始，食用到第二年立春。

三仙羊肉羹

●原料：羊肉500克，仙灵脾15克，锁阳15克，黄精15克，葱、姜各适量。

●做法：

①羊肉洗净切成小块。

②仙灵脾、锁阳、黄精三药为末，用纱布袋装后扎紧口。

③肉与药放入锅内煨煮至羊肉烂，调味服食。

●适用人群：精少伴气血虚，脾胃弱尤适合。

●用法及宜忌：肾火盛者慎食。

●功用解析：羊肉性温味甘，有益气补虚、温中暖下之作用；仙灵脾（淫羊藿），辛甘温，壮肾助阳，现代药理研究，其含有淫羊藿素，具有兴奋性神经，促进精液分泌的作用。锁阳甘温，补益肝肾，壮阳填精。黄精甘平，滋补强壮，补中益气。

●贴心小提示：

1.羊肉为“血肉有情之品”，能补益有形的肌肉之气。李东恒曾谓“羊肉补形”。其功能补阴理虚，益气血，壮阳道，开胃健力，是适宜冬补的食品，其他季节不要太多吃。冬天食用羊肉羹，对平时脾胃虚寒、患有脘腹冷痛、腹泻等症的病人有较好效果。

2.煮羊肉时加杏仁则易熟，加胡桃则不臊，加竹则可助味。不用铜器煮羊肉，否则可使男子损阳，女子月经过多。

杜仲银耳羹

●原料：银耳10克、炙杜仲10克、冰糖20克 。

●做法：

①将银耳放入盆内，加适量温水，浸泡30分钟，然后拣去杂质及蒂头，撕成片状。

②将杜仲加水煎煮3次，共取煎液1000毫升。

③再放入锅内，加水适量，放入银耳，用大火烧沸，再用小火熬3～4小时，至银耳炖烂，再入冰糖溶化即成。

●适用人群：用于肝肾阴虚、肝阳上亢所致的头晕、头痛、头脑不清、昏胀朦胧、腰膝酸软等症。

●用法及宜忌：每天吃银耳喝汤 一小碗。低血压所致的头昏不能使用。

●功用解析：杜仲补肝肾、平肝阳、壮腰膝。

●贴心小提示：

杜仲是杜仲科乔木植物杜仲的皮，因皮中有白色如丝的棉，又叫木棉。杜仲以去粗皮后断面白丝多，内表面黑褐色或紫褐色者为佳。

苁蓉鸡丝汤

●原料：肉苁蓉20克、生姜2克、鸡肉250克、红枣2枚、玉米粒100克、盐少许。

●做法：

①母鸡整洗干净，去内脏，去骨，切成鸡肉丝，约300克左右。肉苁蓉用清水洗干净，切片。玉米粒用清水洗干净。生姜用清水洗干净，刮去姜皮，切片。红枣用清水洗干净，去核。

②将以上所有材料一齐放入沙锅内，加入适量清水，

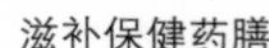

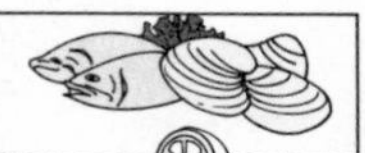

中火炖3小时，加入少许盐调味即可。

●适用人群：对肾虚精神不振、阳痿、遗精、腰痛、尿频，饮食无胃口等症有疗效。

●用法及宜忌：肾阳虚者可经常食用。

●功用解析：肉苁蓉补肾壮阳。

●贴心小提示：

因为生肉苁蓉长得像肉，故名。西部地区的人经常把嫩的肉苁蓉当作食物，刮去鳞甲，用酒浸洗去黑汁，切成薄片，和山芋、羊肉一起做羹，味道非常好，有益人体。

鸡肝肉桂汤

●原料：鸡肝2副、肉桂3克、盐少许。

●做法：将鸡肝洗净，与肉桂同置瓷器（或带盖瓷缸内）。加适量清水和少许盐，盖好入锅隔水炖熟即可。

●适用人群：肾气虚弱，下焦元气不足引起的脐腹疼痛、发冷，夜多小便，妇女虚寒痛经。

●用法及宜忌：阳盛阴虚的人不宜食用。

●功用解析：补中益气，补肝肾，利关节。肉桂补火助阳，散寒止痛，温通经脉。

●贴心小提示：

肉桂与桂枝同出桂树，肉桂为桂树的皮，一般8～10月采用，桂枝为桂树的嫩枝。肉桂不宜久煮，以免减低药效。

子鸡龙马汤

●原料：海马40克、生姜2克、鲜虾150克、红枣2枚、公鸡仔1只（约450克）、盐少许。

●做法：

①公鸡仔整洗干净，去毛，去内脏。鲜虾洗净，挑去沙线，剪去虾须。海马用清水洗干净。生姜洗干净，刮去姜皮，切片。红枣洗净去核。

②以上所有材料一齐放入沙锅内，加入适量清水，小火炖4小时左右，用盐调味即可。

●适用人群：对肾阳虚衰、阳痿、早泄、尿频有疗效。

●用法及宜忌：阳盛阴虚的人不宜食用。

●功用解析：海马补肾壮阳，益精填髓。

开胃消食药膳

食欲不振多由先天不足、脾胃虚弱、腐熟运化不及所致；或情志失调，伤脾引起。因为胃负责受纳食物，脾主消化，脾胃调和，则口能知五谷饮食之味。在《灵枢·脉度》中说：“脾气通于口，脾和则口能知五谷矣。”若脾胃不和，受纳消化失职，就会造成食欲不振，消化不良。治疗本病以运脾开胃为基本法则。脾运失健者，当以运脾和胃为主；脾胃气虚者，治以健脾益气为先；若属脾胃阴虚，则应以养胃育阴之法。此外，理气宽中，消食开胃，化湿醒脾之品也可酌情应用。食欲不振用食疗方法较为适宜，同时注意饮食调养，纠正不良的饮食习惯，方能有效。

莱菔子粥

●原料：莱菔子15克、大米50克。

●做法：

①将莱菔子（白萝卜籽）炒熟后研末备用。

②将莱菔子末同大米煮成稀粥，趁热服食。

●适用人群：食积胃痛，尤以油腻之物积滞胃肠者，痰浊滞肺之咳嗽、胸闷、气喘等症。

●用法及宜忌：脾虚体弱者不宜服用。

●功用解析：莱菔子行气消食，化痰平喘。

●贴心小提示：

莱菔子即萝卜子，是十字花科草本植物萝卜的成熟种子。如果食人参上火，可以服莱菔子，有清火解毒作用。

莲子银耳羹

●原料：莲子肉30克、银耳20克。

●做法：

①莲子肉、银耳洗净。

②将莲子、银耳放入400毫升水中，用小火煮烂，放冰糖少许即可食用。

●适用人群：常人保健，或脾胃虚弱之人。

●功用解析：莲子甘涩、性平，入心、脾、肾经，能补脾胃虚弱，除烦热、清心火，还可养心安神，让人宁静且容易入睡，是八月厨房的必备；银耳入肺、胃、肾三经，银耳甘平无毒、润肺生津、滋阴养胃、益气和血、健脑嫩肤、恢复肌肉疲劳等功能，治肺热咳嗽、久咳喉痒、咳痰带血、痰中血丝，或者久咳肋痛、妇女月经不调、肺热胃炎，大便秘结、大便下血。莲子、银耳二味相用能气阴两补，适用于夏天健康人食用。

●用法及宜忌：每日清晨食用。便秘者忌食莲子。

●贴心小提示：

莲子银耳羹是很美味的，小火煮的时候要耐心一点。煮好后，可用冰水镇凉了后享用，也可放凉后放入冰箱内，吃的时候莲子嫩嫩的，银耳滑滑的，汤汁甜甜的，味道确实不错。

●医师解析：

银耳，因其色白如银，瓣状似人耳，故又叫白木耳，原系野生，主要生长在各种枯死的阔叶干上，是一种胶质的食用菌和药用菌。银耳有段木栽培与瓶栽（或薄膜袋栽培）两种，瓶栽（或薄膜袋栽培）银耳生产期短，由于培养基营养丰富，一般朵大肉厚，但基部比较粗大，银耳吸水快，容易涨发，把干料放在足够的热水里，很快恢复原状，去掉基部木屑，漂洗后即可做菜，它既可做成甜菜，又可做成咸菜，可素吃，也可荤烧。银耳与木耳所含成分大致相同。习惯上木耳搭配荤菜较多，银耳制作甜菜、汤羹较多。

绿豆炖藕

●原料：鲜藕1000克、绿豆150克、肉汤1500毫升、盐5克、胡椒粉3克、味精3克、生姜15克、白矾3克。

●做法：

① 绿豆洗净用清水泡2小时。鲜藕去皮，去节，洗净切成梳子背形的块。白矾放入2000毫升清水中，溶解后用。生姜洗净切片。

② 将锅置火上，注入白矾水烧沸，入藕块煮5分钟捞出，用冷水漂洗两次。

③ 净沙锅置火上，注入肉汤烧开后下藕片、绿豆、生姜片同煮，绿豆酥烂时加入胡椒粉、盐、味精调味装碗即成。

●适用人群：适用暑热烦渴，眼热红痛、丹毒、痈肿以及胃有虚火等症。

●用法及宜忌：脾胃虚寒者慎用本方。

●功用解析：养阴润肺，清热解暑毒。白矾能收敛止血，涩肠止泻。

●贴心小提示：

这道菜要熬得时间长，经过一个多小时的煎熬，绿豆被煨入了肉香，化为绵绵软软的豆泥充塞在莲藕里，吃起来别有风味。用白矾水煮藕块，可使其保持色白和形体完整，增加食品的形、色美。但大量白矾内服刺激性大，会引起口腔、咽喉烧伤、呕吐，腹泻等，故白矾量宜少不宜多。

●医师解析：

鲜藕生食能清热润肺，凉血化瘀；熟食可健脾开胃，止泻固精。

防癌抗癌药膳

癌症是机体异常细胞的过度繁殖增生，从而损害健康、危及生命的一类疾病。研究发现，80%～90%的癌症与环境因素，如地理条件、生活方式、饮食习惯等有关。如果对这些因素采取适当的措施，并做到早期发现和早期治疗，就可以达到防治癌症的

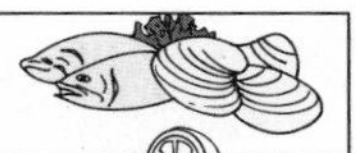

目的。其中饮食的调养无论对于防癌，还是治癌都是非常重要的。

清蒸蒜头甲鱼羹

●原料：甲鱼1只(约250～500克)、独头蒜或紫皮大蒜100克、料酒、生姜、胡椒、盐各适量。

●做法：

① 先将甲鱼放入沸水中烫死，去掉甲壳、剖腹去内脏、大蒜剥衣洗净。

②然后取大蒜放入甲鱼腹中，加料酒、生姜、胡椒、盐适量，置蒸碗内加水少许，隔水小火蒸煮至烂熟即可食用。

●适用人群：适用于慢性肝炎、肝硬变、肝胁肋包块及腹水、肝区疼痛等症。

●功用解析：有滋养肝肾、消食破淤、解毒利尿、扶正抗癌之功效。甲鱼滋补强壮；现代研究，大蒜中大蒜素可激发人体吞噬细胞的吞噬功能，增强免疫，具有抗癌作用。

●贴心小提示：

大蒜内的大蒜素有抗癌作用，所以，大蒜需切开后在空气中放置一会儿，使之氧化方能生成大蒜素。

桑寄生煲鸡蛋

●原料：桑寄生30克、鸡蛋2个。

●做法：先将桑寄生切片，与鸡蛋同入锅内，加水煎煮，蛋熟后去壳取蛋，再放入汤煮片刻即成。

●适用人群：各种癌肿引起的腰膝酸软、四肢麻木、耳聋耳鸣、食欲减退等症。

●用法及宜忌：去药渣吃蛋饮汤，每日一次。

●功用解析：桑寄生补益肝肾、强筋壮骨；鸡蛋补虚养血。二者合用，扶正抗癌。

●医师解析：

此方对治疗中风后遗症或用于防止中风发生，也有一定作用。

山药扁豆粥

●原料：山药20克、白扁豆15克、鸡内金10克、大米50克、盐适量、食用油适量。

●做法：将以上味药加适量水煎取药汁，加大米煮成粥，盐、油调味即可。

●适用人群：适应患者放疗中或放疗后食欲不振、纳少乏味之症。

●功用解析：具有健脾和胃之功效，山药、白扁豆健脾护胃；鸡内金消食开胃。

●贴心小提示：

鸡内金，为鸡的沙囊内膜，也就是鸡的胃内膜(因鸡没有胃，吃下食物后就存贮在沙囊中，因此该沙囊也就相当鸡的胃)。沙囊的内角质较软，可以趁湿剥离，洗净、晒干，就是一味举手可得的中药——鸡内金。研究发现，鸡内金含有大量的蛋白质，不仅能促进胃腺分泌，还能增强胃运动。因此适用于医治各种消化不良症状。中医认为，鸡内金有消积滞、健脾胃的功效。临床多用于治疗食积胀满、呕吐反胃、泻痢、疳疾、小儿遗尿等症状。

●医师解析：

因化疗药物除对肿瘤细胞的杀伤作用之外，同时也会损伤到部分正常组织细胞，出现一系列不良反应：如对胃肠黏膜细胞的影响引起恶心、呕吐、食欲减退等；抑制骨髓造血细胞引起白细胞、血小板的下降等。在饮食进补时应多吃增加食欲及消化功能的药膳以及促进骨髓细胞生长，提高免疫功能之品，以减少化疗的毒副反应。

参苓粥

●原料：人参5克(或用党参15克)、茯苓15克、生姜3克、大米100克。

●做法：

将人参、生姜切片，茯苓研成粗末，浸泡30分钟后煎取药汁共两次，将两次药汁混合后分早晚两次同大米煮粥，待粥至熟时，放入适量冰糖调味即可食用。

●适用人群：本方具有抗癌扶正，益气补虚、健脾养胃之功效，凡癌症患者均宜食用。

●用法及宜忌：有内热烦躁的患者不宜食用。

●功用解析：人参益气补虚、健脾养胃；茯苓健脾利湿。

●医师解析：

癌症患者因脏腑虚损，消化功能下降，如仅补充大量营养物质，往往因胃不纳食、脾不运化，出现脘腹作胀、便溏诸症。另外营养物质进入体内未能分解，不为机体所用，虽进食不少却补益甚微。而药粥选用中药，常有补脾健胃功能，性味温和，可起到较好的辅助治疗作用。

生地杞子粥

●原料：生地黄60克、枸杞30克、生姜3片、大米150克。

●做法：先将生地切碎，同枸杞、生姜、大米一同煮粥，或将生地水煎取汁，与枸杞、生姜煮成粥服食。

●适用人群：适用于放疗中或放疗后出现口干咽燥、进食乏味、舌质红绛等症。也可作为肝、胃、肾、大肠等肿瘤患者长期食用。

●用法及宜忌：随量食用。

●功用解析：生地黄、枸杞益肝补肾、滋阴润燥；生姜、大米健脾益气。全方具有扶正抗癌之功效。

●贴心小提示：

中药地黄为玄参科植物的根茎，每年10～11月采集，晒干即成生地；将生地以砂仁、酒、陈皮为辅料反复蒸晒，至颜色变黑、质地柔软，即为熟地。生地与熟地药理作用是不同的，生地：性寒，有凉血清热、滋阴补肾、生津止渴之功效；熟地：性微温，为补血要药。临床使用时不可将两药互相替用。

●医师解析：

因肿瘤患者放疗受电离辐射作用，肿瘤病人常出现类似热邪伤阴耗气的症状，如口干咽燥、进食乏味、舌质红绛等，在饮食进补时应多吃滋润清淡、生津增液之品，以减少放疗的副反应。

绿豆糯米酿猪肠

●原料：猪大肠1段（约40厘米长），绿豆、糯米各适量，用量是2：1（视猪肠大小而定量），冬菇2个。

●做法：

① 将绿豆、糯米洗净，清水浸3小时；冬菇洗净，切细粒；猪大肠洗净。

② 把绿豆、糯米、冬菇粒拌匀，调味，放入猪大肠内（不要装太满，并留有少许水），大肠两端用线扎紧。

③ 把酿好的猪大肠放入瓦罐内，加清水适量煮2小时，取出切厚片，下调味品即可。

●适用人群：适用于肠癌便血或其他癌肿体虚肠燥便秘者。

●用法及宜忌：随量食用。

●功用解析：绿豆性味甘凉，功能清热解毒。糯米性味甘平，功能补中益气，暖胃和中。香菇能养胃气并有独特香味，可增进食欲。猪大肠性味甘微寒，以脏补脏，有补肠润澡的作用。合而为用，可奏滋润补虚、养血止血之功。

●贴心小提示：

1.猪大肠宜选用肛直肠段为佳。绿豆、糯米的用量以2：1为好。

2.先将猪大肠用盐和醋腌一下，通过醋的作用可以去除大肠内的异味。

黄芪瘦肉汤

●原料：黄芪50克，红枣10枚，槐花10克，附片6克，猪瘦肉150克，生姜6克，盐、花椒、大蒜、葱段、酱油、味精各适量。

●做法：将猪瘦肉去筋膜，洗净切丝；余药布包，一同放沙锅内，加清水适量煎煮，先用大火烧沸，再用小火慢炖，至熟烂后，去药包，加入调味品调味服食。

●适用人群：主治脾肾阳虚之肠癌。

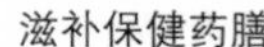

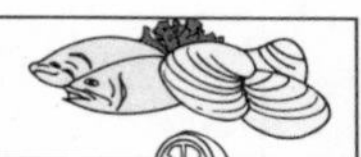

●用法及宜忌：食肉饮汤。每日一剂，分二次食完，连续服食5~7日。

●功用解析：附片温肾补虚；黄芪健脾益气，止血消肿。

●贴心小提示：

民间常以黄芪为主，配以其他药物或佐料，作为保健防病的食疗方，如黄芪煮黑豆、黄芪红枣汤、黄芪大米粥、黄芪杞子汤等等。

猪蹄甲鱼人参汤

●原料：猪蹄250克，甲鱼500克，人参15克，生姜10克，盐、大蒜、花椒、葱段、味精各适量。

●做法：

①将猪蹄洗净；甲鱼杀后取肉切成方块；生姜切片。

②各物一同放入沙锅中，加清水适量炖煮，先用大火烧沸，再用小火慢炖，炖至熟烂后，加入盐及调味品，再煮1~2沸即可。

●适用人群：主治脾肾两虚之肠癌。

●用法及宜忌：食蹄、甲鱼、饮汤，隔两日一剂，每剂分三次食完。可佐餐服食，亦可单独食用，连续服食5~7日。

●功用解析：全方气阴两补，收敛止血。人参健脾益气；甲鱼补肾养阴，现代实验研究证实，甲鱼有调节免疫功能，提高淋巴母细胞的转化率，使抗体存在的时间延长，增强并促进骨髓造血，保护肾上腺皮质机能，防止癌细胞突变，延长机体寿命等作用。

●贴心小提示：

1.甲鱼擅长益气补虚、滋阴养血；甲鱼壳，又称鳖甲，擅长滋阴潜阳、软坚散结。甲鱼的味道十分鲜美，自古以来被人们视为大补之品。

2.将猪蹄洗净，先在沸水中煮2分钟，捞出，在冷开水（或冷水）中稍浸一下，然后斩块比较容易。

●医师解析：

本食疗方不仅可增加营养，增强抵抗力，而且可以益气养阴、软坚散结、减轻临床症状，减少放疗不良反应的辅助治疗功效。

紫草陈皮粥

●原料：紫草根30克、广陈皮15克、大米100克、红糖少许。

●做法：

①将紫草根、广陈皮洗净，切碎，置沙锅中，加适量水煎煮，煮沸约20分钟，过滤去渣，取汁备用。

②大米洗净，放入沙锅中，加清水适量，置火上，先用大火烧沸后，再用小火慢煮，至粥熟后，加入药汁和红糖，再稍煮即成。

●适用人群：气血痰瘀互结之鼻咽癌。

●用法及宜忌：趁热服食。每日一剂，早、晚服食。连服5~7天。

●功用解析：紫草根清热解毒、凉血活血；陈皮行气。

●医师解析：

鼻咽癌是指发生于鼻咽顶部和侧壁的恶性肿瘤，是常见的恶性肿瘤之一。主要症状为鼻塞、鼻衄、头痛及颈部淋巴结肿大。中医认为其病因主要为肺热痰火和肝胆热毒所致。临床常见毒热蕴结、气郁痰凝、肺胃阴伤、气血双亏等症型。在进行食疗药膳时，应当选用具有清热解毒、化痰散结、行气活血、养阴生津，补益气血作用的膳食，忌食辛辣等刺激性食物，方可收到理想的辅助治疗效果。

参归龙眼炖乌鸡

●原料：当归30克、人参10克、龙眼肉50克、乌骨鸡1只、调味品适量。

●做法：

①当归、人参切片布包。乌鸡宰杀去毛除内脏洗净。

②诸物入沙锅加调味品及适量水，小火煮炖，至鸡肉脱骨熟烂，去布包即可。

●适用人群：气血两虚之鼻咽癌。

●用法及宜忌：分2~3天作菜肴佐餐。

●功用解析：当归养血活血；人参、龙眼肉健脾益

气安神；乌鸡补虚强壮。全方有补气养血之功。

●医师解析：

实验研究证实，人参、当归、龙眼肉不仅有很好的营养滋补作用，而且对癌瘤细胞有不同程度的抑制作用。人参、龙眼肉的热水浸出液对子宫颈癌的细胞瘤株抑制率均在90%以上。临床研究观察，癌症病人常吃乌骨鸡，有滋补强身，提高免疫功能，控制肿瘤的生长、发展、转移，延长生存期的功效。本食疗方有助鼻咽癌患者增强体质，改善临床症状，提高对癌瘤的抗病能力。

莲藕桃仁汤

●原料：鲜莲藕250克、桃仁10克、白糖25克。

●做法：

① 将鲜莲藕洗净，刮去皮，切成片；桃仁用清水浸软后，去皮尖。

② 二物一并置沙锅中，加适量水同煮，至熟烂后，加入白糖即可食用。

●适用人群：瘀血内结之食管癌、鼻咽癌。

●用法及宜忌：食藕饮汤，每日一剂，分两次食完，连续服食十日。

●功用解析：桃仁活血润肠；莲藕健脾补虚。全方活血破瘀，理气止痛。

●贴心小提示：

自古就有“桃仁有微毒，不可过食”的说法，桃仁多食会令人发热甚至中毒。

山楂大枣三七粥

●原料：山楂20克、红枣10克、三七粉3克、大米100克、蜂蜜适量。

●做法：先将大米洗净，同山楂、红枣放入锅内加水适量煮成稠粥，待粥至熟时，调入三七粉、蜂蜜即可食用。

●适用人群：适用于肝癌、肝硬化、胃癌、食道癌、大肠癌等。

●用法及宜忌：每日早餐温热食之。

●功用解析：全方扶正抗癌，山楂、红枣、大米健胃利肠、化积通滞；三七粉化淤止痛、消肿。

●医师解析：

肝脏受损害时，维生素摄入和合成会减少，且消耗增加，以致人体缺乏维生素。日常饮食要荤素适中，不要过于油腻及进食过多腻滞之品；过量饮酒会增加肝脏负担，甚至引起酒精中毒，损害肝细胞，患了肝病的人尤应注意戒酒。此外，保持心情舒畅亦很重要，因为情绪紧张、忧思、郁怒和过度疲劳都对肝脏有不良影响，使自身抗病能力降低。

红豆鲤鱼汤

●原料：红豆200克、活鲤鱼500克、葱、姜、盐、胡椒、料酒各适量。

●做法：先将鲤鱼割杀洗净，与红豆同放入锅内加葱、姜、胡椒、盐、料酒和清水适量。炖至红豆烂熟，以味精少许调味食用。

●适用人群：适用于肝癌后期腹水，肠癌便下脓血及肾癌、膀胱癌等引起的小便不利、食欲不振等症。

●用法及宜忌：

每两日一剂，分两次食完，连续服食7～10日

●功用解析：红豆、鲤鱼活血排脓、利水化湿，共奏防癌抗癌之功效。

●贴心小提示：

注意用于治水肿为主者，忌多加盐或进食其他过于咸味之物。

合欢佛手猪肝汤

●原料：合欢花12克，佛手片10克，鲜猪肝150克，生姜10克，盐、大蒜、葱段、味精各适量。

●做法：

①将合欢花、佛手片置于沙锅中，加入清水适量煎煮，煮沸约20分钟后，过滤去渣，取汁备用。

②将猪肝洗净，切成片，加生姜末、盐、大蒜等略腌

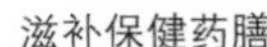

片刻，锅中将药汁煮沸后，倒入猪肝，煮1～2沸后即可。

●适用人群：肝气郁结之肝癌。

●用法及宜忌：食猪肝饮汤。每日一剂，每两次食完，连续服食5～7日。猪肝不与鹌鹑同食，否则面生黑斑。

●功用解析：全方疏肝解郁，行气止痛。合欢花疏肝解郁、安神志；佛手片行气止痛；猪肝以脏补脏。

●贴心小提示：佛手又名佛手柑、五指柑、佛手橘，为芸香料药用植物佛手常绿灌木或小乔木的未成熟的干燥果实。其根、叶、花、果均可入药，属常用中药材，具有理气行气、止呕和胃、健脾开郁、化痰等功效。

薏米红豆粥

●原料：薏米、红豆30克，红枣5枚，白糖10克。

●做法：将薏米和红豆洗净入锅，加水两大碗，小火慢煮1小时加红枣、白糖再煮30分钟，至豆烂离火。

●适用人群：湿热瘀毒之肝癌。

●用法及宜忌：当点心吃，常食。

●功用解析：薏米、红豆健脾利湿养肝，清热解毒。

●贴心小提示：

中国历代名医对膳食功能均有精辟的论述，战国扁鹊说："君子有病，期先食以疗之，食疗不愈，然后用药。"唐·孙思邈指出"安身之本，必须于食，不知食疗者，不足以全生"。由于红豆性偏甘、酸，所以能补益和中。尤其对中老年人阳气不足和久病体虚者有较好作用。

甲鱼山楂汤

●原料：甲鱼300克，山楂，生姜，花椒、大蒜、盐、酱油、味精、葱段各适量。

●做法：将甲鱼宰杀后，去壳、头、爪，洗净切块；生姜切成片；与山楂一并放入沙锅中，加入清水适量和盐及调味品等，置火上，先用大火烧沸，再用小火慢炖，至熟烂后，调味服食。

●适用人群：大补元气，活血行瘀，散结止痛。

●用法及宜忌：可佐餐服食，亦可单独食用。每日一剂，分三次食完，连续服食5～7日。

●功用解析：山楂开胃消食。

●贴心小提示：

要把甲鱼全身的乌黑污皮轻轻刮净，注意别把裙边（也叫飞边，位于甲鱼周围，是甲鱼身上滋味最香美的部分）刮破或刮掉，刮净黑皮后洗净即可切块。

阿胶花生粥

●原料：阿胶30克、花生仁20克、桂圆肉15克、红枣20克、糯米100克、红糖适量。

●做法：

①将桂圆肉、去核红枣、花生仁、糯米洗净后置沙锅中。

②锅中加清水适量煮粥，先用大火烧沸后，再用小火慢煮，待粥熟后，加入蒸溶化的阿胶，边煮边搅匀，稍煮2～3沸后，加入红糖适量调匀即可。

●适用人群：胃阴亏耗之胃癌。

●用法及宜忌：趁热服食，每日一剂，分两次食完，连续服食5～7日。阿胶滋腻，脾虚痰湿症者不宜服用。

●功用解析：阿胶养阴补血，花生仁、桂圆肉、红枣、糯米健脾益胃、养血。

●贴心小提示：

阿胶是哺乳科动物驴的皮，经煎熬、浓缩成的胶块。因产于山东东阿县(今阳谷县)而得名。阿胶最早收载于《神农本草经》，将其列为上品，具有补血止血，滋阴润肺的功效。

鳝鱼参归汤

●原料：鳝鱼500克，全当归12克，党参12克，料酒10克，生姜12克，大蒜、醋、盐、酱油、葱段、味精、胡椒粉各适量。

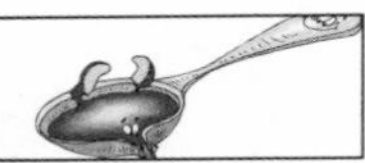

●做法：

① 将鳝鱼剖背脊后，去骨、内脏、头、尾，切成丝备用；生姜洗净切成丝；党参、全当归装入纱布袋内，扎紧口备用。

② 将中药袋、鳝鱼丝及调料等一并放入沙锅内，加清水适量，先用大火烧沸后，去掉浮沫，再用小火煎熬1小时，取出药袋不用，至熟烂后，加入盐及调味品等调味后即可食用。

●适用人群：气血两亏之胃癌。

●用法及宜忌：吃鱼喝汤，可佐餐服食，连续服食5～7日。鳝鱼不与狗肉同食。

●功用解析：当归、党参、鳝鱼补益气血，强身健体。

●贴心小提示：

有一种鳝鱼叫蛇鳝，是由蛇衍变来的，在其项下有白点，有毒能害人。大的鳝鱼有毒，对人有害。过多食用易诱发疮疡。

枸杞瘦肉甲鱼汤

●原料：枸杞15克、猪瘦肉250克、甲鱼1只。

●做法：枸杞洗净，猪瘦肉切丝，甲鱼去内脏，切块。上物放锅内，加适量水炖熟，撒盐调味即可。

●适用人群：适于癌肿手术后血虚气弱者。

●用法及宜忌：吃肉喝汤，可佐餐服食，连续服食5～7日。

●功用解析：枸杞补益肝肾；甲鱼滋阴养血。

黄芪猪脚汤

●原料：黄芪20克、猪脚2只、花生仁适量。

●做法：将黄芪、花生仁洗净。猪脚去毛、斩件。把全部用料放锅内加水适量，先大火煮沸，后小火煮1小时，调味随量饮用。

●适用人群：白血病属脾不统血，亦用于癌肿化疗后白细胞减少症。

●用法及宜忌：吃肉喝汤，可佐餐服食。

●功用解析：黄芪补气摄血，和花生仁、猪脚健脾养血。

红枣圆肉枸杞粥

●原料：红枣10枚、龙眼肉15克、枸杞15克、糯米50克。

●做法：以上药物加水煮粥服食。

●适用人群：适于化疗后红细胞及血色素减少之症。

●用法及宜忌：可经常服食。

●功用解析：红枣、龙眼肉健脾生血；枸杞补肾填髓。

消除疲劳药膳

在繁忙的工作、学习和生活中，一部分人感到持续性疲乏无力、精神萎靡、记忆力减退、思维混乱、头晕眼花、腰膝酸软、心悸气短、心烦少寐、手足不温、腹胀纳差、潮热盗汗等，临床检查无明显疾病。这种介于健康与疾病之间的表现称为“疲劳综合征”。若不及时治疗，有继发相应实质性病变的可能。资料报道，近年因长时间的过度劳累，患此病症而致死亡的人数逐年增加，应当引起人们的重视。中医学以阴阳五行、脏腑经络、辨证施治的理论为基础进行辨证施治，取得一定的疗效。按中医方剂学的组方原则和药物、食物的性能选配组合的药膳，对这种慢性疾病的预防和治疗更具一定的优势。

参枣粥

●原料：人参3克、莲子10克、红枣10枚、大米100克、冰糖适量。

●做法：将大米洗净，与人参、莲子、红枣同放锅内，加水煮粥，粥熟后放入冰糖溶化即可。

●适用人群：补气健脾，调摄精神，适用于疲劳过度耗伤元气，引起气血不足，头晕健忘、失眠多梦、腹胀、纳呆、消瘦等症状。常食本方可强身健体、振奋精神。

●用法及宜忌：每日早、晚服食。人参不宜与萝卜、茶叶同时服用。

●功用解析：人参大补元气，消除疲劳；莲子、红枣健脾益气，增加体力。

●医师解析：

药理学及临床研究证实，许多滋补中药都具有调节免疫功能作用，如所含的微量元素能调节人体内电解质平衡，提高细胞内氧含量，对人体的免疫功能有调节作用；如人参、党参、黄芪、枸杞、红枣可促进白细胞数量增加；人参、白术、黄芪、茯苓等能促进单核巨噬细胞系统的功能；黄芪、当归、生地等对干扰素有诱生作用；又如党参、黄芪、白术等能增强体力和智力。所以，“疲劳综合征”平时可以食用一些由这些药物组成的药膳对体力的恢复会有很大的帮助。

清炖甲鱼

●原料：活甲鱼1只，葱结、姜块、料酒、盐、味精、蒜泥各适量。

●做法：

①将甲鱼宰杀，斩去脚爪洗净，放入沸水锅中焯一下，捞出刮去黑膜，剁成四块。

②取沙锅一只，放入甲鱼块，加姜块、葱结、料酒等调料及清水淹没甲鱼，用大火烧开，移小火焖2 小时，至烂后去姜块、葱结，加盐、味精调味。

●适用人群：健康人食用能使精力充沛、精神焕发、消除疲劳。

●用法及宜忌：佐餐食，吃时拌入蒜泥。不宜与橘子、猪肉、兔肉、鸭肉、鸭蛋、芥末、紫苏、薄荷同食。

●功用解析：甲鱼滋阴凉血，益气补虚，养血补血。

苁蓉鲜鱼汤

●原料：鲜鱼肉400克，肉苁蓉15克，白菜、胡萝卜、粉丝、豆腐、调料各适量。

●做法：

①将鲜鱼肉切成薄片；肉苁蓉切成小薄片备用。

②铝锅内(或火锅)加水，放入酱油、料酒、盐、味精各适量，将鱼片、肉苁蓉片、白菜、豆腐、粉丝等一同放入煮熟，再加入胡椒粉调味即可。

●适用人群：适用于肝肾亏虚所致疲劳综合征、疲劳及性功能减退等症。

●用法及宜忌：食鱼肉、饮汤。

●功用解析：补肾强精，消除疲劳，调节人体机能。肉苁蓉补肾益精，强筋健骨，润肠通便。

●贴心小提示：

肉苁蓉以肉质棕褐色、油性大、柔软者为佳。

●医师解析：

中医理论认为，肝主筋，肾主骨，肝肾亏损则容易出现筋骨疲劳，一般来讲肝肾亏虚所致疲劳综合征，多见精神萎靡不振，头晕眼花，腰膝酸软，健忘失眠，潮热盗汗，怕冷，四肢手脚冰凉，小便次数多等，血压偏低，治宜肝、脾、肾同调。鱼汤中还有一种特殊的脂肪酸有抗炎作用，可以阻止呼吸道发炎，并防止哮喘病的发作。对儿童哮喘病的效果更为明显。

天门冬萝卜汤

●原料：天门冬15克，萝卜300克，火腿150克，葱花5克，盐3克，味精、胡椒粉各1克，鸡汤500毫升。

●做法：

①将天门冬切成 2～3 毫米厚的片，用2杯水，以中火煎至1杯量时，用纱布过滤，留汁备用。

②火腿切成长条形薄片；萝卜切丝；锅内放鸡汤500 毫升，将火腿先下锅煮，煮沸后将萝卜丝放入，并将煎好的天门冬药汁加入，盖锅煮沸，加盐调味，再略煮片刻即可。食前加葱花、胡椒粉、味精调味。

●适用人群：消除疲劳，适宜于阴虚气衰型疲劳，气短咳嗽，乏力等。

●用法及宜忌：佐餐食。萝卜不可与人参同时服用。

●功用解析：天门冬能滋阴润燥，清肺降火。

●贴心小提示：

天门冬以肥满纹细密、黄白色、半透明者为佳。

●医师解析：

疲劳与火有密切关系，这里的火既有由阴虚气衰而致的虚火，又有阳和之气亢极的实火，故益气养阴为防治此类疲劳综合征的又一有效方法。鸡汤特别是母鸡汤中的特殊养分可加快咽喉部和支气管黏膜的血液循环，增强黏液分泌，及时清除呼吸道病毒，所以对感冒、支气管炎等疾病也有独特的防治效果。

虫草洋参乌鸡汤

●原料：虫草6克，西洋参10克，山楂15克，乌鸡1只，姜、葱、料酒、盐、味精各适量。

●做法：将乌鸡去毛及内脏，切块；与人参、虫草、山楂、姜、葱、料酒同放沙锅内，加水适量，炖至肉熟，加盐、味精调味。

●适用人群：补中益气、生津、恢复体力、抗疲劳。

●用法及宜忌：吃肉、喝汤。

●功用解析：虫草即冬虫夏草，益肺补肾，补虚强壮；西洋参补气生津，为抗疲劳的常用佳品。

●贴心小提示：

虫草以虫体色黄发亮、丰满肥壮、菌座短小者为好。

●医师解析：

西洋参和人参均可补气强壮抗疲劳，但人参较温燥，容易上火，西洋参则补而不燥，适合于长期服用。

虫草红枣炖甲鱼

●原料：虫草10克，活甲鱼1只，红枣20克，料酒、盐、葱段、姜片、蒜瓣、鸡清汤各适量。

●做法：

①将甲鱼宰杀，去内脏，洗净，剁成四大块，放锅中煮沸捞出，割开四肢，剥去腿油洗净。

②虫草洗净；红枣用开水浸泡。

③甲鱼放汤碗中，上放虫草、红枣，加料酒、盐、葱段、姜片、蒜瓣和鸡清汤，上笼隔水蒸2小时，取出，拣去葱段、姜片即可。

●适用人群：适用于腰膝酸软、月经不调、遗精、阳萎、早泄、乏力等症。健康人常食，可增强体力、防病延年、消除疲劳。

●用法及宜忌：佐餐食。不宜与橘子、猪肉、兔肉、鸭肉、鸭蛋、芥末、紫苏、薄荷同食。

●功用解析：滋阴益气，补肾固精，抗疲劳。虫草益肺补肾，补虚强壮；甲鱼滋阴强壮；红枣补脾养血。综合三物为补虚强壮的很好药膳。

清炖鸭块冬瓜

●原料：鸭肉1500克，冬瓜500克，葱段、姜片、盐、味精、料酒各适量。

●做法：

①将鸭肉洗净切块，放在开水锅内焯一下，捞出，冲去血沫；冬瓜洗净，削皮，切块。

②沙锅内放水煮开，放入鸭（水没过鸭块）、葱段、姜片、料酒。

③盖上锅盖煮到鸭块八成熟，再放入冬瓜，待鸭块、冬瓜都熟烂，放入盐、味精即可。

●适用人群：滋阴清暑，适合夏季食用。

●用法及宜忌：故脾胃虚寒者应少食用。

●功用解析：鸭肉性味甘凉，甘能补虚，凉能清热；冬瓜性味甘淡，清热利水，祛暑化湿。

●贴心小提示：鸭子中火炖开后，要用小火慢慢焖烧，防止汤汁混浊。炖鸭子时，可将冬瓜块放入少许盐腌渍一会儿，将多余水分去掉，再放入汤中，可使汤汁稠浓，更加入味。放入冬瓜块后，不要焖得时间太长，冬瓜块过熟就会不成形状了。

火锅菊花鱼片

●原料：鲜菊花100克，鲜鲤鱼500克，鸡蛋2个，鸡汤适量，盐、料酒、胡椒粉、香油、姜、醋等。

●做法：

①将菊花去蒂，摘下花瓣，拣出那些焦黄或沾有杂质

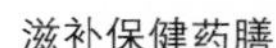

的花瓣不用。将留下的花瓣放入冷水内漂洗20分钟，沥尽水分备用。

②将鸡汤、调料一并放人火锅内烧开，将鲤鱼切成薄片备用。将火锅盖打开，把鱼片投入汤内，待5~6分钟后，打开火锅盖，再抓一些菊花投入火锅内，立即盖好，再过5分钟则可食用。

●适用人群：适用于头痛头晕、目干涩、视物模糊，心胸烦热，高血压等症。

●用法及宜忌：脾胃虚寒者少食。

●功用解析：祛风明目。菊花具有散风清热、平肝明目的作用，适用于风热袭人或肝火旺盛引起诸症；鲤鱼可健脾益气、利水消肿、安胎、通乳、清热解毒、止嗽下气，用于脾虚水肿，小便不利，乳汁不通，咳嗽气逆等。

●贴心小提示：

鲤鱼等淡水鱼常有一股土腥味，这是因为淡水鱼的生活环境，如鱼塘、湖泊中的腐殖质较多，很适合于微生物的生长，这些细菌会分泌出一种具有土腥味的褐色物质通过鱼鳃进入血液中，故食之有土腥味。怎样除去土腥味？可把鱼去鳞除鳃，剖肚洗净后，放在冷水中浸泡，并倒入少量的醋和胡椒粉。由于冷水把鱼体中的血液置换出来了，并加入了除腥的调料，故可除去腥味。当然，若再加上姜、葱、大蒜等佐调更佳。此外，鱼腹中的黑皮、脊柱中的瘀血以及两侧的腥线都要去掉，这样就保证没有腥味了。

食用时，可将煮熟的鱼片和菊花瓣放在香油里沾过再吃，这样可防烫嘴。

银耳沙参饮

●原料：银耳60克、沙参30克、冰糖50克。

●做法：

①将银耳浸泡，清洗掰碎，沙参洗净用纱布包好。

②银耳、沙参一起放入锅中，加适量水，先用大火烧滚，再用小火慢煎。

③煎30分钟后起锅，捞出纱布包，加入冰糖，待冰糖溶化后即可饮用。

●适用人群：秋季咽喉干燥，咳嗽少痰者适用。

●用法及宜忌：脾胃虚寒者可不放沙参，或少食为宜。

●功用解析：银耳性味甘淡平，能滋阴润肺、养胃生津；沙参性味甘淡凉，能养阴清肺、祛痰止咳；冰糖性味甘平，能补中益气和胃、润肺止咳嗽化痰涎，三药合用对秋燥有良好的治疗作用。

●贴心小提示：

有的人尤其是少年儿童，对甜品情有独钟，如果不加以限制，摄入的糖就会超标，导致肥胖，还容易产生龋齿。棒冰、太妃糖、碳酸汽水、冰淇淋等都要尽量少吃，即使是自制的银耳汤也不要放入过多糖。

将银耳中杂质去除，放入温水中浸泡半小时，摘去硬蒂，洗净后再用凉水浸泡至回软。

●医师解析：

银耳是一种清补食品，所含的银耳多糖能改善肝功能，并能促进肝脏蛋白质与核酸的合成，健康人食用保肝护肝，也适合慢性肝炎患者。

抗疲强身汤

●原料：人参、黄芪各15克，白术、茯苓、菟丝子、山药、当归、地黄各10克，猪肉、鸡肉各500克，猪骨1000克，葱50克，姜60克，盐10克，料酒25毫升，味精、胡椒粉、鸡汤各适量。

●做法：将猪骨敲碎，鸡肉、猪肉切块；将上述各味中药用纱布包好，与猪骨、猪肉、鸡肉同放锅内，加水及葱、姜、料酒等调料煮熟即可。

●适用人群：气血不足、纳差、疲劳无力、精神不振。

●用法及宜忌：吃肉喝汤。

●功用解析：补中益气，生津，恢复体力、抗疲劳。

●医师解析：

在积极进行药膳防治的同时，还要提倡积极的精神修养，保持愉快开朗的性格，并辅之以适当的体育锻炼和理疗，如散步、太极拳、保健按摩。

滋补养生汤·粥 1001例

ZIBUYANGSHENG TANGZHOU

责任编辑：张吉容

文图编辑：高霁月

美术编辑：罗小玲

版式设计：韩少杰

封面设计：韩少杰

排　　版：采奇风 书籍设计 装帧·插画·包装·展示 010 62190515/16

撰　　稿：晓鹿　杜欣　雪莹　李娟　乌日娜
安赫　杨璐家　宇雪　范姝岑
今菲　王芳　解秸萍

图片拍摄：文冰　李超　肖亮　王旭　王伟江
王笑飞